死の帝国
写真図説・奇想の納骨堂

訳者解説

本書は Paul Koudounaris, *The Empire of Death—A Cultural History of Ossuaries and Charnel Houses*, Thames & Hudson, 2011. の日本語版である。

著者ポール・クドゥナリスは2004年にカリフォルニア大学ロサンゼルス校で美術史の博士号を取得後、ヨーロッパの納骨堂に関する文章を学術誌と一般向けの雑誌の両方で発表してきた。現在ロサンゼルスの複数の大学で美術史を教えている彼は、本書執筆のために4年以上の歳月をかけて、ヨーロッパばかりでなくカンボジアやペルーも含めて約20か国、70以上の納骨堂を訪れ、写真を撮影した。

著者のホームページ(http://empiredelamort.com)には本書に未収録の写真のほか、撮影許可がおりなかったため、本では詳しく触れられなかった場所（ウィーンの納骨所など）や、撮影時のエピソードなども紹介されている。

本文で用いた語句について、ここで若干の補足をさせていただく。

- **◆カタコンベ**——地下の共同墓地を意味するこの語はすでに日本語に定着していると判断し、ローマやチェコの地下墓地はそのまま「カタコンベ」とした。ただしパリの地下納骨所は固有名詞として「カタコンブ」の表記が一般的なため「カタコンブ」とした。
- **◆クリプト**——（あるいは**クリュプタ**）——教会で祭壇などが置かれた主要階の下に設けられた部屋で、天井は低く、墓や聖遺物が納められたり、納骨所となっている。必ずしも地下とは限らず、18世紀末にローマのサンタ・マリア・デッラ・コンチェツィオーネを訪れたフランスの小説家マルキ・ド・サドによれば、「窓を全部開け放ってあるため、陽光がたっぷり支配することになる結果、いつも恐怖心を大いに和らげている」（マルキ・ド・サド『イタリア紀行Ⅰ』谷口勇訳、ユーシープランニング、1995年、245頁）。
- **◆骸骨堂**——人骨で飾られた聖堂は日本語で「骸骨堂」、「人骨堂」、「骸骨寺」、「骸骨教会」などと呼ばれているようだが、本書では「骸骨堂」とした。

固有名詞の表記に関しては、地名と人名はできるだけ現地での発音に沿う表記としたが、教会名は基本的に原書の表記に従い、文中に登場する聖人名はラテン語読みとした。

引用・参考文献ともに邦訳のあるものは可能な限り調べ、巻末の注に対応頁も付記した。聖書の引用は日本聖書協会の新共同訳（1989年刊）を参照した。引用文が文脈に合わない場合は原書の英文から直接訳したが、21頁の枢機卿ラグランジュの墓碑と192頁のゲーテの詩は既訳をそのまま引用させていただいた。

また、原書に見られた誤植、明らかな誤認は適宜改めた。

教会建築、キリスト教、美術史に関する知識が訳者に不十分なため、不適切な訳語を当てた箇所、また地名・人名・教会名などの固有名詞の表記にも誤りがあるのではないかと思う。各方面の識者にご教示いただければ大変ありがたい。

2012年12月　千葉　喜久枝

死の帝国
写真図説・奇想の納骨堂

❖

ポール・クドゥナリス

千葉喜久枝【訳】

創元社

これら奇想の場所の保存に尽力した人々に捧ぐ。

表紙写真:聖ニコラウス教会の聖パンクラティウスの骸骨(ヴィール、スイス)、著者撮影
目次裏左頁:サンタ・マリア・デッラ・コンチェツィオーネ修道院の修道士(ローマ)、著者撮影
目次裏右頁:サンタ・マリア・デッラ・コンチェツィオーネ修道院、「ローマにおける諸聖人の大祝日——カプチン会修道院のカタコンベ詣で」、『Le Petit Moniteur Illustré』1891年11月1日号掲載のイラスト
8頁:パレルモのカタコンベのミイラ、著者撮影

THE EMPIRE OF DEATH
by
Paul Koudounaris
Published by arrangement with Thames & Hudson, London.
Copyright © 2011 Paul Koudonaris
This edition first published in Japan in 2013 by Sogensha Inc, Osaka
through Tuttle-Mori Agency, Inc., Tokyo
Japanese edition © Sogensha Inc.

死の帝国
（し　ていこく）
写真図説・奇想の納骨堂
（しゃしんずせつ　きそう　のうこつどう）
2013年10月1日第1版第1刷　発行

著　者　ポール・クドゥナリス
訳　者　千葉喜久枝
発行者　矢部敬一
発行所　株式会社創元社
　　　　http://www.sogensha.co.jp
本社　〒541-0047 大阪市中央区淡路町4-3-6
　　　Tel.06-6231-9010 Fax.06-6233-3111
東京支店　〒162-0825 東京都新宿区神楽坂4-3　煉瓦塔ビル
　　　　　Tel.03-3269-1051
©2013 Kikue Chiba
ISBN978-4-422-14385-9　C3016

〔検印廃止〕落丁・乱丁のときはお取り替えいたします。

JCOPY 〈(社)出版者著作権管理機構 委託出版物〉
本書の無断複写は著作権法上での例外を除き禁じられています。複写される場合は、そのつど事前に、(社)出版者著作権管理機構（電話 03-3513-6969、FAX 03-3513-6979、e-mail: info@jcopy.or.jp）の許諾を得てください。

目 次

序　死との対話 ……………………………………………… 9

第一章　往生術（アルス・モリエンディ）──初期の納骨堂 ……………… 17

第二章　黄金時代──対抗宗教改革期のマカーブル ……………… 49

第三章　死の勝利──19世紀の骨の幻影 ……………… 89

第四章　天国の魂──骨の山にまつわる神話と心霊術 ……………… 129

第五章　我を忘れることなかれ──記憶の場としての納骨所 …… 153

第六章　死者をよみがえらせる──保存と修復 ……………… 185

納骨所のリスト ……………………………………………… 209

原注 ……………………………………………………………… 212

索引 ……………………………………………………………… 219

謝辞 ……………………………………………………………… 224

序

死との対話

A DIALOGUE WITH DEATH

序　死との対話

ローマのカプチン会修道院サンタ・マリア・デッラ・コンチェツィオーネのクリプトを、一人のアメリカ人女性が観光で訪れた。6室からなる地下室は、ヨーロッパで有名な納骨礼拝堂の一つで17世紀に遡る。修道士の服をまとったミイラに劣らず目を奪うのが頭蓋骨で覆われた壁で、通路を飾る文様と図像もすべて骨でかたどられている。女性は足を止めるとわずかに後ずさり、何度か前後に動いた。好奇心と恐れでその顔はゆがんでいた。修道士の遺骸に目を留めると、言葉を探しあぐねるかのように唇を動かし、ついに、そばにいた観光客に向かってたずねた。「全員修道士よね？　……こんな罰を受けるなんて、彼らは何をしたの？」

何かの懲罰という解釈は珍しいが、魅了と嫌悪を同時に感じ困惑するのは、ここでは典型的な反応である。16世紀から19世紀を通じてヨーロッパの——主にカトリックの——教会は、人骨芸術の傑作である装飾納骨所を次々と建設した。だが比類なき偉業でありながらも、その病的な優美さは現代人の眼には不可解に映り、あらゆる宗教的記念碑の中で最も誤解されている。ひどく気味が悪いとか不謹慎と見なされがちなうえ、迷信に満ちた時代を思い出させる厄介な遺物でもある。これまでヨーロッパの宗教史で正面から論じられたことはないが、かつて納骨堂は死との対話という役目を担っていた。今や対話は途絶え、静まりかえっているが、かつては非常に明瞭で、死者が沈黙するとは考えられていなかった。

> 「全員修道士よね？　……
> こんな罰を受けるなんて、
> 彼らは何をしたの？」

主な納骨堂について理解するためにはまず、死そのものが固定した観念ではないことを認識しておく必要がある。近代文化に関する卓越した理論家の一人、フランスの社会学者ジャン・ボードリヤールは、死は死者と生者を分かつ境界線にすぎないと定義した。[*1] この自明とも言える言明には重要な意味が含まれている。すなわち、その境界線は変わり得る。生命現象にはいずれ命が停止する時が訪れるが、概念としての死はあくまで知的構築物で、社会や時代によって変わり得る。ベルギーの哲学者ラウル・ヴァネジェムいわく、「我々は死が定めであるがゆえに死ぬのではない。そう遠くない昔、我々の思考がとらわれるようになったがゆえに死ぬのだ」。[*2] 我々は死を、克服も単純化も不可能な、絶対的な状態と見なしがちだが、死の定義と解釈は状況により異なる。近代の西洋文化圏では、死を一つの境界と捉えるようになった。西洋以外の多くの文化ではそうではない──死は変化の過程にすぎないとされ、生者と死者の対話が社会的言説の中で重要な位置を占めている。現代の世界でそのことを端的に示す儀式がマダガスカル原住民の「ファマディアナ（"骨の回転"の意）」で、彼らは先祖の遺骸を墓所から運び出すと、新しい布で包み直し、生演奏に合わせて死骸と踊る。家族の会席の場に死者の席をしつらえることさえある。先祖との絆を再確認し、年少者に家族の歴史を語ることで、家族を結びつける役割がこの儀式にはある。

ファマディアナはキリスト教の儀式ではないが、キリスト教そのものが死者との対話を排除している訳ではない。同様の習慣を今なお守っている地域はキリスト教文化圏にも存在する。メキシコのポムチュでは、11月2日の死者の日に家族で墓地へ行き、親族の骨を墓から取り出して清める習慣がある。この儀式においては、死者の日が生者と祖先とのリアルで深い触れ合いの機会となることに成功している。同様の儀式はラテンアメリカ各地で見られ、例えば11月8日にボリヴィアのラパスで祝われるニャティータの祭では、頭蓋骨を抱えた数千もの人々が町の共同墓地にやって来る【4〜6】。死者の魂が生者を守り助けてくれるよう、頭蓋骨、あるいはニャティータ（"小さな獅子鼻"の意）は生者の家に置かれ、祭は死者に感謝と敬意を表す機会となっている。

「我々は死が定めであるがゆえに死ぬのではない。そう遠くない昔、我々の思考がとらわれるようになったがゆえに死ぬのだ」

序　死との対話

通常こうした儀式は、反対する人々から常軌を逸した、きわめて異教的な慣習と見なされている。現在のラパス大司教エドムンド・ルイス・フラヴィオ・アバストフロア・モンテロは、ニャティータ信仰を「異教的カルト」と断じ廃止しようとしている。[*3] しかしながら、こうした慣習を異常と感じるのは、死者を生者の社会から排除するのを当然とする近代的な観念による。ポムチュやラパスで行われている儀式を、異教の名残、あるいは気味の悪い迷信(マカーブル)と見なすよりは、生者が死者と有意義なやり取りを交わしていた古代キリスト教の伝統——ヨーロッパの主要な納骨堂で見られた伝統——を継承するものと考えるべきかもしれない。17世紀のナポリで洞窟を利用して作られた巨大な納骨所、フォンタネッレ墓地は、生者と死者の交流が盛んであった場所の一つである。200年以上もの間、生者は死者の遺骨のもとを訪れ、助けを求めた。人々は家庭内の問題や個人的な悩みを打ち明けては助言を求め、感謝のしるしとして祠を寄進し、お祈りや供物を捧げた【7〜9】。

16世紀から19世紀を通じて各地で建造された、人骨で見事に装飾された納骨堂は、かつてキリスト教文化圏の多くの地域で、死者との対話が精神生活の重要な一部であったことを示す何よりの証拠である。

> 200年以上もの間、生者は死者の遺骨のもとを訪れ、助けを求めた

西洋文化では啓蒙主義の時代、生者と死者を分かつ境界線が大きく変化した。個人主義という近代的概念が勝利を収め、旧来の共同体という概念よりも私有が賞賛されるようになり、死に対する態度も大きく変わった。ボードリヤールが述べているように、「少しずつ死者が実在しなくなる」よう我々は進化を遂げたのだ。*4 死が彼岸の死者との交流を阻む感受不可能な障壁と見なされるようになるにつれ、死者は徐々に追放されていった。死者はおぞましい存在(アブジェクト)となり、社会的、文化的交換システムから排除され、「もはや独立の存在、交換にふさわしい当事者」ではなくなった。*5 生者のグループから追放された

死者は、近代的墓地――ほのめかしや状況証拠からどうにか死者の存在が認識される死者のためのゲットー――において、もはやその姿が見られることも声に耳を傾けられることもなくなり、ただ地面の下に埋められた。こうした変化を受け、サンタ・マリア・デッラ・コンチェツィオーネやフォンタネッレ墓地のような場所は、重要な宗教的体験に関わるというよりは、正道を外れた邪悪な場所と見なされるようになった。死者との対話が沈黙した時、死が可視化されていた納骨堂と我々の関係は根本的に変わった。ボードリヤールはパレルモのサンタ・マリア・デッラ・パーチェ修道院地下にあるカタコンベ【10〜12】を例に挙げている。

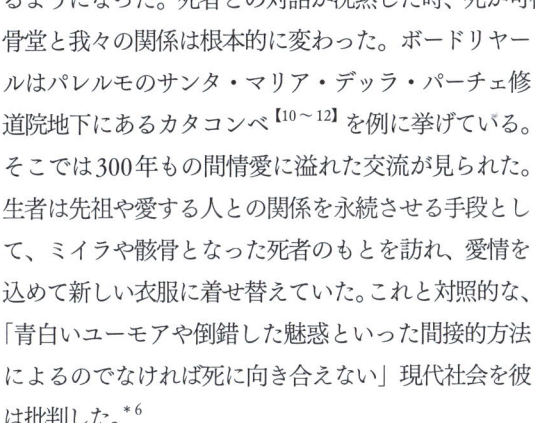 

そこでは300年もの間情愛に溢れた交流が見られた。生者は先祖や愛する人との関係を永続させる手段として、ミイラや骸骨となった死者のもとを訪れ、愛情を込めて新しい衣服に着せ替えていた。これと対照的な、「青白いユーモアや倒錯した魅惑といった間接的方法によるのでなければ死に向き合えない」現代社会を彼は批判した。*6

「少しずつ死者が実在しなくなる」よう我々は進化を遂げたのだ

我々の身体観もまた、啓蒙主義後の個人主義の思想により発展したもので、納骨堂に対する我々の見方に影響を及ぼしている。今日では、身体は個別に実在する閉鎖系と考えられているが、ロシアの文芸批評家ミハイル・バフチンが「グロテスクな身体」と名付けた中世の一般的な身体観では、世界や、他者の身体との境界はほとんど区別されなかった。[*7] 同様の変化を指摘したドイツの社会学者ノルベルト・エリアスは、その著書『文明化の過程』で、近代の個人を「ホモ・クラウスス（閉ざされた人間）」と表現した。いわく、「外部の大きな世界とはまったく別個に、根源的に存在する、それ自体小さな世界」で、「真の」人間は外部のあらゆる物から孤立するという自己像を保っている。[*8] またジュリア・クリステヴァとクラウディア・ベンティエンは、それぞれ、"おぞましきもの"（アブジェクション）と肌の文化史に関する研究で、個人の境界という近代的概念を定めているのは皮膚で、その消滅は個人性の喪失を意味すると論じた。[*9] こうした概念上の変化が起こる以前、死と腐敗はより公的な場で演じられる「身体劇の演技」であった。[*10] 今や死と腐敗は、普遍的かつ自然な過程であるにもかかわらず、視界に入らないよう隠され、目にするのもはばかられる。それゆえ納骨堂での人骨の展示は、身体的な規範の侵害であるばかりか、個体としての存在という基本概念をも危うくするものとして我々の眼に映る。

13

ボードリヤールは、死が次第におぞましいもの（アブジェクト）となるにつれ、個のレヴェルを超えた死すべき運命を意味し始め、社会そのものの解体を含意するようになったと考えた。[*11] 現代の葬儀学が、死者を美しく、いくらかでも生き生きと見せようとするのもそのためだという。今日では生前の面影を保っているのが死者の「自然」な状態とされ、その姿を保つよう期待されている。実際にはそんなことはありえない——自然な死骸の状態は崩壊と腐敗である。しかしながら、近代的な観方によれば、死者に生者の振りをさせることで、死者が個人としてのアイデンティティを保ち、社会的記号と地位から成る我々のシステムに参加できるようにしているのだ。他方、朽ちた遺骸や骸骨といった姿とはどうしても折り合えない。現代の葬儀の風習と対照的な例として、オーストリアはハルシュタットの聖ミヒャエル聖堂付属納骨堂にある、有名な彩色頭蓋骨のコレクションを見てみよう。そこには、名前、年月日、職業や身分といった情報が額に描かれた頭蓋骨が600個余り保存されている【13〜17】。個体としての存在がすでに消滅している以上、こうした情報を頭蓋骨に記すという行いは無意味、あるいは単なるフェティシズムに感じられるかもしれない。しかし19世紀の記録によると、大人たちは納骨堂に子供を連れて来ると、頭蓋骨を見せながら家族の歴史を語っていたという。[*12] むき出しの骨がなおもアイデンティティを保っていたばかりか、家族間の絆を築く手段として用いられていたようだ。

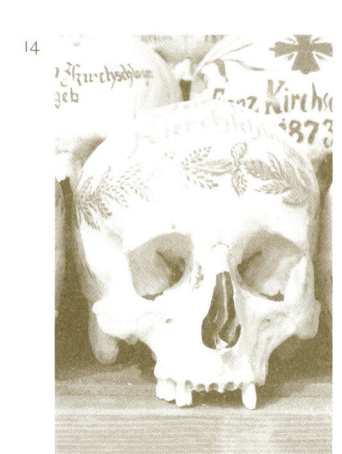

14

> 記録によると、大人たちは納骨堂に子供を連れて来ると、頭蓋骨を見せながら家族の歴史を語っていたという

納骨堂を考察するにあたり、派手な飾り付けをどのように解釈するかという問題は避けて通れない。一番典型的な解釈がメメント・モリ（死を想起させるもの）で、納骨堂を訪れた者に、自分もまたいずれ死ぬという事実を心に銘記させるためだという。キリスト教神学においてメメント・モリの図像は、この世の栄誉や社会的地位にかかわりなく、死は我々全員を等しくさもしい物質へと変えるという教訓を伝えるもので、それゆえ現世の虚栄心を捨て、罪を悔い改めねばならないとされた。納骨堂もまさにそうした役割を果たしていた。17世紀のあるイギリス人作家は「しばしば地下納骨堂へ降り、人の一生がいかに短いか真剣に考え、人生を有意義に過ごす努力を自分に課すよう」、読者に勧めている。[*13] だが納骨室の展示をただメメント・モリと呼ぶのは単純すぎ、誤解を招きかねない。

死を解釈する際の背景の変化にともない、我々が死を想起する時に伝えられる教訓もまた変化した。いわゆるメメント・モリは、「死の恐れ（timor mortis）」のようなものかもしれない。死すべき運命を我々に思い出させるどころか、死は恐怖心を引き起こしてしまう。過去何世紀間、納骨堂が聖なる場所であったこと、そしてその多くが礼拝のための聖堂も含んでおり、恐怖ではなく、終末論的な救済の場所であったことを理解すべきである。死は生物学的必然であるだけでなく、宗教的必然でもあった。聖パウロも、霊の体が永久に生き長らえるために自然の命の体は死なねばならないと説いている。[*14] 室内にいる死者の存在が影響をおよぼし、またある意味神聖さを汚しているため、現在納骨堂を訪れる者には、納骨堂の神聖さを完全に理解するのは難しいかもしれない。また啓蒙主義以降、細菌による病の伝染と衛生学への理解が増したことで、腐敗し悪臭を放っていた墓地は一掃され、死者との接触によって感染の危険を冒さないよう生者を遠ざける結果となった。一般に我々は、聖なる場所は汚染や穢れから守られていなければならないと考える。[*15] 死者は次第に汚染物と見なされるようになったため、聖なる空間に死者が存在することを我々が冒瀆と感じたとしても無理はなかった。

> 過去何世紀間、納骨堂が聖なる場所であったこと、そしてその多くが礼拝のための聖堂も含んでおり、恐怖ではなく、終末論的な救済の場所であったことを理解すべきである

序　死との対話

しかしながら、14世紀から19世紀を通じて、遺骸は儀式の中で一定の役割を果たし、救済の観念に満たされていた。納骨堂は聖別された土地に建てられ、骨自体神聖なものと見なされていた。キリスト再臨（Parousia）のあかつきには骸骨はよみがえり、神の栄光に覆われると信じられていたからだ。したがって、我々にはいささか恐ろしげで不気味な死の象徴も、かつてはそうではなかった。例えば髑髏と2本の交差した骨の表象は、死すべき運命だけでなく復活の約束も表していた。

それゆえ、納骨所で交わされた対話の内容も肉体の死と魂の生についてであった。例えばサンタ・マリア・デッラ・コンチェツィオーネの壁には、小さな骨で細密にかたどられた時計と砂時計のモティーフが見られる【18～19】。こうしたシンボルは見る者に、いずれ最期の時が訪れるのは避けられないにせよ、それは同時に新たな始まりであると思わせてくれる。この地下納骨堂の壁に刻まれた、同時代の有名な格言にあるように、「死は時の門を閉じ、永遠の門を開く」のだ。いわゆるメメント・モリは同時にメメント・ヴィタエ（生を想え）の表現形式でもあるのだ。

1970年代以降の建築理論に大きな影響を及ぼした書、『パタン・ランゲージ』では都市計画における死者の扱いに関し興味深い提案が見られる。この本をまとめた著者たちの目的の一つは、都市景観に人間性を付与し、より快適で心にも健全な環境を作り出すことにあった。彼らは近代社会における死者の隠蔽に懸念を表し、死と接することのない人々は「抑圧され、確信がもてず、生気を失ったままでいる」傾向がみられるという心理学の研究を引用し、人々を死だけでなく生という事実にも接近させるために、死を体験し、交流できるようにすべきだと説いた。[16] 記念碑など、死者を想起させる建物を居住圏に組み入れ、人生の変遷、特に死と関連した部分を可視化するよう、地区コミュニティ計画者に提唱した。「人間は、死に背を向けて生きるわけにはいかない。生者のなかの死者の存在は、人々に生きる勇気を与えるような社会では日常的な事実である。」[17] これこそまさしく納骨堂がかつて果たしていた機能である。地下納骨所への扉を開いた時、ぞっとするような魅惑、混乱、その見事な美しさへの崇敬の念など、いろいろな反応を感じるかもしれない。しかしながら、結局のところ、過去何世代にわたり積み上げられてきた骨で満たされた回廊は、死を受け入れることにより生を肯定する機会を我々に与えてくれるのだ。

死は時の門を閉じ、永遠の門を開く

第一章

往 生 術
（アルス・モリエンディ）
初期の納骨堂

❖

ARS MORIENDI
The Early Charnel Houses

第一章　往生術（アルス・モリエンディ）——初期の納骨堂

骨の保存を通じて生者と死者が心を通い合わせるのは、先史時代に遡る古来の慣習である。とりわけ頭蓋骨——骨の中で最も耐久性があり、人間と一目で認識できる——はしばしば崇敬の対象として取り扱われた。頭蓋骨を飾り、体の残りの部分とは別に埋葬する習慣のある社会もあった。エリコの新石器時代の遺跡（紀元前7000～5000年頃）には、石膏か瀝青を塗り重ねた上に彩色して顔の造作を仕上げた頭蓋骨が家の下に埋まっていた。またドイツのオフネットにある中石器時代の墓地（紀元前7000～6000年頃）からは、代赭石の顔料を塗った上にさまざまな装飾をほどこされた頭蓋骨が出土した。こうした装飾が、故人のアイデンティティを保ち、他界した最愛の人をしのぶ意図で行われたのであれば、7000年以上時を隔てているとはいえ、オーストリアのハルシュタットの納骨堂に安置されている銘入りの頭蓋骨、あるいは、フランスのマルヴィルにある中世のサン・ティレール墓地の頭蓋骨箱【20-21】と、本質的になんら変わるところがない。

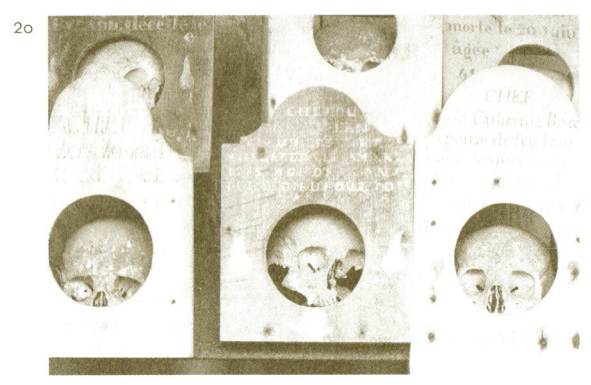

20

死体の処分方法として初期の人類が好んだのは埋葬であったが、古代ギリシャ・ローマ時代には火葬に取って代わった。この場合崇拝対象となる遺体はほとんど残らなかった。しかし2世紀になるとローマ世界では再び埋葬が主流となった。[*1] 元来カタコンベは、ローマなど地中海沿岸の町の多くで、埋葬を望む信者の数が増してきたために建設されたものだが、じきにキリスト教徒の遺体でいっぱいになった。初期のキリスト教徒は神学上の理由から火葬に反対した。彼らは、古代ギリシャ・ローマの宗教思想に反する肉体の復活という観念を受け入れ、肉体そのものの存在が死後の世界を保証するうえで不可欠だと考えたからだ。天国と地獄のいずれに死者が行くことになるにせよ、復活した肉体は基本的に現世の肉体の連続と考えられたため、遺骸は保管されなければならなかった。

ローマでは、埋葬地は市の城壁の外と定められていたため、中心部から離れた地域にカタコンベが建設された。キリスト教が公認されると、信徒は次第に、新たに建立された教会の敷地内やその周辺の、聖別された土地での埋葬を望むようになった。実は初期の教会堂のほとんどがマルティリウム、すなわち殉教者記念聖堂として設計されていたため、遺骸を保持しているところが多かった。聖人の

21

遺骨を保有する教会は近くで埋葬されたいと願う信者をさらに引き付けた。そうした聖遺物が保護と罪の許しを与えてくれると考えられていたからだ。死者は教会堂の床下か周囲に埋葬され、次第に生者の場所を侵食するようになった。こうした傾向に異を唱える者がいなかったわけではない。実際、813年にマインツ公会議で正式に教会での埋葬が承認されるまで、公的には死者は市の境界の外に置かれることになっていた。[*2] しかし事実上中世初期までに教会と墓地は一体化していた。教会の敷地は共同埋葬地も兼ねていた。ラテン語で墓地を表す単語cimiteriumは、もともと死者の亡骸が埋葬される教会を意味していた。[*3]

しかし教会の敷地内にある墓地は大抵狭く、すぐに埋葬場所がいっぱいになった。死者のための場所を探す問題が深刻化することもあった。人口１万の都市であれば、年間約350体の遺体の埋葬に１エーカー〔約4047㎡〕相当の土地を要したと考えられるが、疫病の流行時には死者の増加に加え、伝染しないようただちに遺体を埋葬しなければならなかったため、この問題は一層悪化したからだ。*4

そこで古い遺体を取り除き、新たな死者の埋葬場所を作る必要があったが、掘り出された骨をそのまま捨てる訳にはいかなかった。骨は来たるべき復活に備えて保存しておかねばならず、しかも教会の敷地内で聖人の庇護を受けて安置されていることが重要だった。二度目の遺体処理の解決手段として、教会堂内部か墓地の中に納骨堂、すなわちカルナリウム（carnarium）が設置されることになった。この語は遺骸のために清められた場所を指し、肉を意味するラテン語のcaroを語源としている。これが後に英語のcharnel、フランス語のcharnier、ドイツ語のKarnerと変化した。納骨堂を表す語として他に用いられる英語のossuaryは骨を意味するラテン語のosに由来する。元来ossuaryという単語は、一人分の骨を納めた箱や棺を意味していたが、次第に語法が広がり、charnelと同義になった。

元来ossuaryという単語は、一人分の骨を納めた箱や棺を意味していたが、次第に語法が広がり、charnelと同義になった

最初の納骨堂が建てられたのは西ヨーロッパではない。納骨堂が先に発展したのは、墓地に割り当てられた土地がきわめて狭く、埋葬場所の確保が深刻な問題となっていたギリシャ正教の修道院である。エジプトのシナイ半島にある、530年代創設の聖カタリナ修道院には、ギリシャ正教の修道院で現存する最古にして、恐らくは最初にキリスト教徒によって管理された人骨コレクションがある【22】。聖カタリナ修道院の墓地は常時６区画しかないため、十分な年数を経て分解された修道士の遺体を掘り出すのが修道院の慣例となっており、通常は数年の間隔であったが、新たな区画が必要となった場合には随時掘り出された。骨は洗われ、納骨堂に安置されることになっていたが、そこはまた人間の生のはかなさを修道士が観想する場所も兼ねていた。掘り出された骨を保存する必要は、東方教会独自の肉体と魂に関する信仰により、そうした共同体では特に強調されることとなった。４世紀になるとカッパドキア主教ニュッサの聖グレゴリオスが、肉体と魂は不可分であると主張した。彼は、肉体と別個に魂が働くことは不可能であり、死後もなお魂は遺骸と同調してつながっていると唱えた。彼の理論では、亡骸には魂がいくばくか残るため、生と死の間を行き来し続けるうえで重要であった。この思想は影響をおよぼし、ギリシャ正教圏の一部地域に遺骸への盲目的崇拝をもたらした。*5

第一章　往生術（アルス・モリエンディ）──初期の納骨堂

聖カタリナ修道院の納骨堂には、修道院で亡くなった修道士と在俗信徒の遺骨が、全部で推定3000体納められている。特別な叙階にあった人々の遺骨は壁龕に置かれ礼遇されている。また祭服をまとった聖ステファノスの遺骸を納めた祠もある【23→p.19】。伝説によると、6世紀、飼い馴らした豹の子とともに隠遁生活を送っていたこの人物は、シナイ山へ至る階段を守っていたという。聖カタリナ修道院にある骨の大部分は二つに分けて積み重ねてあるだけで、一方には頭蓋骨、他方には長骨その他の骨が集められている。こうなったのは1700年代、現在の部屋が建造され、以前の納骨堂から骨が移された時のことである。骨が昔からこのように分類されていたのか、そのことを示す記録はないが、どうやら19世紀半ば頃まで、納骨所はもっと派手に飾られていたようだ。1830年代に訪れたアメリカの人類学者ジョン・スティーヴンズが、互いに結び付けられた頭蓋骨が天井から吊り下がっている様子を報告している。[*6] いつその頭蓋骨が取り除かれたのか不明だが、そこから次の伝説が生まれたのかもしれない。中世のいつ頃か、二人のフランス人修道士が人殺しの罪の償いとして、互いに鎖でつながれたまま聖カタリナ修道院まで巡礼するよう命じられた。彼らは修道院まで何とかやって来たが、そこで息絶えた。結び付けられたままの彼らの骨はこの納骨堂に保存されているという。[*7]

同様の納骨の慣習はメテオラなどのギリシャ正教の修道院【24】で発展したが、特にアトス山の修道院【25】ではこの伝統が今日に至るまで続いている。ことに丁重に扱われたのが頭蓋骨で、掘り出された骨はワインで洗われ、死者のための儀式が執り行われる礼拝堂の離れの一室に置かれた。アトス山の修道院の多くで、頭蓋骨に死者の名前を書くか刻み付けるならわしがあるが、特定の個人の骨とわかるようにしておくのは、修道院の一員が後に聖人に列せられた場合に、遺骨を識別できるようにするためでもある。いつからアトス山の修道士が頭蓋骨に名を記すようになったか定かではないが、17世紀には西欧の旅行雑誌に紹介されているので、それまでにこの慣習は定着していたようだ。[*8] またアトス山の修道僧は掘り出された骨の色にも特別の注意を払っていた。死者の死後の運命を示す徴候と信じられていたからだ。19世紀にアトス山の修道院を訪れたイギリス人の報告によると、骨が白く光り輝いていればそれだけ徳も高いと考

えられていた。これは「祈りの効果」のおかげで、黄色く変色した在俗信徒の骨と修道士の骨を区別するのに役立つということだった。[*9] 骨の変色に関しては修道院により解釈が異なる。例えばシモノペトラ修道院では、金ないし琥珀色が高徳を示す色と伝えられていた。頭蓋骨の形や縫合線も調べられ、十字などキリスト教の象徴に似た形があれば、より明白な兆しと見なされた。

一方西欧では、現存する最古の納骨堂の記録は12世紀に遡り、13世紀までに各地に広がった。この時までに少なくともドイツでは、教会は墓地に納骨堂を設置するよう定められていた。ミュンスターとケルンの教会会議はどちらも、掘り出した遺骸を動物や雨風から守るため、納骨堂の建造を命じている。[*10] 当初は教会の敷地が狭い、オーストリア、バイエルン地方、ライン川上流地域で納骨堂の普及が進んだ。その後近隣の、特にイタリアとフランスへと広がった。一時はフランスだけで500ヶ所以上あったとの記録が残る。[*11] 東方教会の修道院の納骨堂と対照的に、西欧の初期の納骨堂は人骨を保管する場所以外の何物でもなかった。見られることを意図した造りではなかったのだ──ウィーンの聖ミヒャエル教会やシュテファン大聖堂などには今でも中世の骨を納めたクリプトが残る。しかし14世紀後半までには骨を展示するのが一般的になったようだ。

納骨所に展示をしつらえる要求は、中世西欧の視覚文化における死の表象に変化が起こったことと関連がある。キリスト教が公認されてから中世初期までは、死は一種の眠りとして、最期の時に審判を待つ死者の姿が描かれていた。1100年頃からその後数世紀にわたり次第にトランジと呼ばれる、分解し腐敗していく過程にある人体を芸術家が表現するようになった。教会には腐敗死骸像付の墓が建てられ、貴族や名士でさえ腐乱した死骸として表現され、生者に彼ら自身の最終的な運命を警告するための恐ろしい碑文が刻まれた。アヴィニョンで15世紀初頭に建てられた枢機卿ジャン・ド・ラグランジュの墓碑にはこうある。

> 我ら世のために観せ物をばつくらせり。老若あげて我らを見、ゆく末に思いを致すべく。官位、男女の別、齢を問わず、何人も［死を］逃れること能わず。しからば哀れなる者よ、何故驕り高ぶるや。汝、これ塵灰、我らと同じく穢き屍、蛆虫の餌、また灰に帰す者なり。*13

死を生々しく見せたいという欲求が生じたのは、黒死病などの疫病による精神的衝撃が大きかったためだと言われている。*13 さらに煉獄の存在とそこでの魂の苦難についての論争もいくぶんか影響しているかもしれない。いずれにせよ、永遠の眠りという死の概念は、肉体を破壊し人間の命のはかなさを嘲笑う強い勢力としての死に取って代わられつつあった。要するに「死」は、擬人化された「死」となったのだ。

さらに二つの新たな主題が、「死」の存在を思い出させる表現として作品に登場してきた。『三人の死者と三人の生者』の図像は1200年代半ばに最初に描かれたとされる。*14 富も権力も兼ね備えた三人の人物が、彼らのなれの果てを象徴する三人の腐乱死骸に引かれていく様子が描かれている。生者の分身である死者が、息絶えれば現世の名誉も富もすべて無価値となり、信仰と悔い改めによってのみ魂は救済されうることを生者に気付かせる。ダンス・マカーブル、あるいは死の舞踏も同様の役目を果たし、生者をつかんでさらう骸骨が描かれ、富者も貧者も、権力者も身分の低い者も等しく「死」の手にかかり、何人も免れることはできないことを示した。こうした絵には次のような教訓的文章が組み合わされることが多かった。「神の宣告により、汝の身分がどうあれ／善人と悪人のいずれであれ、汝は／虫に喰われる運命。あぁ、我らを見よ／死に絶え、悪臭を放ち、腐り果てた姿を。／汝らもまたこのようになるのだ。」*15 当時流行のこうした図像は、納骨堂を飾る絵にふさわしかった。例えば、スイスのロイクにある聖シュテファン教会の納骨所には、1500年頃制作の『三人の死者と三人の生者』の壁画がある【26】。またこうした絵の主題はしばしば納骨所の銘板にも記され、ドイツでは呼びかけの文句が「汝らやがて我らのごとくなりゆかん／我らもかつては汝らのごとくありし」となった。この銘文が今も残るのがスイスのナータース【27】と、ミスタイルの聖ペテロ教会【28】にある納骨堂である。この警句はさまざまな言語に翻訳され、はるか遠いポルトガルのエヴォラなど、ヨーロッパのあちこちでお目にかかることができる。

第一章　往生術（アルス・モリエンディ）——初期の納骨堂

死の教訓的図像は、納骨堂に収容されている物を公開することで一層強調された。そのために室内は簡素な保管所から、人間の命のはかなさを具体的に示す、手の込んだ象徴的空間へと進化した。そうした展示は骨の収納場所となっていた、教会堂内陣地下の部屋で行われることが多く、嵌め込まれた窓や鉄格子越しに骨を眺めることができるようになっていた。その一つが今もオーストリアはピュルクの古いゴシック教会に残る。そこでは墓地に面した部屋が納骨堂に改築され、鉄格子越しに中身を覗くことができた[47→p.32]。またアーケードの部分に骨が展示されることもあった。フランスのエプフィグにあるサント・マルグリット聖堂[48→p.33]のアーケードには、恐らくは16世紀に遡る大量の骨が保管されている。現在では金網に囲われているが、初期の骨の展示がどのようなものであったか今に伝えている。

納骨所が常に教会堂に付属していたわけではない。時には教会の周囲や墓地に独立した建物が建てられることもあった。マルヴィルとドイツのグレーディングに今も実例が残る[49、50→p.34]。独立の納骨堂の大きさはさまざまだが、15、6世紀の間にヨーロッパの墓地に典型的な特徴となった。多くはその後壊されたが、19世紀、さらには20世紀初頭まで各地に存在していたことが、古い写真に残る記録からわかる[29–30]。

納骨堂内に磔刑像を置くことが圧倒的人気を博したのは、アダムが死んだのとちょうど同じ場所、すなわちゴルゴタの丘でキリストが磔にされたと信じられているからである

　数が増え目立つ存在となるにつれ、納骨堂は神聖な雰囲気をまとうようになった。特にバイエルン地方とオーストリアでは、葬送礼拝堂に隣接して建てられるか、その地階が納骨所となっていることが多かった。そうした納骨礼拝堂（Karnerkapelle）では、礼拝堂の部分に納骨されることはなかったが、独立の納骨堂とほぼ同じ構造をしていた。時に聖バルバラ、聖カタリナ、聖セバスティアン、または諸聖人に奉献されることもあったが、最後の審判で魂を秤量する聖ミカエルに献堂されるのが普通だった。亡くなったばかりの死者の葬儀に用いられる他、万霊節や復活祭の日曜日など、死と再生を祝う祭日に、死者へ敬意を表すため使われることもあった。オッペンハイムの聖カタリーネン教会にあるドイツ最大の納骨堂[31]は聖ミヒャエル聖堂に隣接している。またバイエルン地方カムにある納骨所[32]は、一室に頭蓋骨、そのわきの、別の入り口から入る一室に長骨が集

められた珍しい造りで、聖カタリナに奉献された葬送礼拝堂の一階にある。また現在でも本来の機能を果たしている礼拝堂もある。例えば、ナータースにある納骨堂[33]は教会正面の広場に面した鉄格子から内部の卓越した展示を見ることができるが、実は礼拝堂の地階部分で、礼拝堂は現在でも教区民の葬儀に利用されている。

　納骨堂の宗教的機能が強められるにつれ、メメント・モリのモティーフに加えて、伝統的な宗教的図像が現れ始めた。ことに磔刑像がほとんど全ての納骨堂に存在する一つの象徴となった。他の像が一番目立つ場所に置かれることもある —— 例えばフランスのヴァントランジュの教区教会にある納骨所では、ピエタ像が代わりに部屋の中心部に置かれ[34]、スイスのシュタンスの聖ペテロ・聖パウロ教会にある15世紀の納骨堂では、磔刑像[35]に代えて、十字架を背負うキリスト像[57→p.39]が積み重なった骨の前に置かれている —— が、こうした代わりの像もまた、キリストの死や受難を思い起こさせるものであり、磔刑像を目につくように展示する納骨堂の数に比べればきわめて少ない。納骨堂内に磔刑像を置くことが圧倒的人気を博したのは、アダムが死んだのとちょうど同じ場所、すなわちゴルゴタの丘で、キリストが磔にされたと信じられているからである。キリストがその場所で犠牲になることで、人間の原罪を贖い、死を克服し、人類に永遠の命を授けてくれた。この主題を絵画で表現する際には、アダムのものと解釈される頭蓋骨を十字架の足元に描くのが普通だった。当然のことながら、納骨堂には頭蓋骨が大量に存在し、キリスト磔刑像に添える小道具には事欠かない。訪れ

た者はアダムを集合的に象徴する骨に囲まれ、人は皆、堕落の罪の継承者で、罪の報いがまさしく死であることを容易に理解する。けれども磔刑像が贖いと、信仰を通じての死の克服を約束してくれる。

第一章　往生術（アルス・モリエンディ）——初期の納骨堂

室内のスペースが限られているため、大半は小さな磔刑像だが、等身大の像が骨の前に目立つように置かれていることもある。例えば、ナータースとロイクの納骨堂では、どちらも十字架にかけられた等身大のキリスト像が展示の中心に置かれている。ロイクの場合は20世紀に改築した際に現在の形になった【44→p.30】のだが、ナータースの大きな磔刑像【36】は土地の古い記録にも登場するので、ここの納骨堂は、等身大でこの主題を表現した初期の作品の一つかもしれない。*16　磔刑像の人気は非常に高かったので、納骨堂が後に改築された場合など特に、この主題に沿って、部屋全体がゴルゴタの丘を模した造りになることも多かった。ポルトガルのアルカンタリーリャ村にある教区教会付属の納骨礼拝堂では、17世紀から19世紀の人骨を約1000体分用いて、そうした印象的な情景が作られた*17【59→p.42、60→p.43】。アーチ構造の天井の高さをうまく生かして、頭蓋骨がモルタルで三層に積み上げられ、その上に磔刑像が置かれている。古くからゴルゴタは骨が堆積した丘と考えられており、ここではその通りに表現されている。同じ主題を創造的に解釈した別の例がドイツのロット・アム・インにある【62→p.44、63→p.45】。完全な納骨堂ではなく、教区教会の墓地にある頭蓋骨の壁龕（Schädelnische）、すなわち壁の棚に頭蓋骨が展示してあるだけだが、骨で満ちた部屋と同じ機能を象徴的に果たすことがあった【37-38】。9個の頭蓋骨を展示している陳列棚は教会の外壁にあり、その真上に磔刑図が大きく描かれている。壁画の、十字架が立つ地面の下に置かれた頭蓋骨はやはりゴルゴタの意味を暗示している。

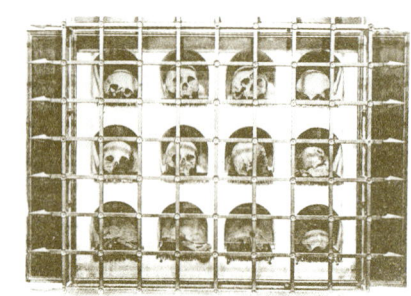

しかし拡大解釈の最たる例は、チェコのメルニークにある聖ペテロ・聖パウロ教会の地下納骨所で、20世紀初頭に人類学者インジヒ・マティエカにより造られたものである【64→p.46、65→p.47、66→p.48】。1914年、比較解剖学に関心を抱き、東ヨーロッパの納骨堂にある骨を多年にわたり研究していたマティエカは、1787年の衛生条例で封印されたのち地下納骨室に放置されていた約1万5000体の遺骨を用い、自身で構想した凝ったデザインの装置を造ることを決心した。長骨で作り上げた壁に後ろ向きにした頭蓋骨を組み合わせ、ハート（神に捧げた愛を表す）や錨（信仰を表す）の形や、ラテン文「死を見よ（Ecce Mors）」を描き出した。壁の一つの頂上部には大腿骨で作った大きな十字架が置かれているが、壁には穴が開いていて、骨で埋め尽くされたトンネルが伸びている。やはりこれもゴルゴタを表しているが、ここでは十字架と墓（壁の下にあるトンネル）のどちらも空である。キリストは復活せり。したがって見物人は「死を見」、キリスト復活の信仰を通して死すべき運命も克服されうると理解するよう求められる。メルニークの納骨堂は主題的に中世の納骨堂と関連があるが、はるかに凝った造りで、複雑な象徴をなしている。こうした芸術的な展開は対抗宗教改革期に遡り、人骨を用いた芸術の「黄金時代」をカトリック文化に授けた。

> 磔刑像の人気は非常に高かったので、特に納骨堂が後に改築された場合、この主題に沿って部屋全体がゴルゴタの丘を模した造りになることも多かった

第一章　往生術（アルス・モリエンディ）——初期の納骨堂

「聖カタリナ修道院の納骨堂」［シナイ半島、エジプト］

［前頁－39］　列聖された修道士ステファノスのミイラが祀られている。身にまとっているのは霊性の最高位を表す祭服。正教会の修道院で遺骸をこのように展示しているのはここだけである。

［上－40］　聖カタリナ修道院の納骨堂は、正教会の修道院の中で最古にして最大のもので、1500年前の骨も含まれる。巡礼者と一般の修道士の頭蓋骨は大きな山に積み重ねられているが、司祭など高位の聖職者の頭蓋骨は壁龕に収められている。

「大メテオロン修道院の納骨所」
[メテオラ、ギリシャ]

[本頁−41]　扉についた窓から頭蓋骨の並んだ棚を見ることができる。伝説によると、骨の収蔵は14世紀に遡り、修道院の創始者の頭蓋骨も納められている。

第一章　往生術（アルス・モリエンディ）──初期の納骨堂

「シモノペトラ修道院の納骨所」
[アトス山、ギリシャ]

[本頁-42]　アトス山の修道院に典型的な、納骨堂も兼ねたシモノペトラ修道院の墓地付属聖堂。墓から掘り出された骨はワインで洗われ、墓地で祈りの文句が唱えかけられる。乾いたのちここに安置される。

「ミスタイルの聖ペテロ教会」
[ミスタイル、スイス]

[本頁－43]　建物の一部が9世紀に遡る、スイスで最も古い教会の一つ、ミスタイルの聖ペテロ教会には小さな納骨所がある。この部屋が建造された時期と本来の用途は不明だが、骨は隣接する墓地から掘り出されたものだと考えられている。

第一章　往生術（アルス・モリエンディ）——初期の納骨堂

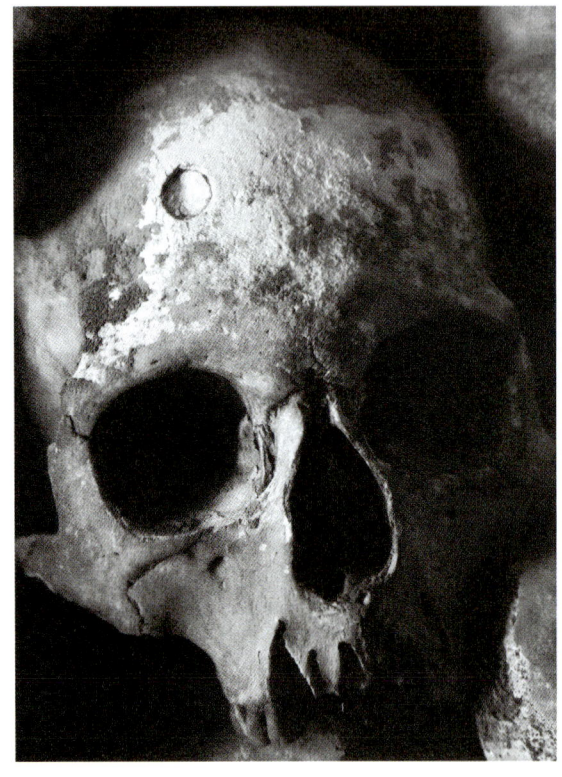

「聖シュテファン教会の納骨所」
[ロイク、スイス]

[上—44]　ペストの十字架像は納骨所が改築された時に設置された。病変部を誇張した不気味な表現は、キリスト自身の苦しみと重ね合わせることで、ひどい皮膚病にかかっている人々を慰める意図があった。この十字架像の存在から、疫病の犠牲者の骨もこの中に含まれると考えられる。

[左—45]　ロイクの納骨所は聖シュテファン教会の身廊部の地下にある。部屋そのものの歴史は1496年に遡るが、骨の多くは1980年代の改築時に発見された。地下水に長いことさらされていたために、いくつかの頭蓋骨に変色や損傷が見られる。

「聖シュテファン教会の納骨所」
［ロイク、スイス］

[本頁-46]　クリプトの壁面を覆う骨の壁は全長18mに達する。その前にあるのは、昔から納骨堂におなじみの画題、『三人の死者と三人の生者』の絵である。

第一章　往生術（アルス・モリエンディ）——初期の納骨堂

「聖ゲオルク教会の納骨所」
[ピュルク、オーストリア]

[本頁－47]　オーストリアの教会は納骨所をかなり早い段階から取り入れた。ピュルクにある聖ゲオルク教会では聖歌隊席下の地下納骨所に、中世後期の様式の展示を見ることができる。教会は1130年に献堂され、納骨所がある部分は14世紀に増築された。

「サント・マルグリット聖堂の納骨所」
［エプフィグ、フランス］

［本頁―48］　以前は葬送礼拝堂として利用されていたのか、サント・マルグリット聖堂では骨がアーケードの下に保存されている。地元の言い伝えでは、骨は1670年代にオランダとの戦いで殺されたフランス人兵士の遺骨とされているが、実際には聖堂付属墓地から掘り出されたものらしい。

第一章　往生術（アルス・モリエンディ）——初期の納骨堂

「聖ミヒャエル聖堂の納骨所」
[グレーディング、ドイツ]

[右－49、下－50]　かつてはバイエルン地方各地に納骨所があった。現存する骨のコレクションの中で最大のものの一つが、グレーディングの聖マルティン教会付属墓地の、聖ミカエルに献堂されたかつての礼拝堂に残る。14世紀から18世紀に遡る、推定2500体の遺骨が納骨所に納められている。以前は彩色頭蓋骨もわずかにあったが、その後取り除かれた。

「聖カタリーネン聖堂の一部だった納骨所」
[カム／カンミュンスター、ドイツ]

✧✧✧✧✧✧✧✧✧✧✧✧✧✧✧✧✧✧✧✧✧✧✧✧✧✧✧✧

［上－51、左－52］　頭蓋骨と長骨が別々の部屋に保管されたカムの納骨所の歴史は13世紀にまで遡るかもしれない。かつては葬送礼拝堂の地下にあったが、使われないまま埋まり、1820年、墓地の盛り土の下から再発見された。骨の多くが地下水のためにひどく損なわれていた。骨は20世紀初頭に全部掘り出されてきれいにされ、さらなる損傷を避けるために床が敷き詰められた。

第一章　往生術（アルス・モリエンディ）——初期の納骨堂

「聖ミヒャエル聖堂の納骨所（聖カタリーネン教会）」
[オッペンハイム、ドイツ]

[上-53]　聖カタリーネン教会の葬送礼拝堂に隣接する納骨所には、骨で出来た長い壁がある。そこに嵌まっている頭蓋骨の額にはっきりと残る痕跡は、骨と親しく交わることでご利益を得られるという迷信を信じた人々が、何世紀にもわたって擦ったことによる。

[下-54]　1910年代の記念絵葉書。どうやら写真のような配置になったのは1870年代のことで、それ以降変わってないように見える。だが実際には、第二次世界大戦中に納骨所は滅茶苦茶な状態となり、戦後、教区民の手で忠実に復元された。

[次頁-55]　オッペンハイムの納骨所ではゴシック様式のアーチ形天井がその古さを強調している——地下室は15世紀前半の建造で、当時から納骨所として使用されていたようだ。推定2万体の遺骨を納めるドイツ最大の納骨所である。

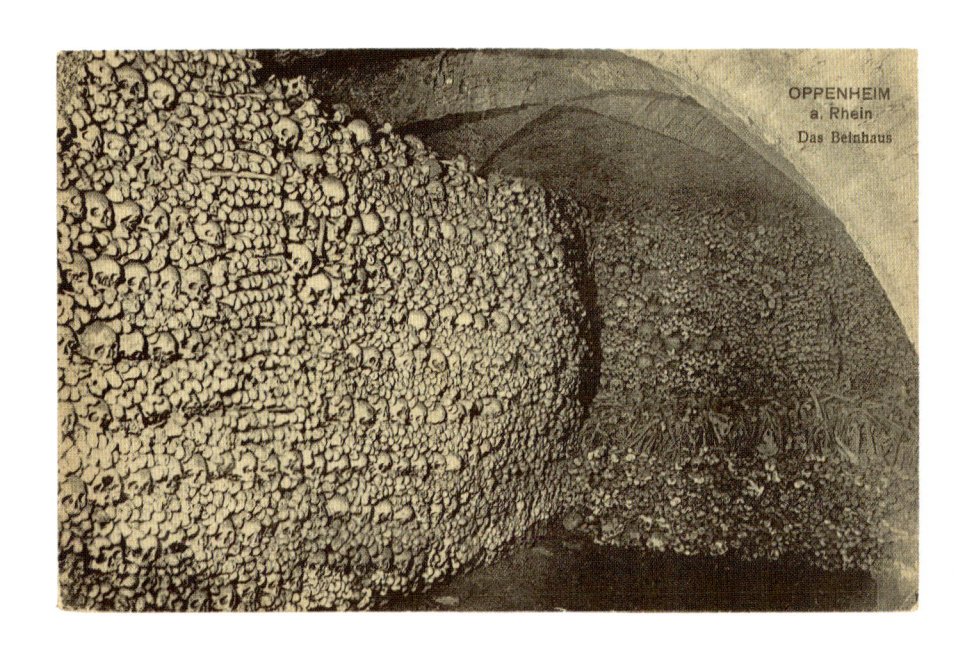

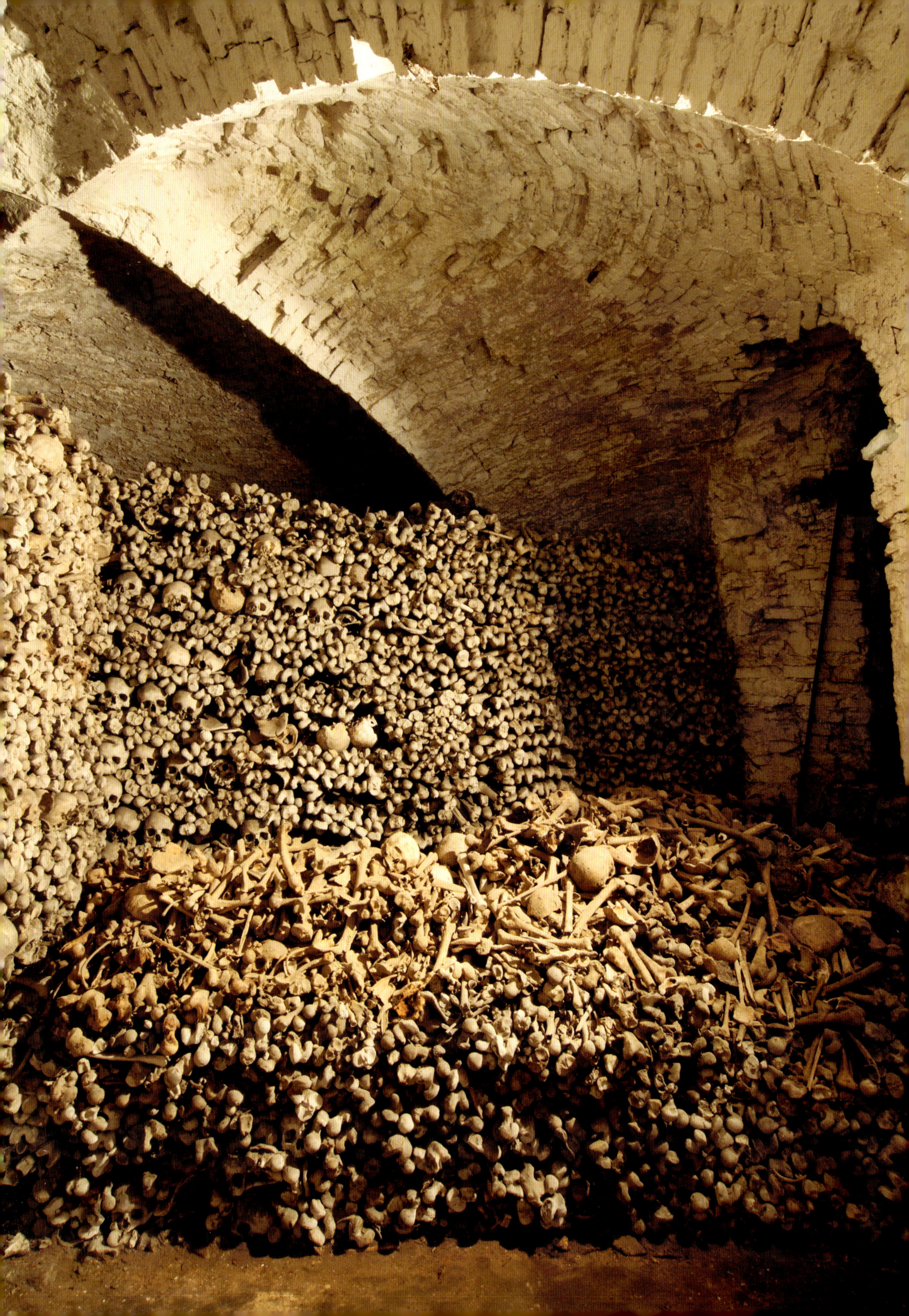

第一章　往生術（アルス・モリエンディ）――初期の納骨堂

「サン・ティポリト・ド・ヴァントランジュ教会納骨所」
［ベリク＝ヴァントランジュ、フランス］

［本頁－56］　フランスではロレーヌ地方を中心に、15世紀から18世紀にかけて小さな納骨堂が数多く建てられた。多くは墓地の中に独立して建てられたが、ここベリク＝ヴァントランジュで見られるように、教会の聖具保管室下の地下室に骨を置くプランも一般的だった。

「聖ペテロ・聖パウロ教会納骨堂」
［シュタンス、スイス］

［上－57］　十字架を担ぐ等身大のキリスト像の後ろに並ぶ頭蓋骨のコレクションは、以前あった大規模な納骨堂の名残である。部屋自体は葬送礼拝堂として使われていた。いくつかの頭蓋骨には名前と没年月日が書かれている。

「聖マウリティウス教会付属納骨堂」
［ナータース、スイス］

［次頁見開き－58］　教会前の広場の向かい側に位置する付属納骨堂は、スイス最大の規模で、推定2万体以上の遺骨が納められている。骨で出来た壁の向こう側に多くの骨が積み上げられている。十字架に架けられたキリストの左右に聖母マリアと福音書家聖ヨハネの像が置かれている。

das waren wir

Was wir sind / das werdet ihr

第一章　往生術（アルス・モリエンディ）——初期の納骨堂

「コンセイソン聖母教会の骸骨堂（Capela dos Ossos）」
［アルカンタリーリャ、ポルトガル］

［上－59、次頁－60］　アルカンタリーリャ村の教区教会の側壁に作られた、グロッタのような納骨所は、ゴルゴタを象徴する山の頂上に磔刑像を配した造りである。部屋は16世紀の建造だが、遺骨の年代は17世紀から19世紀なので、ここがこのような納骨所となったのは後の時代であろう。展示は1980年代に修復された。展示が面している、現在広場となっている場所は以前墓地だったところで、骨もそこから取り出された。

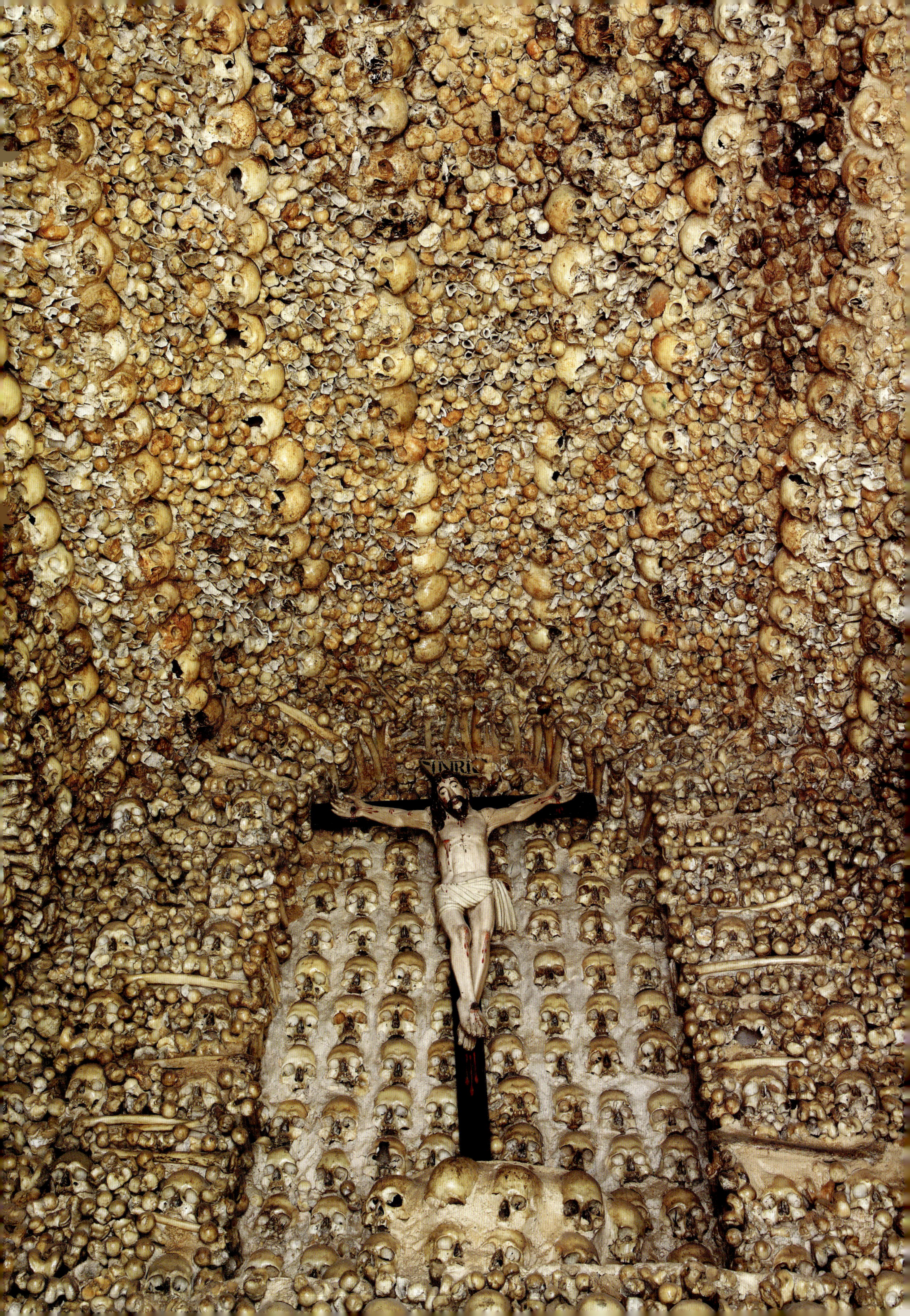

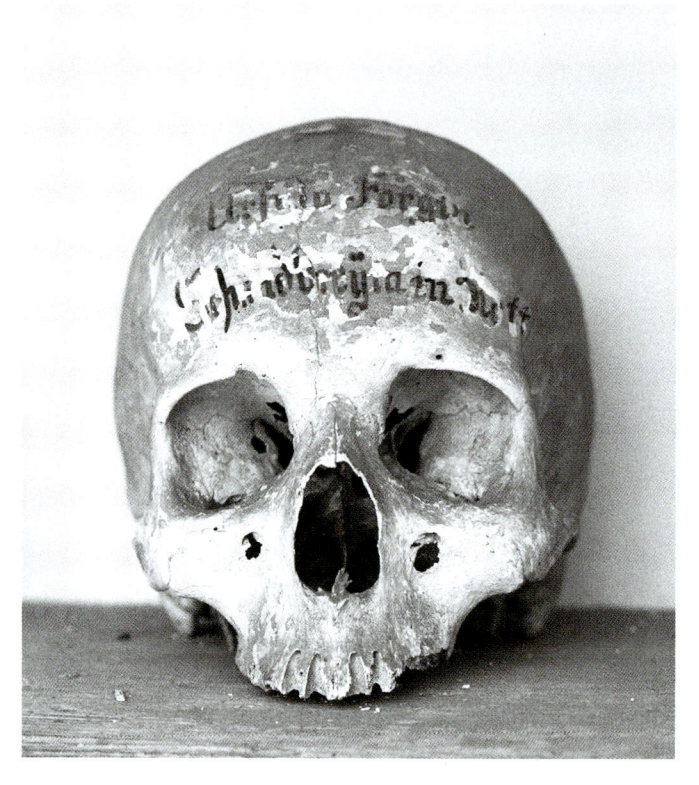

第一章　往生術（アルス・モリエンディ）——初期の納骨堂

「聖ペテロ・聖パウロ教会付属墓地の頭蓋骨の壁龕」
［ロット・アム・イン、ドイツ］

［上－61］　聖ペテロ・聖パウロ教会にある二つの副祭壇には、それぞれ一体の骸骨が納められており、聖クレメンスと聖コンスタンティウス（上の写真）の遺骸と信じられている。17、8世紀はこうした、きらびやかな宝石と衣装を身にまとった骸骨が教会に加わり、民衆の人気を集めた。

［左－62］　ここは独立の納骨堂ではなく、墓地に面した教会堂の南側の外壁に9つの頭蓋骨が並ぶ。長年風雨にさらされた頭蓋骨はひどく風化しているが、額に書かれた死者の名前はまだ読み取れる。

［次頁－63］　壁龕上の壁に、ゴルゴタの丘の情景が描かれている。十字架の足元には頭蓋骨が置かれ、人間に死を克服させるため、キリストが犠牲となったことを思い出させる。絵と組み合わされた頭蓋骨の壁龕は、死すべき運命と教区民全員の救済を示している。

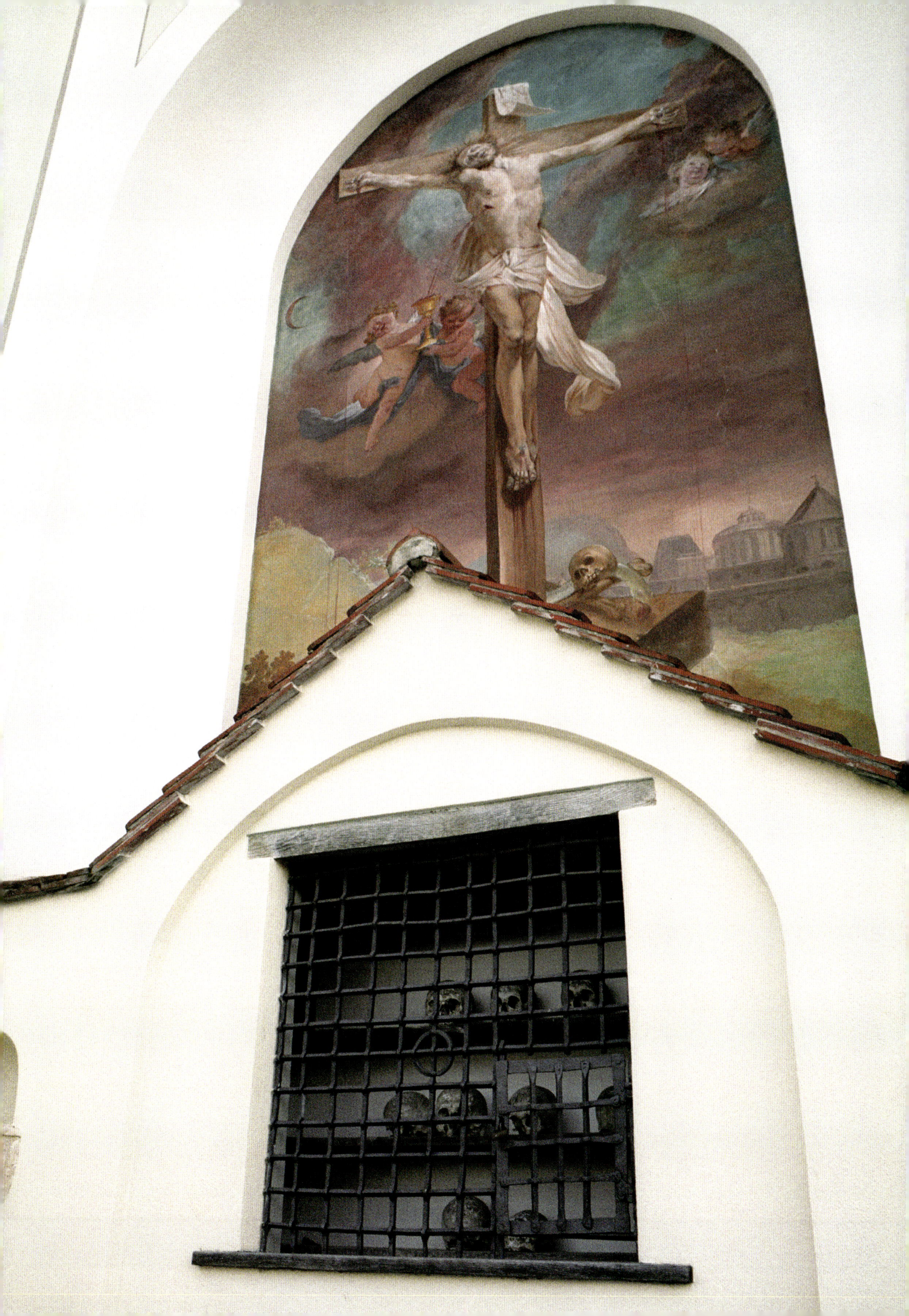

第一章　往生術（アルス・モリエンディ）——初期の納骨堂

「聖ペテロ・聖パウロ教会のクリプト」
［メルニーク、チェコ］

［上－64］　この納骨所をしつらえた人類学者のインジヒ・マティエカはドイツ人とスラヴ人の遺骨を区別しようとした。ラテン語の警句「死を見よ（Ecce Mors）」を形作っている、後ろ向きの頭蓋骨はドイツ人、その下に一列に並ぶ、こちら向きの頭蓋骨はスラヴ人の遺骨とされている。

［次頁－65］　ゴルゴタ頂上のキリスト不在の十字架は長骨を積み重ねて作られている。下に殉教の象徴である棕櫚の葉と、伝統的な警句を記した銘板が置かれている。死者の現在の姿は生者のなれの果てであることを思い出させる、死者からのあいさつである。マティエカを記念する額も見える。

［次々頁－66］　推定1万5000の遺骨を用いてマティエカは大掛かりな作品を作り出した。十字架の下の壁の内側に、長骨で通路を作り、復活の後に空となったキリストの墓を表した。こうして、ここに眠る死者もまた、キリストによって永遠の命が与えられることが暗示されている。

CO JSTE VY,
    BYLI JSME I MY –
CO JSME MY,
    BUDETE I VY.

JINDŘICH MATIEGKA

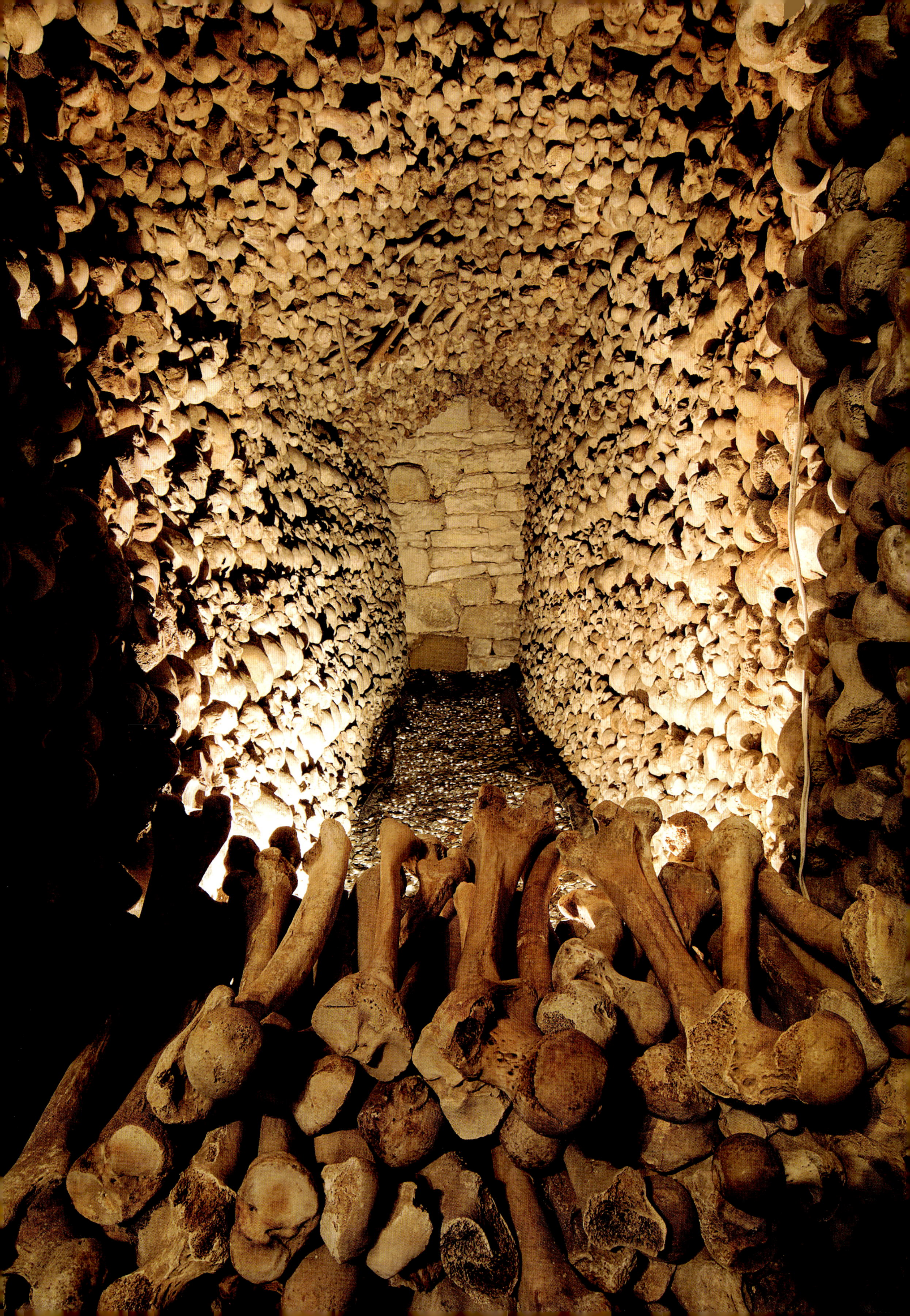

第二章

黄金時代

対抗宗教改革期のマカーブル

✦

THE GOLDEN AGE

Counter-Reformation Macabre

第二章　黄金時代——対抗宗教改革期のマカーブル

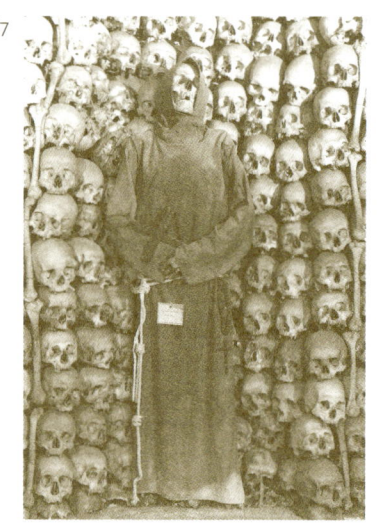

　　中世以降納骨所を管理してきたのは教会であった。なかには純然たる死の表象(メメント・モリ)として骨を並べ展示している所もあったが、どこもそれほど凝った造りではなかった。それが17世紀の初めになると、骨で覆われた異様な礼拝堂が建設されるようになり、時には保存された死骸を組み入れた装飾さえ登場した。こうした新たな潮流を刺激したのは、極端なまでの不健全さと肉体の苦行を求める当時の思潮で、対抗宗教改革（1545－1648）と同時に始まり、18世紀を通じて支配した。この時代は死と肉体の腐敗に対する関心がそれまで以上に高まり、ほとんど強迫観念となっていた。

　この強迫観念を最初に表現した作品の一つが、聖イグナチオ・デ・ロヨラによる祈りと瞑想の書、『霊操』である。16世紀にイエズス会を創設したこの人物は、喜びや楽しみといった考えを捨て去り、死を熟考することで苦しみや悲しみの感覚を高めるよう弟子たちに説いた。*1　じきに説教師たちは、おどろおどろしい言い回しとともに、死すべき運命にあることを聴衆がまざまざと思い描けるよう、頭蓋骨を小道具として用い始めた。作家たちは墓の内部の有様を想像し、読者の眼前に死骸を突き付け、彼らの最終的な運命を見て取らせた。スペインの有名な作家、フランシスコ・デ・ケヴェード〔1580－1645、諷刺作家、詩人、学者、政治家〕はこう書いている。「生者よ、汝は死ぬのだ、汝の骨は死が我々に残し、墓にゆだねたものにすぎない。このことがもし正しく理解されたならば、誰もが姿見の中にしゃれこうべ(メメント・モリ)……を見出すであろう。そして家族のいる家を、まさしく死骸で満たされた墓所と見なすであろう。」*2

　しかしながら、死後の腐敗という恐ろしいものを最も見事に要約する任務は17世紀最大のマカーブルな思想家にゆだねられた。スペインの禁欲主義者ミゲル・マニャーラ〔1627－1679〕は、若い頃は札付きのろくでなしでジゴロであったが、1661年に妻が亡くなると若い時の乱行を悔い改め、やがて『真理の論考』と題した小論を著し、自身の救済のために生者は死のイメージに向き合わねばならないと説いた。

　　もし我らが真理を思い描くとすれば、それこそこれである。我らがいずれ着る経帷子は日々我らの眼前にあらねばならない……とくと考えるがよい、汝の体を蝕む蛆虫を、墓の中で醜く忌まわしい汝の姿を、この文を読んでいる眼は土に呑み込まれ、その手は肉を喰いつくされ干からびるであろう……汝の家柄も身分も、想像し得る限り最大の孤独に取って代わる……地下墓所を思い起こせ。想像により中に入り、汝の両親や妻、なじみの友人の姿を見よ。沈黙に耳を傾けよ！　物音一つ聞こえない……覚えておくがよい、このことは必ずや現実となり、汝という存在はすべて、身の毛のよだつような、干からびた骨となって崩れ果てるのだ。*3

カトリック世界の底流を流れるこうした病的な志向は、徐々に納骨堂の室内が精緻な飾り付けをほどこされるようになったことと密接に関わっていた。骨の展示が問題となり、関連の布告が出された地域もあった。フランスには、骨が「悪趣味な並べ方」でなく「きちんと」積み上げられているか、あるいはごみに覆われていないか、定期的に調べるよう通達した文書が残っている。[*4]

　カプチン修道会は死骸装飾という新たな様式の先駆者となった。この修道会は、保守的なフランシスコ会を脱会した修道士マッテオ・ダ・バッシオにより1525年に創設された。彼はより厳格な規則を求め、俗心や堕落に抗する支えとして「小さき貧者」と呼ばれたアッシジの聖フランチェスコの思想に戻ろうとした。間もなく彼の新しい修道会は発展し、1550年までに修道士の数は2500人に達した。カプチン会はもともと禁欲主義と悔い改めをモットーとしていたため、対抗宗教改革期のマカーブル趣味となじみ、じきに遺骸で飾られたカプチン会の修道院は評判を集めることとなった。

　1626年、同修道会はローマに教会を建てると、そのクリプトを、骨で丹念にかたどった装飾文様と修道士の保存遺骸を組み合わせて飾り付け、独創的でマカーブルな空間を作り出した。聖堂はサンタ・マリア・デッラ・コンチェツィオーネ修道院付属教会の地下【67-70】に、教皇ウルバヌス8世から資金の提供を受けて建設された。教皇の弟にあたる枢機卿アントニオ・バルベリーニ自身カプチン会の信徒で、この名望ある一族との関係は重要である。礼拝堂の立地　──　バルベリーニ広場からほど近い場所にある　──　と、そこで一番有名な住人の素性を説明してくれるからだ。地下墓所の一番奥の部屋では、天井に取り付けられた小さな骸骨が、魂を計量する天秤と、腓骨と蹠骨で出来た鎌を掲げ、死神の姿を表している。この骸骨は、幼くして亡くなったバルベリーニ家の子供とされ、後方の壁に同じ様に取り付けられている2体の小さな骸骨もまたバルベリーニ家の一員と言われている。[*5]

　サンタ・マリア・デッラ・コンチェツィオーネの納骨所は建造当初から建物に組み込まれていた。1631年、修道僧たちが新しい修道院に移った時、以前の修道院にあった大量の遺骸も移され、荷馬車300台分の骨が夜間に松明の光で照らされながらローマの町を横断し、地下に運び込まれた。彼らは夕方になると地下墓所に降り、死を想起させる遺骸に囲まれて祈りと瞑想を行っていたようだ。地下墓所がいつから礼拝堂としての機能を有するようになったのか正確にはわからないが、記録によれば、祭壇が奉献されたのは1693年で、1727年には地下礼拝堂で日に2回ミサが執り行われていた。飾り付けの計画がいくつかの段階を経て発展したのは間違いない。またバルベリーニ家の骸骨が持つ杖に、1764年と書かれた小さな紙が添付されていることから、その頃までにはバルベリーニ家の小さな骸骨は今の配置になっていたようだ。特例を除き一般の立ち入りは制限されていたらしく、部外者の報告がわずかしか残っていないため、地下墓所の装飾がどのように発展したのか解明するのは困難である。1818年、スペンサー大佐率いるイギリス人の一行から見学を依頼されたと修道院の記録にある。要請は認められたが法王の許可が必要であったようだ。[*6] 同年立ち入りを試みた別のイギリス人グループは、修道士たちに嘲笑され拒否された。[*7] この地下墓所が、誰でも見学できる場所でなかったのは明らかだ。

> 天井に取り付けられた小さな骸骨が、魂を計量する天秤と、腓骨と蹠骨で出来た鎌を掲げ、死神の姿を表している

見学許可を得られた人々が残した記録がこの場所の歴史をある程度明らかにしてくれる。1790年代に訪れたドイツ人作家ヨゼフ・ハーゲルの報告はあまり詳細ではないが、当時は祭壇の正面にヒトの歯で出来たモザイクがあったようだ。[*8] その10年後、別のドイツ人が訪れ、今日の構成とほぼ一致する情景をより詳しく伝える。[*9] 最後に二人のフランス人の記録がある。1823年に訪れた建築家と、1849年に訪れた貴族の女性によるものだが、どちらも詳細に記しており、遅くとも19世紀前半までに飾り付けが完成していたことは間違いない。強烈な印象を受けたフランス人建築家は、「死骸趣味に富む（cadavéro-pittoresque）」なる造語でその様式を表現し、サンタ・マリア・デッラ・コンチェツィオーネこそまさにその精華であると述べた。[*10] 一方貴族の女性は、芸術家の見事な才能は認めるが、地下聖堂からは「不快な印象」を受けたと記した。[*11] 彼女は地下聖堂の飾り付けを考案した人物をアントニオ・バルベリーニとした。もしそれが事実なら、現在の装飾的な配列の基礎は、少なくとも1630年代まで遡ることになる。

装飾の考案者は一体誰なのかという疑問に対し、罪の償いを求めた逃亡中の芸術家、18世紀末の恐怖政治を逃れたフランス人司祭、あるいは「グロテスクで、天賦の才を持つ隠遁者」などの説がこれまで唱えられている。[*12] ともあれ、荷馬車300台分——時とともにさらに数を増したのは間違いないが——の骨が、地下聖堂の5室の壁に配置され、建築モティーフや宗教的シンボル、メメント・モリの図像をかたどった。全部で4000体を超える遺骸が使われたと推定されている。最初の部屋は復活の聖堂で、骨で縁取られた、ラザロをよみがえらせるイエスの絵が中央に置かれている。2番目の部屋はミサが執り行われる礼拝堂で、唯一骨のない部屋であるが、祭壇には煉獄から魂を解放するアッシジの聖フランチェスコ、パドヴァの聖アントニウス、カンタリーチェの聖フェリーチェ（遺骸は同教会に安置）を描いた絵が掛かる。残りの4部屋は全て骨で精巧に飾り付けられ、各部屋の装飾を特徴づける骨にちなみ、「頭蓋骨の聖堂」、「骨盤の聖堂」、「すねと大腿骨の聖堂」、「三体の骸骨の聖堂」と名付けられた。天井に取り付けられた死神の像は、骨でかたどった光背マンドルラに包まれ、最後の部屋の中心を占めている。マンドルラは中世キリスト教美術でキリストの生誕を表すシンボルだが、ここでは鎌と天秤を持つ子供の骸骨を取り巻き、誕生、死、最後の審判のサイクルを再現している。骨で縁取られた壁龕には修道士のミイラが、ある者は立ち、ある者は横たわる。土間の床には埋葬区画を示す線が引かれている。ミイラの多くは1741年から1863年までの日付を記した札を提げているが、もっと前からミイラは存在していたかもしれない。同時代のマルタ島フロリアーナのカプチン会修道士もクリプトに修道士のミイラを安置していたが、壁龕の数が限られていたため、40体のみ展示し、新しい遺体が加わると古い遺体を展示から外して埋葬した。ローマのカプチン会も壁龕のスペースに限りがあるため、同じ手順を踏んだ可能性はある。

ローマとフロリアーナの修道僧だけがマカーブルな装飾、ことに遺体のミイラ化に興味を抱いたカプチン僧ではなかった。17世紀初頭の同時期、シチリア島のコミソでもカプチン会修道士の一団が、保存されていた修道士の遺体を修道院付属教会の礼拝堂の壁龕に安置し始めた【101、102→p.71】。展示を増やすため、納骨された骨、とりわけ頭蓋骨が加えられた。厳密には、「我らの土地には、埋葬してくれる者もいないような貧しい者でない限り、死者を埋葬してはならない」[*13] と定めた修道会の規則にそむいていたものの、托鉢修道士の側に保存・展示されたいと願う寄進者のため、コミソでは例外を設けていた。シラクーザのカプチン会修道院にも同様のミイラがある。[*14] しかしいずれも、「パレルモのカタコンベ」にあるミイラのコレクションに比べると見劣りする。より正確には、サンタ・マリア・デッラ・パーチェ・カプチン会修道院の地下墓所には、ヨーロッパ最大にして見事なミイラのコレクションがある【71-76】。

　カプチン会修道士がパレルモに来たのは1534年のことで、1565年に修道院の建設が始まった。当初修道士たちは別の場所を埋葬地として利用していたが、16世紀の末、遺体を掘り起こし、修道院へ移すことにした。彼らが驚いたことに、遺体の多くがほとんど損なわれていなかった。凝灰質の土壌により自然に乾燥が進んで保存されたのだ。中には数時間前に亡くなったかのような状態のものもあったようだ。最初のうち遺体は聖母像のまわりに置かれた、蓋の閉じた棺の中に安置されていたが、多くの遺体の保存状態がきわめて良かったため、結局展示することになった。修道士自ら遺体をミイラにする技法をさまざまに試み始めた。この場所は評判を呼び、コミソ同様、金持ちの寄進者や名士も特例として、その遺体を修道院内に保存・展示することが認められた。その中には、カトリックに改宗し1622年にパレルモで亡くなった、チュニジアの王子アヤラも含まれている。寄進者の数が少なかったコミソと異なり、パレルモでは例外が慣例となった。修道士よりも、部外者の遺体の数の方が多くなりはじめたのだ。

　部外者の数が優勢になったのは、クリプトが、修道士たちにとって一つの家内工業の場となっていたからに他ならない。遺体を保存し、壁龕のスペースを死者に売ることで、彼らは金を稼いでいた。1773年にここを訪れた人物はこの場所の機能を洞察し、その時まで少なくとも1世紀は続いていた慣行、すなわち将来入る壁龕を選ぶために生者が地下墓所へ降りていく様子を記している。

　　……彼らは自分たちがいずれどうなるか詳しく知る……自分の壁龕を選ぶのは普通のことである。死んだ後で変更の必要が生じないよう、体がそこに合うか試すのだ。また時には自らに苦行を課すつもりで、その壁龕に何時間も立ち続けることに自身を慣らしていた。[*15]

1830年代に訪れた別の旅行者も同様の報告を残している。生者が「いずれ自分たちが占有する場所を事前に選ぶ」ために地下墓所を訪れ、「どこそこの位置の方が有利だとか、隣人となる者たちが誰だと価値があるか、いろいろ吟味して」いる様子を書いている。[16] ことに壁龕に手を加える必要がある場合など、彼らは定期的にサイズの確認に訪れては、「来世の年季をつとめるため、口をつぐみ、身じろぎ一つせずに数時間墓の中にとどまることを自らに強いた」。[17] カタコンベは大切な収入源であったため、遺体が整えられ展示された後もなお修道院への支払いは続いた。イスタンブールへの旅の途上にこの場所を訪れたサザーランド大佐によると、一年分の蠟燭代を払わなければミイラを展示から外すと、修道士たちが遺族を脅すこともあったようだ。[18] 1880年代に訪れたフランスの作家モーパッサンも、親族がなおも支払いを要求されていると報告している。[19]

修道士によって開発されたミイラ製造の過程には、「濾過器（colatoio）」と呼ばれる乾燥室での乾燥が含まれていた。そこで死骸は、空気の循環を促進するため下を水が流れている鉄格子の上に置かれた。乾燥の工程に8ヶ月もかかることもあり、乾燥が済んだ遺骸は酢で洗われ、天日にさらされたのち、服を着せて展示された。親族は定期的にミイラの手入れを行うこと、特に新しい服に着せ替えることが求められた。このことがもっともよく行われたのが死者の日で、この日は親族が故人のもとを訪れる慣習があった。「去年の古い服は新しい服に替えられ……何も不自由しないよう……花束が手の中に置かれ、芳しい香水が額にふりかけられた。」[20]【77】 地下墓所が次第に有名になるにつれ、修道士、司祭、専門家、男性、女性、子供のための区画が拡張された。祭壇も4ヶ所に設置され、その周りに、ミサを執り行っているかのごとく、聖職者たちのミイラが置かれていたようだ。[21] 祭壇のうち3つ——残りの一つは聖ロザリアに奉献された[22]——はその後用いられなくなったが、一つは純潔なまま亡くなった少女を祀る場所となり、現在「乙女の聖堂」と呼ばれている。棚の上に4人の若い女性の骸骨がキリストの花嫁のようにたたずみ、その横の壁沿いの棚に他の乙女が横臥している。ミイラを祀る通路が拡張する中、やがて数人の修道士が死骸の中で暮らすことを決意した。ある者は、死者は素晴らしい幻影を見せてくれると主張し、廊下で寝た。一匹の大きな猫を引き連れて移り、それ以後地上に戻るのを頑として拒否した者もいた。[23]

> 乾燥の工程に8ヶ月もかかることもあり、乾燥が済んだ遺骸は酢で洗われ、天日にさらされた

ミイラ製造はカプチン会のトレードマークとなり、修道会が発展した17世紀には、修道士とともにはるか東のチェコにまでこの慣習が伝わった。1651年に完成したブルノのカプチン会修道院にもミイラを安置する地下墓所があった【288→p.206】。ここでも乾燥処置が施されていた。仲間の一人の葬儀が終わると、修道士たちが遺体を修道院に一つだけある棺に入れ、床が土でむきだしの地下室に運んだ。棺は二重底の仕掛けになっており、死骸は床の上に放置された。乾燥に適した土壌と、遺体の上の空気を循環させるために、煙突に繋げられた60の通風孔という巧妙な装置の組み合わせのおかげで、遺体は自然に乾燥した。シチリア島同様、当初は同会の修道士に限られていたが、後には寄進者や地位の高い在俗信徒にも行われるようになった。

　マカーブルな美意識はカプチン会修道士に限らなかった。カプチン会の修道女版とされる、フランシスコ会の女子修道会セポルテ・ヴィヴェにも同種の不気味な嗜好が見られた。17世紀前半にフランチェスカ・ファルネーゼにより創設されたこの修道会はイタリア語で「生き埋め」を意味する名が示す通り、絶え間ない苦行への傾倒を特徴としていた。カプチン会の修道院にちなみ、サンタ・マリア・デッラ・コンチェツィオーネと名付けられたローマ

> 修道女たちは棺の中に眠り、互いに交わす挨拶は、「我らが皆死ぬ運命にあることを忘れるなかれ」であった

の修道院には創始者の遺骸が保存され、修道女たちは棺の中に眠り、食堂には頭蓋骨と交差骨が飾られていた。修道院の建物は、19世紀、カヴール通りを建設中に取り壊されてしまったが、当時の修道会のならわしに関する逸話は伝わっている。互いに交わす挨拶は、「我らが皆死ぬ運命にあることを忘れるなかれ」で、修道女たちは絶えず死を瞑想して日々を過ごし、メンバーが亡くなった場所が修道院周辺のどこであろうと、死骸をそのままにしておくことで有名だった。*24

　17世紀のイタリアでカプチン会が先駆けとなった、マカーブルな装飾という新しい様式は、そうこうするうちに、ポルトガルで独自の人骨聖堂を建設していたフランシスコ会により、イベリア半島の地に調和しつつあった。*25 その一つ、マデイラ島のフンシャルにあったものは現存しない。もう一つのエヴォラの骸骨堂【78-79】は約20×10㎡の広さで、面積の点でヨーロッパ最大である。かつてフランシスコ会の寄宿舎であった建物の内部が、近くの墓地から掘り出された約5000体分の遺骨で飾り付けられた。ローマのサンタ・マリア・デッラ・コンチェツィオーネ同様、この世の空しさを省察するための場所であった。ここはまた「幻滅の館（Casa do Desengano）」の名でも知られ、1728年の記録によれば、悔悛をうながすための部屋であった。*26

エヴォラでは、骨はモルタルに嵌め込まれ、長骨で仕切られた柱間にいささか雑然と配置されている。部屋には骨が嵌め込まれた柱が6本立ち天井アーチを支える。天井アーチの三角小間（スパンドレル）には、伝統的なメメント・モリの図像やキリストの受難などが描かれている。壁からいくつか垂れ下がっているのは黒っぽい小さな木製の十字架で、以前ここで展示されていた十字架の道行きの留の名残である。それよりも目を引くのが、身廊の一番右の壁上方に垂れ下がる2体のぼろぼろのミイラである。身元不詳の大人【79→p.55】と子供のミイラで、数々の伝説を生み出した。いわく、2人は父子で、父親が母親を殴り、息子は母親に従わなかったため、彼女が父子に呪いをかけた。その呪いが2人の死後効果を発揮し、地面が岩のように固くなったため、墓掘り人は彼らを埋葬することができなかった。そして同じような非道な行いをすれば彼らのようになると戒めるため、修道士が彼らの遺体を展示したのだ、と。*27 事実はそれほど複雑ではないだろうが、2体のミイラが教訓的な意味で置かれたのは間違いない。スペインの文献学者で法学者のフランシスコ・ペレス・バイエルが1780年代に礼拝堂を訪れているが、彼の覚書によれば、当時はもう一体ミイラがあったようだ。*28 子供のミイラがあること、そして成人のミイラの姿勢が最後の審判で地獄に落とされた人を描いた図像に似ていることから、3体目のミイラと合わせ、人生の三段階を表す展示の一部だった可能性がある。この伝統的なメメント・モリの主題は、死に直面させられた普遍的な人間の姿を、若者、成年、老人で表した。

礼拝堂の出入口の上を見ると、骨でかたどられた、聖霊を象徴する1羽の鳩の上に、1810の年記が刻まれている。しかし、17世紀半ばまでに現在の姿となっていたのは間違いないので、これは修復の年を示している。骨で飾られた礼拝堂についての一番古い記述は1657年に遡り、ポルトガルの歴史家ホルヘ・カルドソの著作に、「有名な骸骨の保管所……側廊の壁は、ふさわしく並べられた頭蓋骨とその他の骨で飾られている」と書かれてある。*29 著者はこうした場所がここだけなのか自問しているが、もちろんそうではなかった。とはいえ大きさの点では無比である。1810年には天井画の改装が行われたようだが、少なくとも18世紀初頭以降、エヴォラの骨の作品にはほとんど変更が加えられていないようだ。1728年の報告でも今の部屋に相応する描写が認められる。*30 1789年にイギリス人作家ジェイムズ・カヴァナ・マーフィーが礼拝堂を訪れ、著書に室内の様子を描いた版画も載せた。画家が脚色した箇所——支柱が長骨でなく頭蓋骨で一面覆われているなど——を差し引いても、当時はまだ天井に絵が描かれていなかったこと、現在のものよりはるかに大きな祭壇上部の飾りがあったことを除けば、今とほとんど変わらない。*31 壁に取り付けられた2体のミイラについてマーフィーは一言も触れていないが、前述のペレス・バイエルが言及している。詩人のロバート・サウジー〔1774-1843、イギリスの作家・桂冠詩人〕も1800年に当地を訪れた際、ミイラについて「古い貴族の館にある甲冑のように……干からび萎びている」と記した。*32

壁に取り付けられた2体のミイラは……「古い貴族の館にある甲冑のように……干からび萎びている」と詩人のロバート・サウジーは記した

対抗宗教改革は、精緻な装飾の納骨礼拝堂を求める傾向を刺激したばかりでなく、聖遺物容器という芸術品への新たな関心を呼び起こした。1563年のトレント公会議は聖遺物の正統性を再確認し、それらに深い敬意を払う者たちには神が恩恵を授けるであろうと力説した。ケルンの聖ウルズラ聖堂のように、十分な聖遺物を手に入れることの出来た教会はまれで、ここでは聖遺物が、ローマやエヴォラのように壁を覆い尽くし、一つの建築空間を飾るために用いられた。この教会は、4世紀に殉教したウルズラと付添の1万1000人の乙女が埋葬されたとされる、古代ローマ時代の墓地に建てられている。教会が所有・管理する骨が聖なる乙女たちのものと証明されたことは一度もないが、ともかくそれらは殉教者たちの聖遺物が祀られた「黄金の部屋」の、四方の高い壁をモザイク状に覆っている。ヨハン・フォン・クラーネと妻のヘレナ・ヘーゲミラーによって1643年に設計されたもので、骨は壁の上部に嵌め込まれ、ラテン語の銘文「聖ウルズラ、我らのためにお祈りください（Sancta Ursula Ora Pro Nobis）」を浮かび上がらせている【80】。その下の壁龕には頭蓋骨や聖遺物を納めた胸像が並ぶ。1741年にこの部屋を訪れたポムフレット伯爵夫人は「世界一見事な陳列の納骨堂」と評した。＊33

　長らく打ち捨てられた状態だったローマのカタコンベは、10世紀にはその存在すら忘れ去られていたが、1578年、葡萄園の労働者によって塩の道（ヴィア・サラリア）で再発見された。対抗宗教改革により聖遺物への関心が新たに湧き起こっていた時代、カタコンベに隠されてあった、初期キリスト教徒の遺骨が大量に発見されたことは大変重要な意味を持っていた。初期の殉教者の遺骨と解釈できたからだ。トレント公会議の教令では、聖遺物は全て教皇庁により本物と証明される必要があると定めていたが、何の規則も手続きも施行されなかった。無限に広がるカタコンベに関しては、そこで発見された、聖遺物の可能性のある物はすべて本物と証明し分配するよう、教皇庁秘書官は命じられていたため、必要条件は厳格ではなかった。そのため棺の中に棕櫚の葉が見つかったとか、血痕がわずかに付着していただけで聖遺物とされた場合も多かった。

80

1836年に元修道士のＳ・Ｉ・マホニーが書いた報告からもそのでたらめな手順をうかがい知ることができる。当時もなお聖遺物がカタコンベから取って来られていて、比較的後の時代であることと、著者の皮肉（教会を去った人物のため、その評価は辛口である）を無視するにしても、彼のテクストから「神聖なる御遺体」の由来の立証がどれだけ疑わしいものであったか推測できる。彼の説明によれば、誰一人として、カタコンベで見つかった骸骨の身元について正確なことを知らず、遺骨がキリスト教徒と異教徒のどちらのものか、明らかにできる証拠さえなかった。それにもかかわらず、聖遺物の蓄えを定期的に増やすために、カタコンベまで足を運ぶ人々は多かった。教皇自身、聖職者を伴って地下のトンネルへ降り、聖霊に呼びかけ、祈祷文を読み上げた。

　「神のお導きがこの……厳粛なる任務の遂行に求められた。それから教皇は目を周囲の乱雑に積み重なった頭蓋骨に向け、気の向くままに、それは聖者誰某の遺骨、あれは '乙女何某' の遺骨等々、当面の儀式に間に合うだけの十分な数に達したと従者が知らせるまで、次々と名指した（イタリア語のbattezzatiはこのようにして選ばれた聖者の遺骸に古代ローマ研究家が付けた名前である）。それから朽ちた骨が注意深く集められて聖水を振り撒かれると、このために準備された箱に納められ、行列を組んでヴァチカンへ運ばれた。」[*34]

　証明の手続きがいい加減であったにもかかわらず、ヨーロッパ中の教会が聖別された骸骨を、時には大量に獲得しようと競った。例えばコンスタンツの教区だけでも、17、8世紀の間に集めた、初期のキリスト教徒のものとされる遺骨は120体にのぼった。入手された骨はただちに、精巧な飾り付けの納骨堂を生み出したのと同じマカーブルな美意識で見事に飾り付けられ、聖遺物となった。コンスタンツ司教区内にあるスイスのヴィールは、カタコンベから取って来られた、3世紀の殉教者聖パンクラティウスの骸骨を獲得した[81-82]。実のところ、パンクラティウスのものとされる遺骨はすでにローマの、彼の名を冠したバシリカ聖堂に安置されていた。[*35] 偽物であるにもかかわらず、その骸骨は本物と証明され、1671年に北方のザンクト・ガレンの修道院に送られた。そこで修道女たちによって関節で接合された骸骨は、兵士の格好をさせられ、棕櫚の葉と剣をあてがわれた。その姿が崇敬の念を呼び起こしたため、一年後に骸骨がヴィールに戻ってきた時には、凱旋行列とともに町に運ばれた。甲冑は1777年にアウグスブルクの金細工師によって作り直され、このパンクラティウス——彼が実際には誰であれ——はヴィールの小教区教会を今なお支配している。[*36]

さらに印象深いのがドイツのヴァルトザッセンのバシリカ聖堂で、堂内に10ヶ所ある付属礼拝堂のそれぞれに骸骨像が鎮座している【83-84】。ここの骸骨もやはりローマのカタコンベからもたらされ、1670年代に到着した5体の骸骨に続き、1688年、殉教した聖デオダトゥスのものとされる骸骨が加わった。このデオダトゥスなる人物が一体何者なのかはっきりしない。5世紀のキリスト教司祭、ノラの聖デオダトゥスとするなら、イタリアのベネヴェントにも彼の遺骨が9世紀から存在する。骸骨の正体はともかく、1690年、聖堂で一人の修道士が美しく光り輝く骸骨の像を幻視したという。当時建設中であった新しい教会が完成した時、デオダトゥスの遺骨に素晴らしく精巧で優美な衣装をまとわせてケースに納め、その上に祭壇を設置することにより、修道士の見た幻は現実のものとなった。1733年には特別な聖年の一環として街路に運ばれたほどこの骸骨は民衆に人気があり、他の骸骨にも衣装をまとわせるようになった。遺骸の飾り付けは熟練した金細工師のアーダルベルト・エーデルに任されていた。18世紀に遺骸の数が増え、最後の一対となる殉教者のヴィクトリウスとマクシムスは1765年に到着した。1777年まで生存していたエーデルが全ての骸骨を飾り付けた。伝説によれば、最後のマクシムスにエーデルはてこずった。何度試みても骸骨にふさわしいポーズをとらせることができなかったのだ。夕飯に呼ばれた芸術家は意気消沈しながら、自分にはもうどうすればいいのかわからないと骸骨に告げ、部屋から出て行った。彼が戻ると、骸骨が自分でポーズを取り直していたという。1766年の8月にマクシムスを祀る祭壇が奉献され、バシリカ聖堂の10体の骸骨コレクションは完成した。後にガラス張りの聖遺物容器に入った頭蓋骨が2つ増え、主祭壇に置かれたため、全部で12となり、キリストの弟子と一年の月の数と一致した。*37

> 1733年には特別な聖年の一環として街路に運ばれたほどこの骸骨は大衆に人気があり、他の骸骨にも衣装をまとわせるようになった

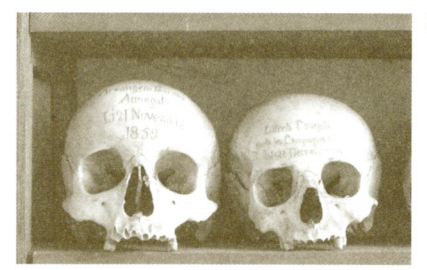

対抗宗教改革とともに始まったマカーブルなフェティシズムは聖職者だけに限らない。特にイタリアでは16世紀後半、死者に奉仕する信心会も凝った納骨堂を建設し始めた。そうした信徒組織は市民生活でも目立つ存在で高い地位を占めており、自分たちの病的な志向を公にすることもしばしばだった。ルネッサンス期の美術史家ジョルジョ・ヴァザーリによれば、1511年、画家のピエロ・ディ・コジモが、髑髏が描かれ、真っ黒な水牛に引かれた、「恐ろしく、思いもよらない」死の隊列を謝肉祭の行列のために構想したという。いわく、死神が山車の頂上に立ち、車を取り巻く墓の蓋が開くと、そこから骸骨の衣装をまとった者が「悲しみよ、涙よ、苦しみよ」と歌いながら出て来、車の後ろからは痩せこけた馬に乗った死者たちが続き、髑髏の旗を掲げた骸骨姿の歩兵を従えていた。[*38] ピエロが誰の依頼でこうした見せ物を考案したのか、ヴァザーリは具体的に述べていないが、依頼主が死者に奉仕する信心会であったことは明らかだ。こうした信心会の中には、会員の数が数千人の大規模な団体もあった。特に貧困者の埋葬といった慈善的な職務を遂行していた場合、大量の亡骸の始末をすることもあった。ローマには少なくとも、オラツィオーネ・エ・モルテとサッコーニ・ロッシの二つの信心会が存在し、どちらも骨で装飾された納骨堂を管理していた。サッコーニ・ロッシという名称は、メンバーが着ていた赤のチュニックにちなんで名付けられた。彼らは特にテヴェレ川で溺死した死者を重点的に扱い、身元不詳者の埋葬を行っていた。1600年代から活動を始めた同会は、ティベリーナ島のバルトロメオ広場の一角を拠点とし、今も彼らの納骨堂の一部が残っている。骨は壁龕に並べられ、頭蓋骨と交差骨を組み合わせて陳列されていた。死者の日の夜には行列が練り歩き、川で命を失った者へ捧げる花輪が川に投げ入れられた。1962年公開のイタリア映画『犬の世界』〔グアルティエロ・ヤコペッティ監督、邦題『世界残酷物語』〕では、赤い衣装をまとった会員が練り歩く場面が登場し、納骨堂の内部で撮影された場面がサンタ・マリア・デッラ・コンチェツィオーネの映像と組み合わされた。

> 死神が山車の頂上に立ち、墓が車を取り囲んでいる。墓の蓋が開くと、そこから骸骨の衣装をまとった者が「悲しみよ、涙よ、苦しみよ」と歌いながら出て来た

オラツィオーネ・エ・モルテ信心会【85-86】は比較的規模が大きく高名な信徒組織で、彼らが管理していた納骨堂は一時ヨーロッパーマカーブルな場所として有名で、英国やポーランドでも紹介されていた。*39 1538年に創設されたこの団体は、集めた貧者の遺体をキリスト教式に埋葬し、死者の魂を執り成す聖母マリアに祈りを捧げる活動を行っていた。1560年に大信心会へ昇格すると、ジュリア通りの一角に地所を得、教会を建設した。テヴェレ川の下に張り巡らされたカタコンベもこのクリプトに繋がっており、そこは遺骨の保管場所であっただけでなく、骨が装飾的に陳列されていた。通路は骨のシャンデリアで照らされ、服をまとった骸骨が鎌を持ち、監視者のようなポーズをとっていた。19世紀半ばに訪れたドイツの歴史家フェルディナンド・グレゴロヴィウスによれば、生の空しさを表す銘を掲げた骸骨や、子供の骨だけで飾り付けられた区画もあったようだ。*40 この場所が有名になったのは、教会や修道院付属の納骨所と異なり、一般の人でも見学できたことが大きいかもしれない。黒服をまとった信徒が大祭日に訪れた人々を地下納骨所に案内していたが、特に四旬節と万霊節の前後の時期には群衆が集まった。さらにこの団体は、地下通路から集めた骨を小道具に用いて、死と悔悛を主題とする大がかりな作品も作り出していた。ある年代記には、1810年に、生命の樹を頂いた造りものの山に立つアダムとイブの寓意画を上演した時の様子が書かれている。原罪が人類に死をもたらしたことを見物人に思い出させるため、何体かの骸骨が山のふもとに置かれていた。翌年になると会員はさらに意匠を凝らした活人画を上演した。この時は煉獄そのものがテーマで、骸骨で出来た大きな丘が火に包まれていたという。*41

> 煉獄そのものがテーマで、骸骨で出来た大きな丘が火に包まれていた

マカーブルな装飾は教会の外壁でも見られ、髑髏の浮彫りの他、翼のある「死」の図像が献金投入口の上の石版に彫られている【87】。建物の正面は1737年以来変わらないが、20世紀初頭に行われたテヴェレ川の堤防工事により、カタコンベは修復不可能なほど損害をこうむった。現在では小さな一室に、著名な会員の頭蓋骨を納めたガラスケースと、わずかに独特の飾りが残るのみである。かつての栄光の痕跡は、後で作られた場所にここの納骨堂が及ぼした影響を通して認められる。服をまとい、鎌を振るう骸骨は、マルタ島のヴァレッタにあった骸骨堂——建物自体は壊されたが、写真が往時の様子を伝える——で再現された【88】。チェコのセドレツ納骨堂には、2.5mの高さの人骨シャンデリアがあるが、これも同信心会のシャンデリアの影響を受けたと考えられる。

第二章　黄金時代——対抗宗教改革期のマカーブル

こうした信心会の中には、カプチン会の納骨所のようにミイラを展示するところもあった。17世紀、イタリアのブリンディジ近郊のオーリアでは会員の遺骸が乾燥保存され、大聖堂の地下聖堂内の壁龕で展示されていたが、うち9体が現存する。最大規模のコレクションは、イタリアはウルバーニアのブオナ・モルテ信心会にある[89]。ミイラそのものは19世紀初頭までここに存在しなかったが、彼らが市の中心部にある貧者の墓地で埋葬を執り行うようになった16世紀以降、この組合は死者に奉仕してきた。1804年、埋葬を全て町外れで行うよう命ずる布告が出されたため、組合員が遺骸を掘り出すと、その多くが、自然にミイラ化した状態で見つかった。これは抗生作用のあるカビが死骸に繁殖し皮膚を覆った結果、腐敗が進まなかったためと考えられ、アイルランド[90]やフランス[91]など他の場所でも報告されている。死に奉じる信心会であったため、彼らはミイラ化した遺骸を信心会の礼拝堂の壁龕に安置することにし、「死者の教会（Chiesa dei Morti）」と命名し直した。修道院長ヴィンチェンツォ・ピッチーニはミイラに魅了された。彼は遺体が保存されることになった本当の原因も知らないまま、対抗宗教改革期の先達が、秘密の防腐保存処置法に従ってミイラを製造したのだと確信するに至った。ミイラ製造技術の再現を決意した彼は、乾燥させた死骸を、画家が下地に用いるゲッソーで覆う実験を試み始めた。努力は報われ、自分の編み出した技術で助手を養成するまでになった。1834年に彼が死んだ時には、彼自身の遺体もゲッソーで永久不滅のものとなり、礼拝堂の中央に置かれた[128→p.88]。彼が身に着けている正装の黒のケープ、髑髏と交差骨の銀バッジ、杖は、何世紀にもわたりこうした信徒会の特徴を示してきた。*42

多くが自然にミイラ化した状態で発見され、抗生作用のあるカビが繁殖したためとされた

カトリックの修道士のグループが始めた死骸を用いた装飾様式に対し、当然のことながら、プロテスタント側は激しい非難を浴びせた。サンタ・マリア・デッラ・コンチェツィオーネのような場所は、薄気味悪い、長年カトリックの聖遺物崇拝を支えてきた忌まわしい迷信と同種の徴候とされた。すでにマルティン・ルターの時代から、死者の尊厳とまではいかないまでも、少なくとも衛生上の懸念により、プロテスタントは納骨堂をなくすべきだと主張していた。[*43] 1611年にドイツのヘッセン州ビッケンバッハで行われた説教では、納骨堂は純朴で迷信深い民衆のためのもので、プロテスタントの共同体には不要なため、破壊・撤去されるべきだと宣言されている。[*44] その結果、大部分がその通りになったが、後にカトリックに戻り、納骨堂の再建を望んだ教区ではこれが問題となった。ほとんどの場合、遺骨は埋め戻されていたため、第一章で紹介したロット・アム・インのように、壁龕に頭蓋骨を並べるのが最も現実的な策であった。独立の納骨堂ではなく、数個の頭蓋骨が記念のしるしとして戸棚に陳列され、死者を崇敬し、煉獄にいる魂のために祈りを捧げるよう促した。【92-93】

「この種の恐ろしい展示は時折修道院で行われており、修道士の偶像崇拝に他ならない」

　カトリックの遺骨崇拝に対する嫌悪感のため、プロテスタント側が新たにマカーブルな場所を創設することはなかったが、少なくとも痛烈かつ愉快な批評を残してくれた。3世紀にわたり、プロテスタント側の記録者はカトリックの施設にある遺骸の展示に辛辣な批判を浴びせた。マデイラ島フンシャルのフランシスコ会納骨堂を訪れた女性は「悪趣味な忌まわしい遺物」と評し、「今までこんな奇怪で恐ろしいものが聖別されていたとはとても想像」できず、その展示をカトリック特有の「胸糞悪い奇習」と考えた。[*45] またパレルモのカタコンベに陳列された遺体について「こういった恐ろしい展示は修道士の偶像崇拝に他ならない」と記した者もいた。[*46] ことに著者を当惑させたのが修道士の遺骸の展示で、「生きている修道士がこの世で一番好ましい仲間でないのは確か」なのになぜ「……死後も修道士の体をさらしてその固有の不快感を一層強める」必要があるのか、不思議でならなかったようだ。[*47] マルタ島のフロリアナでもミイラが展示されていたが、「きわめて恐ろしく、忌まわしい」とか「遺体の尊厳を損なう侮辱的行為」[*48] と見なされた。同じ場所を訪れた別の人物は、「こうした、死後に遺体を展示するという奇妙な慣習が、何かとても立派で道理にかなった目的があるにしても……我々にはとうてい信じがたい」[*49] と述べている。

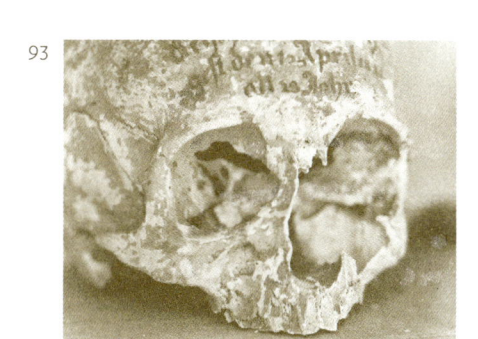

第二章　黄金時代──対抗宗教改革期のマカーブル

プロテスタントは敷地内にある納骨堂を全て廃止したと言われることがある。確かにその多くは骨が取り除かれたが、厳密には正しくない。プロテスタントの教会に残る、今なお骨を所蔵する納骨堂の大半は、宗教改革期に封印されたかつてのカトリックの納骨堂であり、長年忘れ去られていたのが再発見されたケースである。しかしながら、プロテスタントとして教会を聖別し直したにもかかわらず、宗教改革の時代から現代に至るまで納骨堂が保存・管理されてきた例が二つある。イングランドのハイズにあるセント・レナーズ教会【94】と、ドイツのオッペンハイムにある聖カタリーネン教会【95】である。ハイズの教会がなぜ納骨堂を保存したのか不明だが、1565年にプロテスタント教会として再聖別された聖カタリーネン教会の場合、市議会が結んだとされる奇妙な協定のおかげで納骨堂が保存された。どうやら彼らは、オッペンハイムの住民全員の遺骨を最後の審判の時まで建物内に置くという契約を神と結んだようだ。この契約を尊重するため教会は、3mの高さに積み上げられた、約2万体の遺骨を納めたドイツ最大の納骨堂（バインハウス）を保存した。かくしてプロテスタントによって管理される最大の納骨所という称号を得ることとなった。悪名高きカトリックの慣習を存続させたがために教区民が不名誉をこうむることがないよう、反カトリック的な解釈が付け加えられた。骨の中には近くで起こったスペインとスウェーデンの軍隊による戦闘の犠牲者も含まれると信じられているが、カトリックの頭蓋骨は容量が小さいため、カトリックのスペイン人兵士とプロテスタントのスウェーデン人兵士の頭蓋骨の区別ができると言い伝えられているのだ。*50

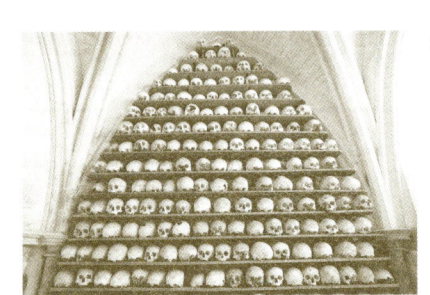

オッペンハイムの納骨堂のような珍しい例はあるにせよ、プロテスタントはカトリックが管理する骨の山を非難し、対抗宗教改革期の派手な展示にも強く反対した。しかし死の美学は痛烈な批判をものともせず、ロマン主義的想像力に勢いづいて19世紀に復活することになった。この時先駆けとなったのが、対抗宗教改革期に建造された数々の納骨所の名声をしのいだばかりか、規模の点からもそれら全てを合わせたよりもはるかに大掛かりなプロジェクトであった。

「サンタ・マリア・デッラ・コンチェツィオーネ修道院のクリプト（カプチン会墓所）」
[ローマ、イタリア]

[上— 96]　　一番奥の部屋の壁龕に置かれた修道士のミイラ。ここを訪れた著名な人物の一人にマルキ・ド・サドがいるが、彼はここを「英国の才士にふさわしい葬祭芸術」と評した。

[次頁見開き— 97]　　3体の修道士のミイラは「頭蓋骨の聖堂」の奥の壁の壁龕に据え付けられている。真ん中の壁龕上部にあるのは骨でかたどられた、翼のついた砂時計——「光陰矢のごとし」の格言を意味し、訪れた者に現世の存在がはかないものであることを思い出させる死の警告である。

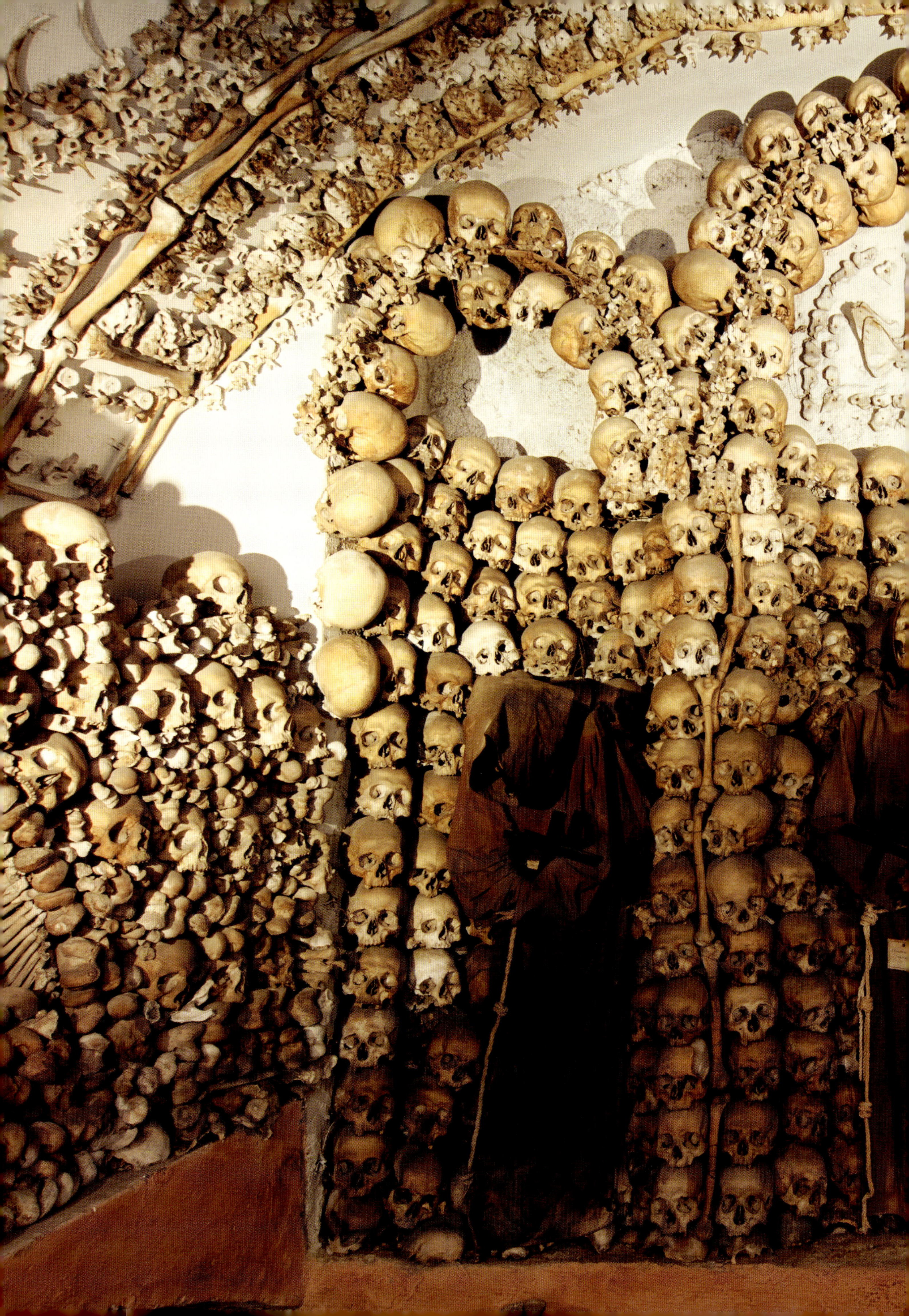

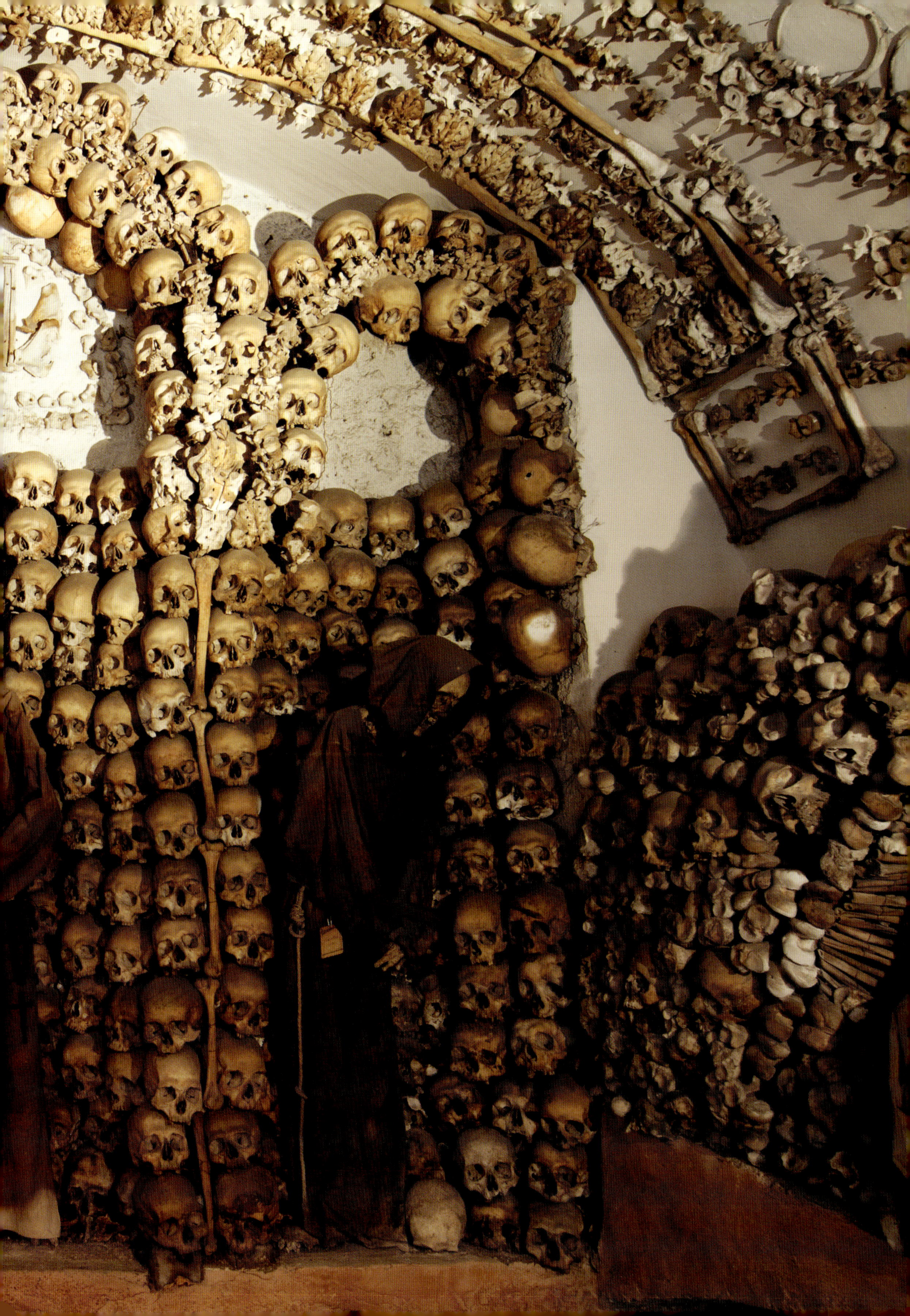

第二章　黄金時代──対抗宗教改革期のマカーブル

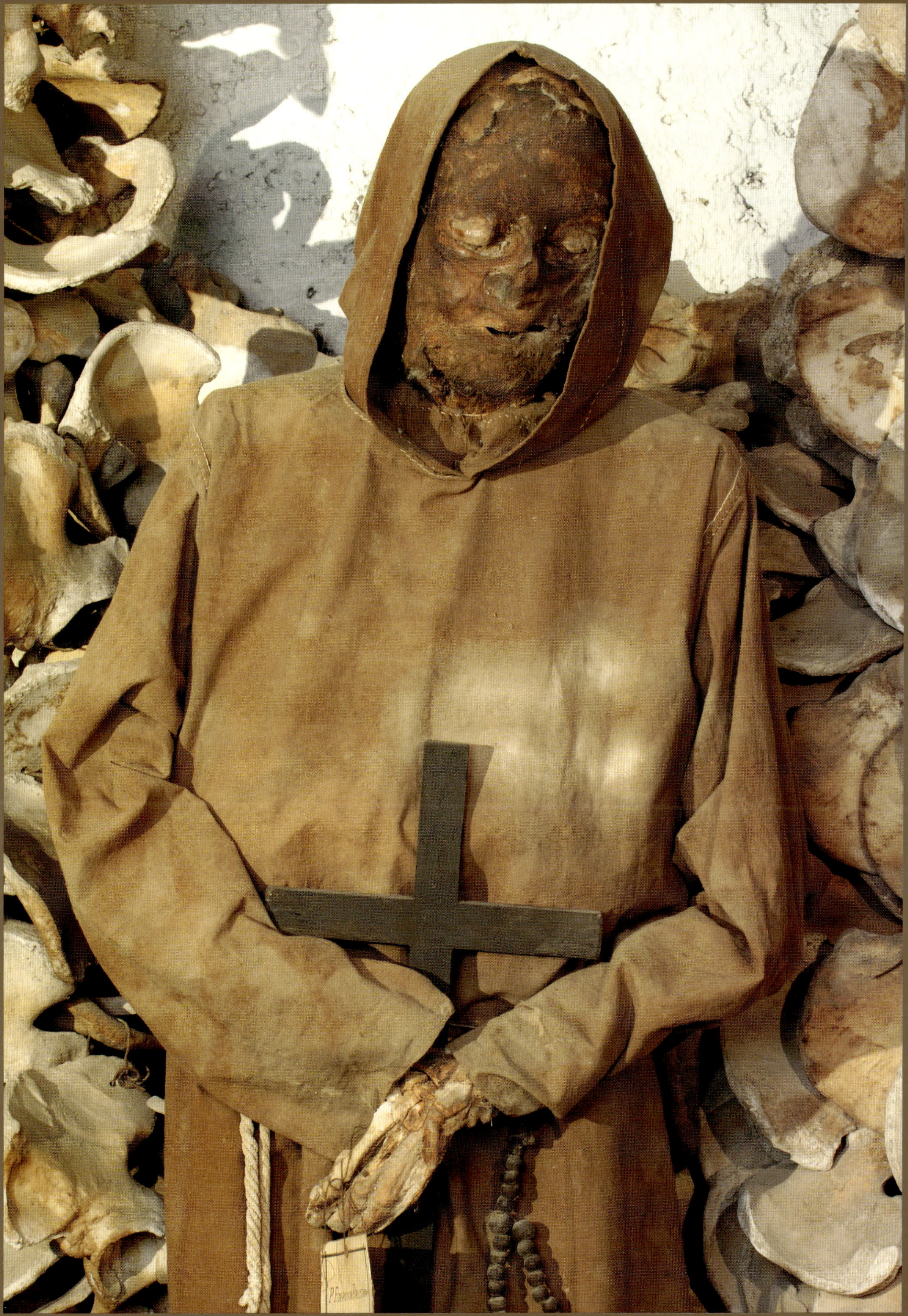

第二章　黄金時代──対抗宗教改革期のマカーブル

「サンタ・マリア・デッラ・コンチェツィオーネ修道院のクリプト（カプチン会墓所）」
［ローマ、イタリア］

［前頁左─98］　札にはミイラの名前と没年月日が記してある。この修道士はピエトロ・アントニオ・ダ・リエティ師で、1754年に亡くなった。ミイラに記録された日付で最も古いのは1741年、最も新しいのは1863年である。またクリプトの壁や床には無数の墓がある。

［前頁右─99］　ミイラは生前の聖職位の祭服を身にまとい、カプチン修道会の名の由来となった帽子（カップチーノ）を被っている。貧困、貞操、服従の誓願を象徴する、3つの結び目が作られた縄のベルトをつけ、十字架やロザリオなどを手にしている。

［上─100］　一番奥の部屋は「三体の骸骨の聖堂」である。天井に取り付けられた子供の骸骨は死神の姿をかたどっており、他の2体の子供の骸骨は奥の壁の中央で積み上げた骨盤の上に鎮座している。骸骨の腕が支えているのは、口の両端に肩甲骨の付いた頭蓋骨、翼のあるしゃれこうべである。

「サンタ・マリア・デッレ・グラツィエ教会の葬送礼拝堂」
[コミソ、シチリア島]

[本頁−101、102]　　コミソで展示されている50体のミイラには、カプチン僧と一般信徒の両方が含まれる。18世紀創建のサンタ・マリア・デッレ・グラツィエ教会付属葬送礼拝堂に置かれている。多くは標札が付けられていて、1742年から1838年までの没年月日が記録されているが、それよりも年数を経た状態のミイラには何もつけられていない。直立している者もあれば、斜めの壁龕に横たわっている者もいる。顔のあるミイラはどれも礼拝堂の中心に顔を向けている。

第二章　黄金時代──対抗宗教改革期のマカーブル

「サンタ・マリア・デッラ・パーチェ修道院のクリプト」
[パレルモ、シチリア島]

[上-103]　「乙女の聖堂」──本当の聖堂ではなく、純潔なまま亡くなった少女のために充てられた一画──内の壁龕に置かれた、骸骨となった遺骸。純潔を示す白い服をまとって横たわる。

[次頁-104]　ボンネットをかぶったこの女性のミイラは、「乙女の聖堂」内の大きな十字架の脇で、壁面の棚に直立した4体のミイラのうちの一体。彼女は棕櫚の葉を手にしている。伝統的に殉教を象徴する棕櫚がここでは信仰の勝利を表している。

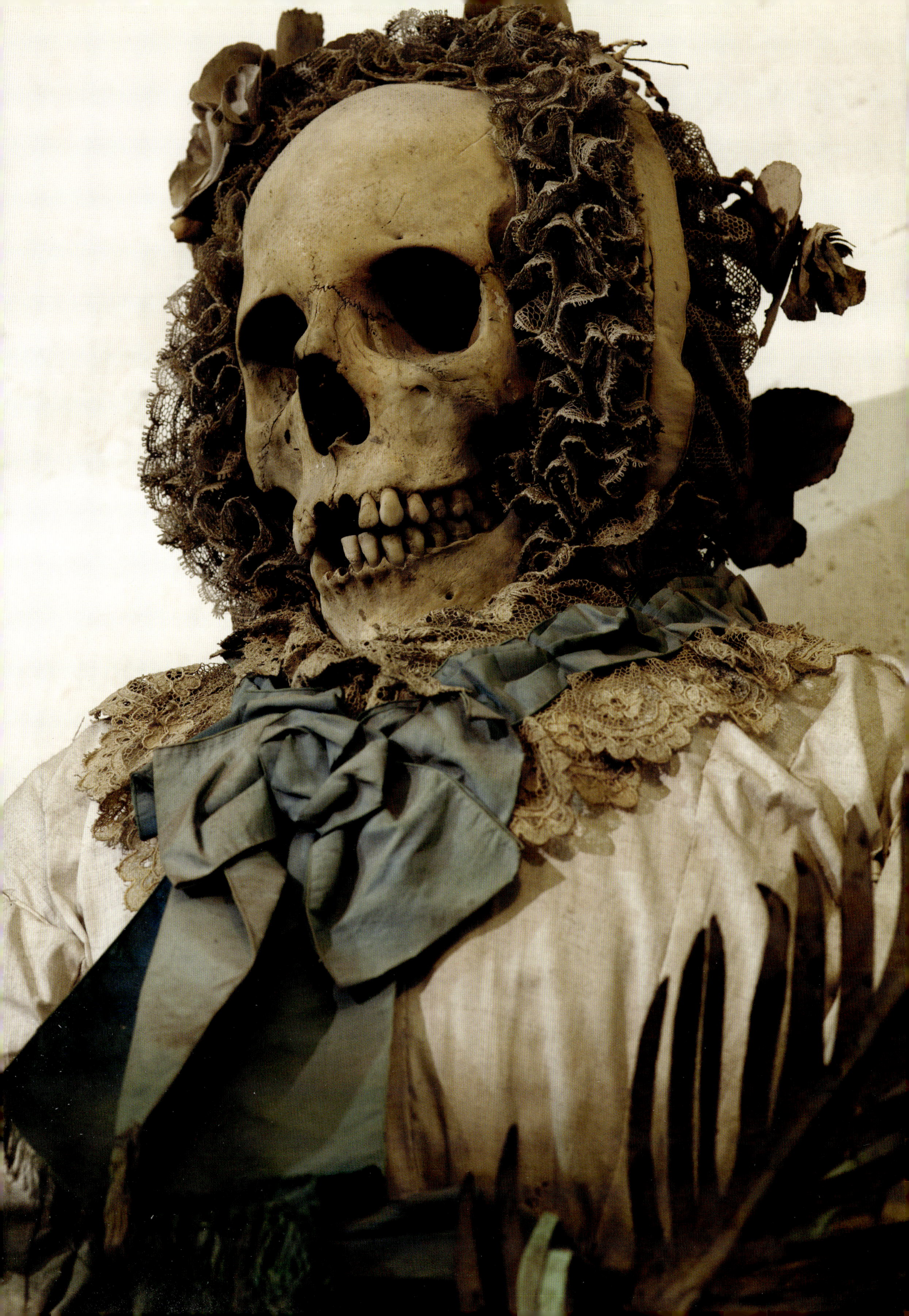

第二章　黄金時代──対抗宗教改革期のマカーブル

「サンタ・マリア・デッラ・パーチェ修道院のクリプト」
［パレルモ、シチリア島］

［上-105］　完成まで一年を要すミイラの製造はカタコンベ内にある乾燥室（colatoio）で行われた。死者の多くは、生前の面影をとどめておくためガラスの義眼が嵌め込まれていたが、第二次世界大戦中に失われた。米軍兵士の間で故国へのお土産として人気を集めたからだ。

［下-106］　ここは本来修道士のための場所であった。一番古い区画にはカプチン会の修道士のみが納められており、中でも一番古いのが、1599年に亡くなったシルヴェストロ・ダ・グッビオ修道士である。しかし部外者の数が増えるにつれ、通路が拡張され、性別や年齢、聖俗の他、職業で分けた区画まで作られた。

「サンタ・マリア・デッラ・パーチェ修道院のクリプト」
[パレルモ、シチリア島]

[上左－107]　遺体の保存のおかげで家族がまとまって展示されることが可能となった。この地下墓所では数家族が保存されている。ここでは木製の壁龕に母親が娘と息子と一緒に納められている。

[上右－108]　修道院のクリプトにはかつて祭壇が4ヶ所にしつらえてあったが、一つを除いて他は全て撤去された。残る一つは、以前は「悲しみの聖母」を祀る祭壇であったが、1866年に聖ロザリアのために奉献し直された。祭壇の前には幼児用寝台が3台置かれていて、見事な保存状態の幼児のミイラが人気を集めている。

第二章　黄金時代——対抗宗教改革期のマカーブル

「サンタ・マリア・デッラ・パーチェ修道院のクリプト」
[パレルモ、シチリア島]

[本頁-109]　「乙女の聖堂」内の2体。その上の壁には「我らは仔羊の行くところへはどこでも従って行く。我らは乙女なり」と書かれてある。純潔を守った人々について語った、ヨハネの黙示録14章4節からの引用で、彼らは清らかさのゆえに贖われる。

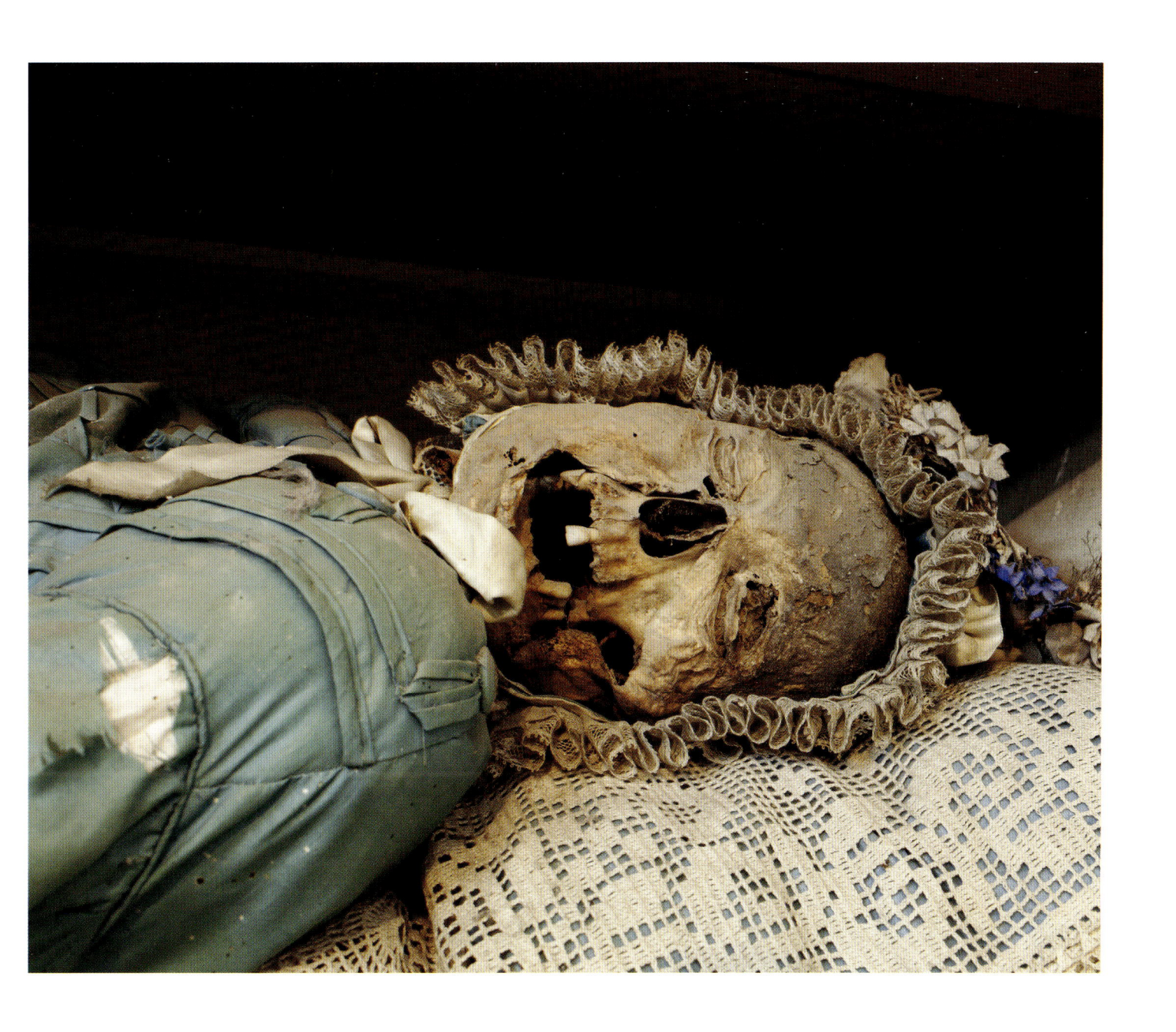

「サンタ・マリア・デッラ・パーチェ修道院のクリプト」
［パレルモ、シチリア島］

［本頁－110］　生者は死者の面倒を見続けなければならなかった。親族は死者の日にクリプトを訪れ、香油を塗り、花を手向け、新たな衣服に着せ替えるなど、ミイラの世話をするのが慣例だった。

第二章　黄金時代——対抗宗教改革期のマカーブル

「サン・フランシスコ教会の骸骨堂（Capela dos Ossos）」
[エヴォラ、ポルトガル]

[上－111]　エヴォラの納骨堂では、壁に嵌め込まれた長骨が柱間と付柱（ピラスター）を形作り、付柱は天井アーチのリブと交わる。地元の墓地から取り出された5000体の遺骨が用いられた。ある記録によれば、骨を掘り出したのは、地元の貴族が墓地を狩猟場に転用することにしたからという。

[次頁－112]　頭蓋骨と長骨に覆われた柱は、キリストの受難と伝統的なメメント・モリのシンボルが描かれたアーチ形天井に続く。納骨堂の一部はナポレオン戦争後の1810年に改築されており、その時に天井の絵が完成したか修復されたようだ。

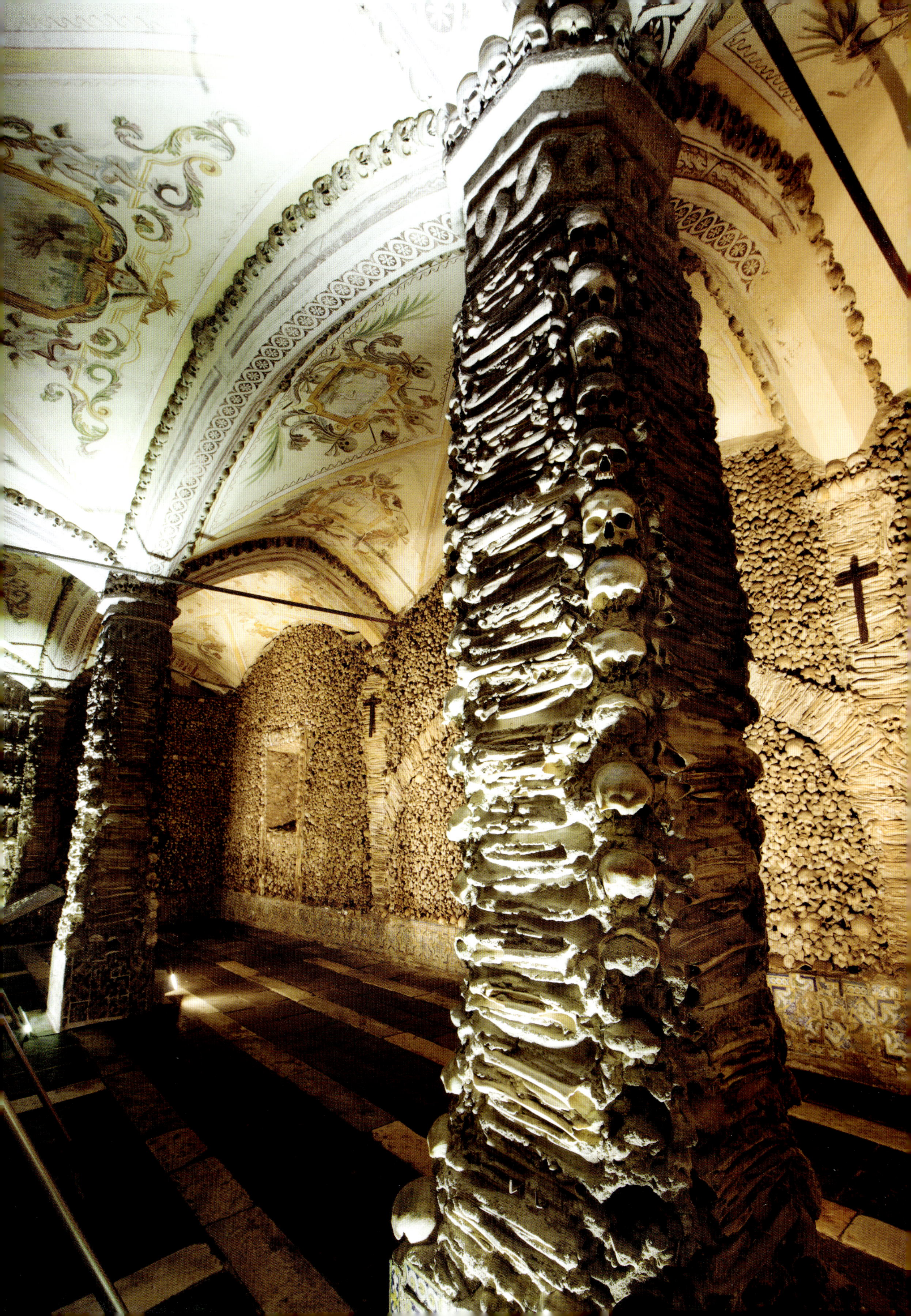

S. PANCRATIUS
M.

「聖ニコラウス教会の聖パンクラティウスの骸骨」
[ヴィール、スイス]

[前頁―113]　1670年代に修道女のグループがパンクラティウスの遺骨に礼服をまとわせ、1706年と1724年には修繕された。骸骨の到着から100年後の1777年、100年祭を祝うため、まばゆい甲冑一式を注文する決定が下された。

[上左―114]　骨は細かい網状の布で接合されている。骨の多くに、パンクラティウスの骨と表示した札が張られており、写真の小指と薬指にもそれが見られる。この骸骨が本物のパンクラティウスかどうかはともかく、実在のパンクラティウスは、キリスト教信仰を棄てるのを拒み、287年に殉教した。

[上右―115]　パンクラティウスを描いたこの版画はイグナツ・フェルヘルストの作品。画家の仕事場はアウグスブルクにあり、そこで1777年、骸骨の身に着けている甲冑が金細工師ヨゼフ・アントン・ゼーターラーによって作られた。おそらくフェルヘルストは、同じ町に住む職人の仕事を称えるためにこの絵を制作したのだろう。

第二章　黄金時代——対抗宗教改革期のマカーブル

「ヴァルトザッセン聖堂の装飾骸骨」［ヴァルトザッセン、ドイツ］

［上―116］　ローマのカタコンベから運ばれてきた10体のうち一体で、繋ぎ合わされ見事な衣装をまとった殉教者アレクサンダーの骸骨。骸骨の半分は大修道院長オイゲン・シュミットが在任中の1730年代と1740年代に到着した。アレクサンダーの聖遺骨は1758年に聖ヨハネの祭壇に奉献された。

［下―117］　殉教者テオドシウスは神に仕える兵士とされているため、彼の骸骨も左手に抜き身の剣を掲げている。剣には勝利を象徴する金色の月桂樹の枝が絡まっている。足元に置かれた黄金の杯の中には、遺体と共に見つかった血が納められている。

［次頁―118］　聖ヴィタリアヌスと聖グラティアヌス（写真）の遺骨は聖母マリアの祭壇で直立している。テオドシウス同様、2体とも足元に血を納めた杯が置かれている ―― これは殉教者ないし神に身を捧げた人物のしるしと見なされていたので、遺骨と一緒に運ばれてきたのかもしれない。

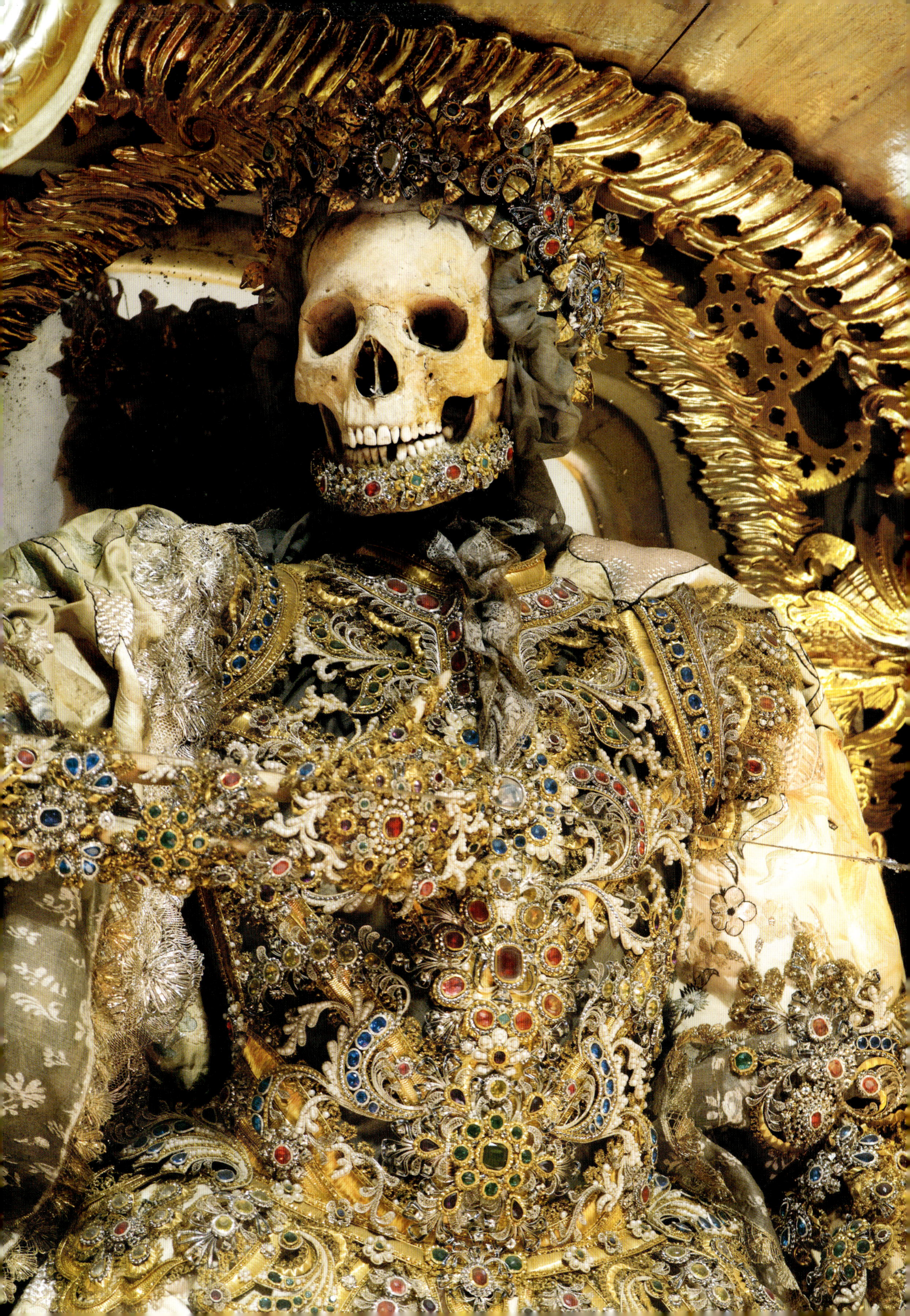

第二章　黄金時代——対抗宗教改革期のマカーブル

「ヴァルトザッセン聖堂の装飾骸骨」［ヴァルトザッセン、ドイツ］

[上左─119]　マグダラのマリアに奉献された祭壇に横たわるのは、ヴァレンティヌスの遺骨で、殉教した助祭と考えられている。頬杖をつき、視線を彼の前に置かれた黄金と赤の聖福音奉読集に向けている。骸骨は1730年にヴァルトザッセンに到着した。

[上右─120]　金細工師アーダルベルト・エーデルが殉教者テオドシウスのために、兵士にふさわしい、金や宝石のちりばめられた兜を制作した。骨が届いたのは1730年代後半で、1758年に奉献された4つの祭壇の一つ、聖ミカエルの祭壇の基部に置かれた。

[下─121]　1766年に最後の骸骨が到着した。使徒祭壇にある聖マクシムスの遺骨で、その年の8月15日に祭壇は再奉献された。コレクションが揃い、宝石をまとった彼の遺骨が、2体の胸像型聖遺物容器に代わって祭壇に納められた。胸像の方は現在主祭壇の両側に置かれている。

「オラツィオーネ・エ・モルテ信心会のクリプト」
[ローマ、イタリア]

[上-122]　信心会の教会地下にあるこの小部屋がわずかに、かつてヨーロッパで一番有名であった納骨所の名残を留めている。骨のシャンデリアや鎌を振るう骸骨像など、同教会の広々としたカタコンベの飾り付けは他の納骨所に影響を及ぼしました。

[下-123]　信心会は自分たちのカタコンベに貧者を埋葬したが、会員や他の著名な人々の場合は、その頭蓋骨をクリプトの壁にある棚に展示し、礼遇することもあった。名前と没年月日などが額に彫られている。

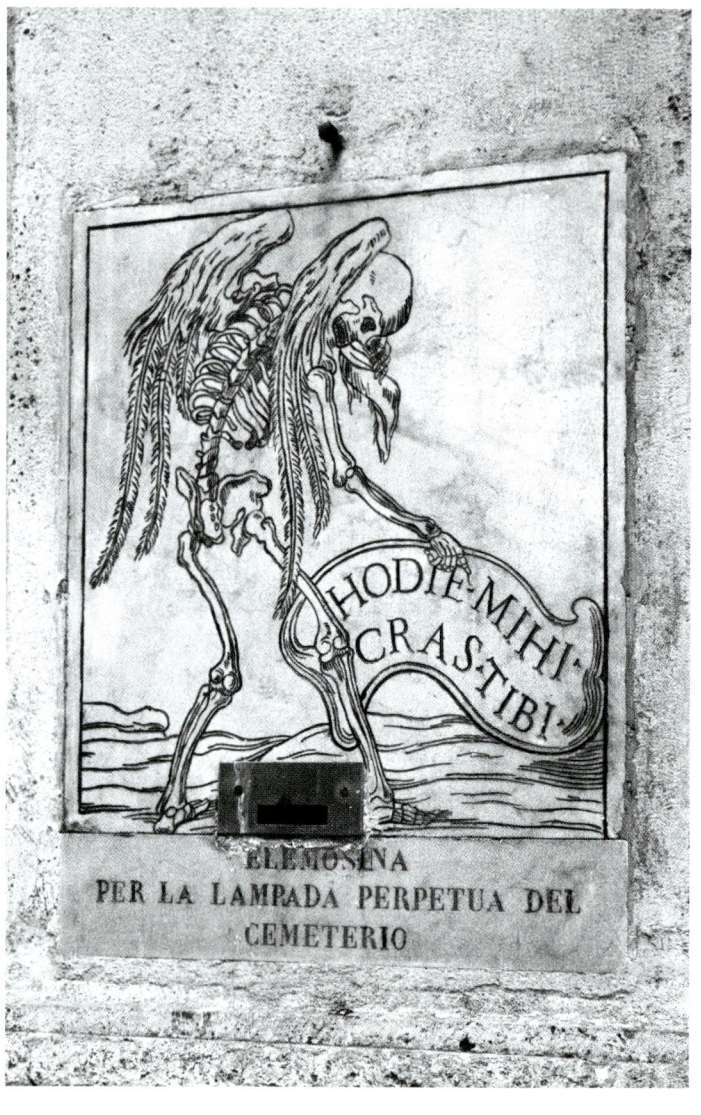

「オラツィオーネ・エ・モルテ信心会のクリプト」
[ローマ、イタリア]

[上左－124]　信心会は聖母を奉じ、修道士は死者の魂の仲介者とされる聖母に慈悲を求めて祈った。カタコンベに入る前に修道士が身を清めるよう、この聖水盤がクリプトの入口に設置されていた。

[上右－125]　信心会が活動を継続するためには献金が不可欠だった。匿名で教会正面の投入口から投げ入れられることもあった。骸骨が手にしている吹き流しには、当時の墓碑でよく見られる銘文「今日は我、明日は汝」がラテン語で書かれてある。

「ブオナ・モルテ信心会の死者の教会（Chiesa dei Morti）」
［ウルバーニア、イタリア］

［上左—126］　信心会の礼拝堂後陣近くの壁龕に並んだミイラ。この壁龕には、19世紀にミイラ製造を試みた信心会の会長ヴィンチェンツォ・ピッチーニの妻と息子が納められている。

［上右—127］　展示の中央（画面右）に置かれているのがヴィンチェンツォ・ピッチーニのミイラ。その左のミイラはカタレプシーのために生きたまま埋葬されてしまったと考えられている。膨張した肺、収縮した筋肉、鳥肌、爪の下のかき傷は、彼が土中でもがいた証拠かもしれない。

［次頁—128］　名前を記したテープが額に張られたヴィンチェンツォ・ピッチーニのミイラは、この納骨所で唯一服を身につけている。彼は信心会の伝統的な衣装である白のガウンに黒のケープをまとい、髑髏の銀バッジを着けている。

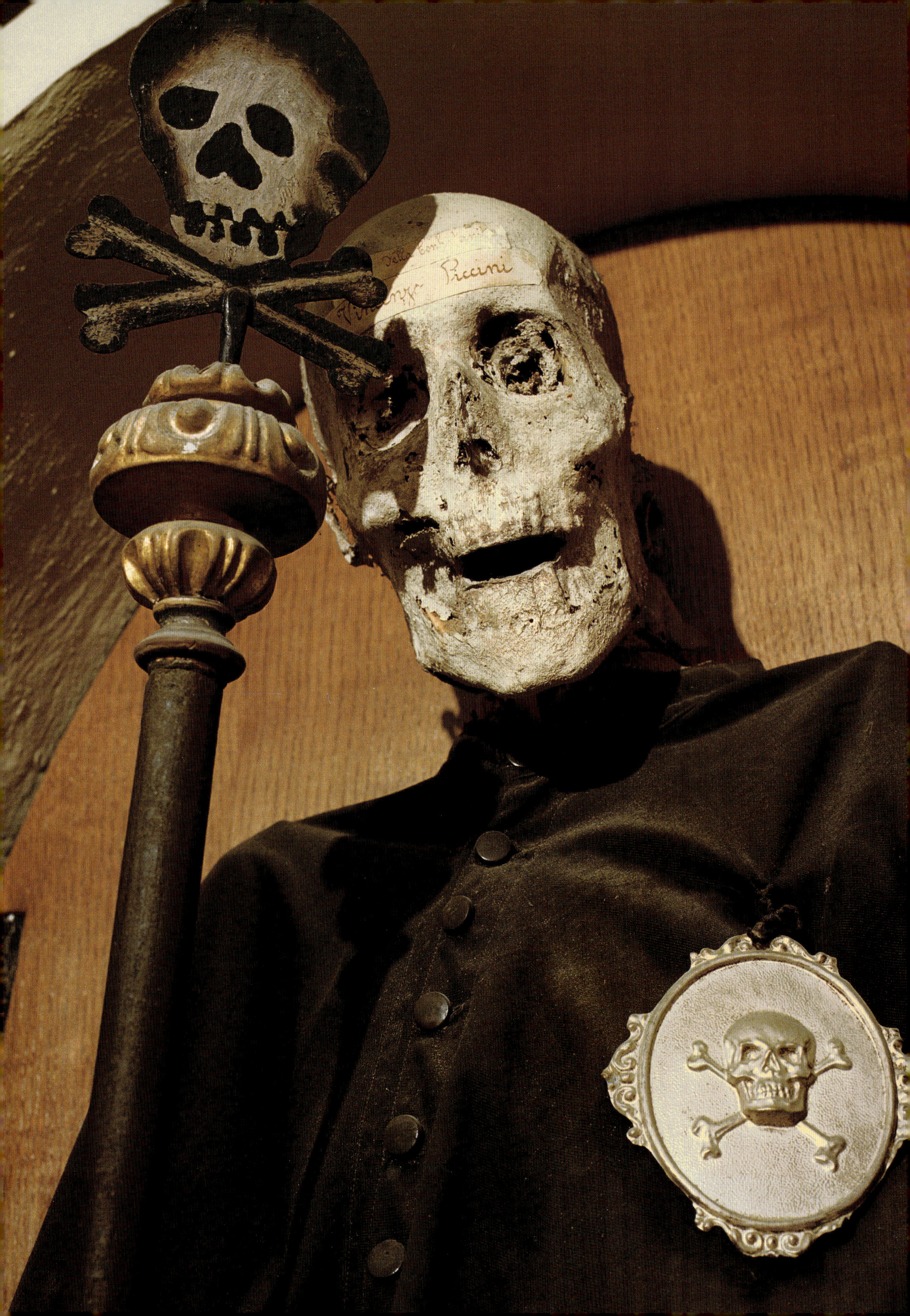

第二章

死 の 勝 利

19世紀の骨の幻影

✣

THE TRIUMPH OF DEATH

Nineteenth-Century Visions in Bone

古い様式の——対抗宗教改革期の死の美学が確立する前に建てられた——納骨堂の中で、最も有名だったのはパリのイノサン墓地の納骨堂である。この墓地そのものが伝説に名高い。サン・ジノサン教会周囲の土地は聖地から運ばれた一握りの土で聖別されていたため、18の教区と二つの施療院、および市の死体置き場(モルグ)から運ばれた死者がこの聖別された土地に投げ捨てられた。埋葬の数があまりに多かったため、大抵の死者は大きな共同墓地に簡単に埋葬されたが、これは露天掘りの墓穴で、死骸で一杯になると土をかけてふさがれた。疫病が流行った時代は死体が大量に積まれていた。1418年の記録によれば、5つの共同墓穴のそれぞれに500体、さらに30から40体の遺体がひとまとまりに「ベーコンのように」置かれていたという。[*1] 埋葬の数が大量であったため、14世紀までには、それまでよりも大規模な納骨所が必要となった。敷地を囲むアーチ回廊が掘り出された骨を納めるために利用され、やがて場所が足りなくなると、アーチの上の屋根裏に置かれた。遺体が増すにつれ、墓地は次第に不気味な様相を帯びてきた。16世紀になると、回廊の壁に「死の舞踏(ダンス・マカーブル)」の絵が描かれた。さらには新たに設置された彫像群が、死の全能の力を一層詳しく説いた。その中には、著名なマニエリスムの彫刻家ジェルマン・ピロンが16世紀に制作した有名な腐敗死骸像も含まれていた。墓碑芸術の傑作とされる彼の石膏像は、「死すべき者は誰も我を逃れること能わず／人皆虫の餌食となる定め」の銘を掲げ、聖母礼拝堂の納骨堂に置かれ、万霊節に一般公開された。[*2]

「死すべき者は誰も我を逃れること能わず／人皆虫の餌食となる定め」

実際に埋葬地(ゴルゴタ)であったにもかかわらず、イノサン墓地は18世紀に至るまで、大勢の人が行き交う商業の中心地——あるいは公園のような娯楽の場所——でもあった。回廊の通路に沿ってささやかな商いも営まれていた。二つの納骨所、「生地商の納骨所」と「代書屋の納骨所」は、そこで営まれていた商いにちなんだ名で呼ばれた。回廊内で繁盛した商売には売春も含まれた。しかし徐々に墓地はひどい状態になってきた。約10世紀も埋葬を繰り返した結果、土はやせ、もはや死骸を分解することができなくなっていた。死骸は朽ちるどころか悪臭を放ち、巨大な穴の中でただ腐敗していた。加えて、多くのパリ市民による、墓地への常習的なごみ——糞尿も含む——の投棄も事態を悪化させた。周辺地域の疫病もここの瘴気が原因とされ、16世紀以来地元住民は訴え続けていた。ようやくこの不浄の場所——市の周辺にある小規模な墓地も含め——が公衆衛生に悪影響を及ぼしていることを確信したパリ市議会は、1765年に教区墓地を全て撤去する命令を出した。だが議会は何ら具体的な策を示さなかったため、イノサン墓地はなおも腐敗し続けた。1785年にようやく委員会が組織されたが、その時ここにはおよそ200万体の遺骸が存在した。

それ程大量の骨を移送し、収容する作業は、ヘラクレスに相応しい難事のようだが、一つの解決策を警視総監のアレクサンドル・ルノワールが提案した。それは、パリ市を建設する際に石材を供給した古い採石場の名残である、地下に張り巡らされた総距離280kmに及ぶ巨大なトンネルに、その骨を収納するという案だった。地下通路内に場所を設定する任務には、採石場監督局局長シャルル゠アクセル・ギヨモがあたった。彼が選んだ場所はモンスリ採石場で、ここは有名な悪党イソワールが逮捕、処刑された場所であったため、「イソワールの墓（トンブ・イソワール）」の名で通っていた。納骨所の公式名称はパリ総合納骨所であったが、市は親しみやすい略称を付けることにした。「カタ－トンブ」という案も出たがしっくりこないため、市は簡潔に「カタコンブ」と呼ぶことにした。ローマの有名な地下道のロマンティックな光景を思い起こさせるからだ。*3 1786年4月7日、トンネルの一区画が聖別され、死者のための祈りを唱える聖職者の行列に続き、最初の遺骨がイノサン墓地から運ばれた。墓地と納骨堂を空にするのに15ヶ月を要した。骨は夜間に、祝祷を捧げる聖職者を先頭に、黒い布に覆われた荷馬車を連ねて運ばれた。カタコンブに到着すると、骨は落とし樋（シュート）を伝って下に降ろされ、地下通路に収容された。イノサン墓地の骨の移送がうまくいったので、市当局は他の墓地でも同様の処置を進めることにし、作業は1880年代に至るまで細々と続けられた。*4 その結果、推計600万体の遺骨を納める世界最大の納骨所【129－134】となり、現在では誰の骨ともわからなくなっているが、モンテスキュー、パスカル、ラブレーなど、フランス史上に名高い人物の遺骨も中に含まれると言われている。

> 市は簡潔に「カタコンブ」と呼ぶことにした。ローマの有名な地下道のロマンティックな光景を思い起こさせるからだ

　当初パリのカタコンブは、墓地から取り除いた骨を投棄する場所にすぎなかった。ナポレオンはローマのカタコンベの名声に打ち勝たんと、1810年、採石場監督局の新しい局長ルイ゠エティエンヌ・エリカール・ド・チュリに、この場所を整備し直し、荘厳な記念碑を作るよう命じた。チュリは基本となる骨の配置を考案した。見物人の膝の高さまで大腿骨と腓骨を壁に積み上げ、その上に頭蓋骨を置き、さらに多くの腕と足の骨、そして頭蓋骨を積み重ねた。肋骨と脊椎骨の形が全体の構成にそぐわないと考えた彼は、全体のかさを増すためにそれらを内側に置き、表から隠すよう命じた。通路のあちこちに記念碑が設置された。サン・ローラン墓地から運ばれた遺骨が並べられている場所には、カタコンブで最初に設置された記念碑、墓のランプが置かれている。ランプは、かつてこの場所で働いていた採石工が、絶えず火を灯して坑道内の空気の流れを作るために用いていたものだが、チュリはそれを瞑想室の中央に据えた。そのそばの追憶（メメント）の広場には、追憶（メメント）の柱が置かれた。その先には、ニコラ・ジルベールの詩文が刻まれた碑があり、ジルベールの墓【132】と呼ばれているが、石碑は天井を支える柱を隠すために設置されたもので、詩人の遺骨はここにない。他の記念碑は骨で作られていて、中でも有名なのが脛骨の円柱（ロトンダ）【162→p.107】で、何千もの脛骨で作られた太い円柱が見学コースの最終地にそびえている。

第三章　死の勝利——19世紀の骨の幻影

骨がどこの墓地から移送されてきたのかを示す銘板とともに、メメント・モリの銘も設置された。入り口には、ジャック・ドリール〔1738-1813、フランスの詩人・神父〕が1804年に翻訳した『アエネーイス』から、「止まれ！　ここは死の帝国なり」の文が掲げられている。碑文の中には、ホラティウスやセネカなど、他の古典作品からの引用もあった。さらにチュリは聖書からも多くの文章を拝借している。例えば、詩編102編から「わたしの生涯は煙となって消え去る。骨は炉のように焼ける」のラテン訳が引用された。また追憶の柱には、灰の水曜日に唱えられる「人よ、汝は塵にすぎず、いずれ塵に還ることを覚えておくがいい」がラテン語で刻まれている。カタコンブは全部で1万1000㎡の広さがあり、入り口はおそらく約200ヶ所あると言われているが、チュリは公式の入り口を一つ作らせ、そこを「地獄門（Barriere d'Enfer）」と命名した。

パリのカタコンブが評判を呼んだのは当然である。すでに1814年には、オーストリア皇帝フランツ1世の関心を引くほど注目を集めていた。毎月第一月曜には一般民衆向けに蠟燭を灯したツアーが催された。幸運にも高額の入場券を手に入れられるのであれば是非とも訪れるべき場所とされたが、券は採石場監督局からあらかじめ入手する必要があった。200名限定のそのツアーは地獄門から出発した。[*5] ヨーロッパとアメリカの雑誌が、地下世界についての記事や、ぽかんと口をあけ、骨を見つめる金持ちの姿を描いた挿絵を掲載して読者の感興をそそった。入場券はあくまで合法的に入場したい人々のためのもので、カタフィルと呼ばれる地下愛好家たちは、無数にある別の入り口からこっそり侵入し、好きなように歩き回った。有名な写真家フェリックス・ナダールもこの場所に触発され、建設時の様子を再現した一連の写真を撮った。カタコンブの外観だけでなく、音の響きに感銘を受けた者もいた。特に脛骨の円柱のある部屋の反響が素晴らしいとされ、1897年には45人編成のオーケストラが、ショパンの『葬送行進曲』とサン＝サーンスの『死の舞踏』、そしてベートーヴェンの交響曲『英雄』より『葬送行進曲』を演奏した。

> パリのカタコンブが評判を呼んだのは当然である。すでに1814年には、オーストリア皇帝フランツ1世の関心を引くほど注目を集めていた

— 92 —

パリのカタコンブの名声により、19世紀は人骨を用いた芸術への関心が急激に高まり、対抗宗教改革期にも匹敵するほどだった。この新たな段階を促進したのは、信仰心ではなく、宗教とは関係のない思考様式、すなわち、この時代の芸術と文学の大半を特徴づけた、陰鬱なロマン主義的感性であった。さらにこの時代は、個人のアイデンティティを骨の山によって象徴される従来の匿名性に埋没させるのではなく、それを肯定しようとする新たな動きも見られた。それゆえ19世紀は、人骨芸術への興味が宗教的な関心から非宗教的な大衆文化へ移行した時期と考えられる。この点に関し注目に値するのが、19世紀に建設された骨の礼拝堂のなかで、おそらくは最も有名な、チェコのセドレツ納骨堂である。実際この納骨堂は、宗教と関係のない個人的な依頼によるもので、ある一族の後援を受け、廃院となっていた修道院に建てられた。

　19世紀の納骨堂は建築様式に多様性が見られる。ある流派は、世紀の前半に人気のあった新古典主義的美学に基づき、大小の記念碑的作品をポルトガル南部のアルガルヴェ地方に生み出した【135-136】。古典を模倣したこの様式は、伝統的な建築モティーフを骨で丹念に再現した装飾を特徴としており、その見事な例をファロのカルメル会付属カルモ聖母教会の骸骨堂【137-138→p.94】で見ることができる。*6 この納骨礼拝堂は他のどの骸骨堂にも増して変わっている。古典を模す衝動が強すぎるあまり、厳格な秩序そのものが主題となっていると考えられるからだ。1816年に遡るこの聖堂は、骨の提供元である、教会の古い墓地の敷地に立つ。教会自体はカルメル会の在俗信徒によって1719年に創建され、骸骨堂は修道会の一員であった石工たちにより無償で建てられた。*7 天井は単純な半円筒ヴォールトで、側壁の中央に出入口が設けられた。アーチ、壁から突き出た柱、柱の上に架した梁部（ピラスター、エンタブラチュア）は、長骨と頭蓋骨の規則的な組み合わせにより模様がきれいに浮かび上がり、壁面は赤い石で水平方向に細かく分割された。

> この新たな段階を促進したのは、信仰心ではなく、宗教とは関係のない思考様式、すなわち、この時代の芸術と文学の大半を特徴づけた、陰鬱なロマン主義的感性であった

第三章　死の勝利──19世紀の骨の幻影

礼拝堂の規則正しい配列を貫く原理は徹底した数秘学である。デザインは数字の3に基づいており、デザインを構成する要素は3、6、9を含む割合で導き出された。床から出入口のアーチまで、壁に嵌め込まれた頭蓋骨の数は6個、その上にさらに3個あるので、全部で9個となる。壁面も9分割されている。頭蓋骨3個分へこんだ部分が祭壇で、その上の壁龕の、かつて十字架がかかっていた部分の両側は3個の頭蓋骨で縁取られている。祭壇そのものが頭蓋骨3個分の幅に合わせており、祭壇と出入口の上方にかかるアーチは、9つの迫石〔アーチを作るための楔形の石材〕を一組として表現されている。キリスト教において3という数字が持つ重要性は明らかだが、ここの配列はカルメル会の象徴体系の影響も受けているようだ。というのは、修道会の紋章も同様の比率を示しており、盾形の中央の、頂点を下に向けた三角形の中に六角形の星を3つ、上部両側に星を6つ配した図案であるからだ。納骨堂のアーチ天井の両側2列目、正方形に縁どられた部分に、カルメル会の紋章にある星のように、頂点を下に向けた三角形に頭蓋骨が並べられていることに注目していただきたい。

天井はこの空間の中で一番見事な部分である。アーチの頂上部分は、ばら形装飾付の格天井に似せて、赤で縁取られた頭蓋骨で覆われている。天井の幅は17列ある。部屋の比率と一見矛盾するようだが、天井中央部はどちらの側から数えても9列目に当たる。この中央の列を境に頭蓋骨の向きが変わる。両側とも頭蓋骨は上向きだが、この列だけ頭蓋骨の向きが90度変わり、全て祭壇の反対側にある大きな窓の方を向く。これにより中央の列が際立ち、部屋の軸線を定めている。部屋全体で1245個の頭蓋骨が用いられ、この数も比率と合う。1245のそれぞれの位を足すと、1＋2＝3、2＋4＝6、4＋5＝9となるからだ。ファロの骨の教会では、比率を用いて何通りものゲームに没頭できるが、それがどの程度意味を成すのか誰にもわからない。聖堂内の比率の正確な意味が何であれ、あらゆる人骨装飾納骨堂の中で最も精緻な意匠の当納骨堂において、徹底的かつ厳密に用いられたのは間違いない。

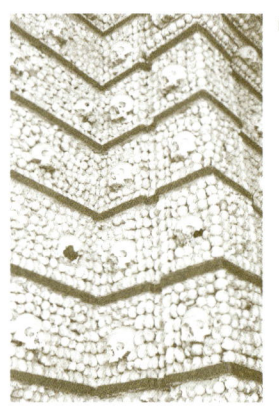

アーチの頂上部分は、ばら形装飾付の格天井に似せて、赤で縁取られた頭蓋骨で覆われている

しかしながら、19世紀、最も名高い納骨堂が建てられたのは中欧であった。西欧同様、中欧のカトリック教会も納骨堂を備えていることが多かったが、18世紀の間はその大部分が中世の頃と変わらぬ姿を保っていた。チェコのアンニン村近郊モウジネツの丘に12世紀に建立された聖マウリッツ教会には今も納骨室が保存されており、当時の東欧で典型的な構造と考えられる【172→p.115】。以前のものを取り壊して18世紀に建てられた納骨堂ではメメント・モリの主題を含む絵が壁を彩っているが、骨自体は4つの大きな山に積み上げられてあるだけだ。[*8] 中欧では当時未発達の人骨装飾建造物の先駆けであると同時に、対抗宗教改革期のマカーブルな信仰心に類似した感性から何らかの影響を受けた可能性のある唯一の例が、ポーランドのチェルムナにある骸骨堂（Kaplica Czaszek）である【139-140】。歴史的にボヘミア司教区に属し、通常「シェーデルカペレ（Schädelkapelle）」とドイツ語で呼ばれる礼拝堂の歴史は1776年に遡り、広場を挟み聖バルトロメオ教会の向かい側に位置する。[*9] 側壁はびっしりと頭蓋骨で覆われ、頭蓋骨と大腿骨で覆われた壁龕には2体の天使像が置かれている。トランペットを手にした大天使ガブリエルは、ラテン語とチェコ語で「死者を起こせ」と書かれた銘板の上に立ち、その反対側には、最後の審判の天秤を手にした大天使ミカエルが、同様に「裁きの場に来たれ」と書かれた銘板の上に立つ。天井の骨は、天井に直接嵌め込まれておらず、交差した骨の上に取り付けられた頭蓋骨が何百個も針金で吊り下げられている。

部屋は約3000体の遺骨で飾り付けられたが、床板の下にはさらに数千体の遺骨を納めたもっと大きな納骨所がある。ここの設計は、1764年から1804年まで教区の司祭を務めたヴァーツラフ・トマシェクが独自に行った。伝説によれば、彼は戦場をまわっては戦死者の遺骨を拾い集め、自分の大作を飾り付けるためにチェルムナに持ち帰ったことになっているが、事実はもっと平凡である。トマシェクは古い木造の納骨堂を引き継いだが、そこはひどく荒廃していたため、「犬が簡単に侵入し、骨を掘り出しては持ち去って」しまった。[*10] 木造の建物は撤去され、現在は聖堂の真下にある地下室が骨を収容するために建設された。その後トマシェクはローマで目にした納骨堂に触発され、聖堂も建てた。聖堂の壁に並べるのに最も完璧な見本を見つけるため、自分の所蔵するコレクションを分類し、状態が悪いと判断したものは地下室にしまいこんだ。どうやら作業自体は墓掘り人のヨゼフ・プフレーガーが行っていたようだ。骸骨堂は礼拝に使われていて、年に2回、万霊節と教会の献堂を記念する地元の祝日に、特別な儀式が執り行われた。[*11]

> 伝説によれば、司祭は戦場をまわって戦死者の遺骨を拾い集め、自分の大作を飾るために持ち帰ったという

第三章　死の勝利──19世紀の骨の幻影

　中欧で最初に骨で装飾されたチェルムナの骸骨堂の名は地域一体に知れ渡ったが、山間の田舎にあったため、よそから多くの観光客が訪れることはなかった。実際にやって来たのはほとんどが自然愛好家か登山者であったが、彼らもここを注目に値する地元名所と考えた。中にはヨーロッパの別の納骨堂を見たことのある者もいたが、イタリアの納骨堂と比べても遜色ないと述べている。[*12] 1850年代までには地域の観光名所となっていたらしく、「多くの観光客を引き寄せ、たくさんの収入をもたらす」、「村で一番の呼びもの」と英語の出版物で初めて紹介された。[*13] 入場に際してお金が請求されたとの記述はなく、献金という形でお金が支払われたようだ。やや誇張も見られるが、祭壇にあったという完全な一体の骸骨を除き、聖堂の記述は現在の様子と一致する。[*14] 1903年発行のドイツの山岳雑誌に掲載された記事によれば、相変わらずこの地方では有名な場所だったようだ。記事の執筆者は、聖堂を毎年何千もの人々──芳名録に署名した名士の中には、1813年にここを訪れたプロシア王フリードリヒ・ヴィルヘルムも含まれる──が訪れており、この地域を訪れるのであれば見逃すことがないよう読者に勧めた。[*15] 1849年から1885年までプラハ大司教を務めたフリードリヒ・ヨハン・ケレスティン・フォン・シュヴァルツェンベルクもここを訪れた。このことは、彼の在任中に建設された有名なチェコの納骨堂とこの骸骨堂との関連を示唆するものであり、大変興味深い。

　シュヴァルツェンベルク家は、プラハより東の、かつて国王保護領であったクトナー・ホラ近郊セドレツの町にある古いシトー会修道院を手に入れた【141-148】。有力な貴族であったシュヴァルツェンベルク家の一員には、著名な陸軍元帥にして、ハプスブルク家の高位の騎士階級にあたる金羊毛勲爵士カール・フィリップ・フォン・シュヴァルツェンベルクがいる。1784年、皇帝ヨーゼフ2世は領地内のカトリック教会の支配を目論んで数百の修道院を解散させ、その土地を競売にかけた。シュヴァルツェンベルク家が不動産を獲得するための取り計らいであったが、その中には、諸聖人に奉献された墓地付属聖堂の地下にある、骨で装飾された古い礼拝堂も含まれていた。1870年代、同家の後援で行われた改修の際にそこは納骨堂となり、それまではわずかに知られているだけであった場所が、パリのカタコンブに次いで世界で2番目に有名な納骨堂となった。チェコ語で「コストニツェ（"納骨堂"の意）」と呼ばれるセドレツの納骨堂は、推定3万から4万体の遺骨で飾られ、骨のピラミッド、頭蓋骨で出来た優美な花輪、2.5mのシャンデリア──人間の骨が全て用いられていると言われている──は世界中の雑誌や新聞で紹介されてきた。さらにヤン・シュヴァンクマイエルによる、この建物自体を主役に据えた映画『コストニツェ』（1970年制作）も作られた。

その知名度の高さにもかかわらず、建物の初期の歴史については
はっきりせず、19世紀の改修以前にここがどんな様子であったか不
明である。この地方は13、4世紀に銀の採掘で栄え発展した。修道
院の敷地に鉱床の一つがあり、高い建築費用をまかなうことができた。
14世紀初頭にインジヒという名の司教がエルサレムへ巡礼した。彼
は聖地──恐らくはゴルゴタの丘──から土を持ち帰り、それで新
しい墓地を聖別したため、大変な評判を呼んだ。はるか遠いベルギー
から、ここの聖別された地に埋葬された人もいたという。ここに埋葬
される死者の数は流行病やペストのために増大し、14世紀末までに
は墓地がいっぱいになったため、新しい墓地付属聖堂の地階に大きな
納骨堂を建設する必要が生じた。[*16]

修道院の栄光の日々は15世紀の前半に終わりを迎え
た。フス派──教会組織に改革を要求し、反乱を起こし
たチェコの宗教改革者ヤン・フスの支持者──がこの地
方を占拠し、修道院を略奪し、修道僧たちを殺害したのだ。1454年に修道
士のグループがこの場所に戻ってきたが、ひどい困窮状態で暮らしていた
ため修繕作業は進まなかった。しかし古い納骨室はそのまま残り、その後
数世紀のあいだに、わずかながら評判を呼ぶようになった。白い服をまと
い蠟燭を手にした信者が納骨室まで行列祈祷していたという。また1650年
代には、ルドルフ・ライヒェンベルガーという名のイエズス会士が訪れたと
の記録がある。ライヒェンベルガーはここの骨のコレクションに驚嘆したが、
飾り付けについては特に述べていない。[*17] 伝説では、盲目の修道僧が内部
を飾り付けたことになっているが、これはまったく信憑性に欠ける。[*18] 盲
目であったかどうかはともかく、最初に飾り付けを行った人物がある時骨を
積み上げ大きなピラミッドを6つ作った。現在でもそのうち4つが部屋の隅
にある。天国の山を表しているらしく、その
頂点には神の王国を象徴する王冠が置かれて
いる。[*19] 1661年に室内の模様変えが行われ
たが、18世紀初頭にも再び、有名なイタリア
系チェコ人建築家ヤン・ブラジェイ・サンテ
ィニ=アイヒェルにより改装されたようだ。

> はるか遠いベルギーから、ここの聖別された地に埋葬された人もいたという

Vnitřek kostnice v Sedlicich. Pyramida

第三章　死の勝利──19世紀の骨の幻影

修道院が解散され、地所がシュヴァルツェンベルク家に売り払われた後、ある時点で土地がタバコ農園に転用された。実際、かつて修道院の敷地であった所に、今もフィリップ・モリス社の施設がある。しかし納骨礼拝堂はそのまま保存され、19世紀前半から半ばに訪れた人々は、その骨の配列を「素晴らしい秩序と美しい様式」と称賛した。[20] それにもかかわらず、1860年代には再び骨の配置が変更され、現在のような装飾的な飾り付けとなった。この作業の資金はカール・フィリップの孫カール・ヨーゼフ・アドルフ・フォン・シュヴァルツェンベルクが提供し、1865年にチェコの建築雑誌上で告知された。[21] この時の改修は、建物の荒廃のためと説明されることが多いが、訪れた者も、また告知自体荒廃について一言も触れていないので、この建物に関わりのある誰かが礼拝堂を最新の建築様式に作り変えたかっただけかもしれない。加えて、納骨堂内に愛国主義的な記念碑を設置したいという欲求もあったかもしれない。骨の多くは戦死者の遺骨と信じられていて、ヨゼフ・ディヴォティという名の19世紀の司祭が、「神同様に故国をあがめし我らの祖先が暮らしていたこの場所で立ち上がれ。意を決せよ、ここが再びボヘミア人の土地となり、かつての名声を奪回せんために。」と書かれた銘板を設置した。[22] 改修時、著名な人物の、戦いの傷跡が残る頭蓋骨を数個並べた棚があった。納骨堂の役割はメメント・モリにとどまらず、一種の戦争記念碑とボヘミア・ナショナリズムの象徴でもあったようだ。

145

フリードリヒ・ヨハン・ヨーゼフ・ケレスティン・フォン・シュヴァルツェンベルク（カール・ヨーゼフ・アドルフの従兄弟）のチェルムナ骸骨堂訪問が、一族の所有する納骨堂の内装を一新するきっかけないし手本となったのだろうか。残念ながら彼の訪問の日付は記録に残っていないが、ローマのオラツィオーネ・エ・モルテ信心会付属教会のクリプトを手本にした可能性も考えられる。同信心会の納骨所は人骨で作られたシャンデリアで有名だったが、セドレツで作られたものとよく似ていたように思われる。着想の源が何にせよ、1870年代の半ばには改装は済んでいたようだ。というのも、現在の状態の建物を記した最初の記録が1870年代後半に出版されているからだ。[23]

> 納骨堂の役割はメメント・モリにとどまらず、ボヘミア・ナショナリズムの象徴でもあったようだ

146

改装のため雇われた芸術家がフランティシェク・リントで、通説ではチェスカ・スカリツェ出身の木彫家とされている。リントについて詳しいことはわかっていない。修復後まもなくこの場所について書かれた記事にも彼の名は見当たらないが、そういった文は通常解剖学者や人類学者によって書かれていた。彼らにとって標本としての骨の研究に比べ飾り付けは二の次であった。実際、人骨装飾に一切触れていない文章もあり、ようやくリントの名が広まったのは世紀末のことだった。[24] しかしながら、彼が装飾の作者であることについては疑念の余地がない。聖堂へ続く階段の下に、腕と手の骨を用いて自分の署名を残したからだ。

リントはピラミッド状に積み上げた骨の山を部屋の四隅に一つずつ残し、二つは解体した。自分の家族二人の手を借り、さらし粉で漂白してきれいにした骨を建物の残りの部分を装飾するために利用したようだ。シャンデリア以外の見事な作品として、入り口近くにある、骨でできた特大の聖餐杯、大腿骨の日輪に囲まれ、聖餅の代わりに頭蓋骨が置かれた大きな聖体顕示台、天井からぶら下がった花輪、部屋の中央に置かれた、天使が一番上に鎮座し、頭蓋骨がずらりと並んだ4つの細い尖塔が挙げられる。しかし芸術家の最高傑作は、骨でかたどった特大のシュヴァルツェンベルク家紋章【180→p.123】である。これはピラミッドの前の鉄格子に取り付けられ、納骨堂を一族の印章で刻んでいる。紋章の右下部分には、1598年ラーブ（今日のハンガリーのジェール）の要塞を占領したオスマン帝国の軍隊に勝利したアドルフ・ツー・シュヴァルツェンベルクを記念し、トルコ人の眼玉をほじくるカラスのモティーフがある。リントはトルコ人の頭を表すために頭蓋骨をそのまま使い、カラスはさまざまな小さな骨を組み合わせて作った。

リントによるセドレツ納骨堂の改装は万人に称賛されたわけではない。予想されたとおり、プロテスタント側はこの装飾が適切かどうか問題にした。改装終了後数年以内に訪れたイギリス人作家は、新しい装飾に反対の意を表している。

> 最近までこの葬祭礼拝堂では、そういった場所でよく見られるように、頭蓋骨と長骨がぎっしりと積み上げられていた。しかし数年前、当局は芸術的な配列を思いついた。今や骨はロンドン塔にある、ピストルと短剣、剣とマスケット銃などのように形で分類されている。骨で出来た星、紋章、枝付き燭台、十字架が壁一面に見られる。しかも骨で出来た小屋にはトンネルまで貫通している。骨のカーテン、骨の花綱装飾も……[25]

筆者いわく、作品の影響は嘆かわしく、そういった不快な場所が存続できたのは、ひとえにその地域からプロテスタントが追放されたからだと嘆いた。とはいえ、少なくともキリストの復活についての説教の間は芸術家の作品もいくらか効果を発揮するかもしれないと譲歩し、さらに、「もしあらゆるグロテスクさを克服することが出来たなら」この光景を称賛することすら可能かもしれないと認めた。[26] 現在でもなお、セドレツ納骨堂を、悔悛の霊性(スピリチュアリティ)よりはロマン主義的なマカーブル趣味の記念碑と見なす中傷者が後を絶たない。ただ訪問者の興をそそらんがため、表現力を犠牲にするほど過度に様式化され、飾り立てられていると批判されてきた。人類学者で評論家のマイケル・タウシグは納骨堂を芸術的に美化することを「まったくの俗悪趣味(キッチュ)」と見なし、「骨が秘めている敬虔で神聖な力は抜き取られ、（サンタ・マリア・デッラ・コンチェツィオーネで人を魅了する）趣きが完全に失われてしまい、不快感しか残らない」と述べている。[27]

しかし批判者よりも称賛者の方がはるかに多かった。19世紀末にはボヘミア随一の芸術作品と称されることさえあった。*28 レタロヴィツェ村とジスラヴィツェ村にある小さな納骨堂にも影響を及ぼしたが、当時はまだそう広くは知れ渡っていなかった。セドレツを訪れる者はわずかであったため、通常は開いておらず、内部を見るには鍵をもらうため管理人を探す必要があった。雑誌『ライフ』に載った短い記事を読む限り、20世紀半ばになってもそうした事情は変わらなかったようだ。復活祭の礼拝に人々がやって来たが、それ以外の時は無人となり、「他の時期は管理人が2ヶ月おきに骨に積もったほこりを払っている」と報告されている。*29

1970年、リントの傑作が生まれてから100年を記念し、チェコの映画監督ヤン・シュヴァンクマイエルが10分間の映画を製作した。二通りの編集がなされ、一つは女性ナレーターの詳しい解説が入り、もう一つは男性の声で最小限のナレーションが付けられた。どちらも映像は同じで、粗削りで場面展開の速い編集がこの場所を不気味な雰囲気にしている。2番目の編集版ではジャズのような音楽が入るが、映像と合わないため心をかき乱す効果がある。この映画は東欧以外の地域に納骨堂を紹介するのに役立った。共産主義の崩壊後、プラハが一大観光地となるにつれ、電車でわずか1時間のセドレツ納骨堂を訪れる人の数も急激に増えた。一方、西側の映画製作者はシュヴァンクマイエルにならった。2000年の映画『ダンジョン＆ドラゴン』では、松明の灯る、陰謀を企てる魔法使いの部屋として登場し、2007年の映画『ブラッドウルフ』では、ルーマニアの狼人間たちが集う礼拝堂のセットが、セドレツ納骨堂をモデルに作られた。登場人物の一人が納骨堂の内装について描写する場面があるのは、2002年度アカデミー賞授賞作『アダプテーション』である。アメリカの昼ドラマ『ヤング・アンド・レストレス』では、ナチスが盗んだ宝物を捜すエピソードの一部に納骨堂を再現したセットが組まれ、クライマックス場面では3人の主人公が納骨堂の骨に囲まれている。*30 この場所は大変有名になったので、今では他の納骨堂を評価する際の尺度とされ、多くの人が、あたかもここ以外にこういった場所が存在しないかのように、ただ「納骨堂」ないし「骸骨寺」と呼ぶ。

> セドレツは非常に有名になったので、今では他の納骨堂を評価する際の尺度とされている

セドレツでフランティシェク・リントが骨を用いて大作に取り組んでいた時、アルプス以北とフランスの田舎にあるヨーロッパ最古の納骨堂は、死者と骨の山との関係を激変させる新たな趨勢に巻き込まれていた。中世より納骨堂は平等の見本で、現世の栄耀栄華にもかかわらず、すべての人間が等しく死の支配下にあることを訪問者に思い起こさせるため、遺骨に匿名性を負わせていた。しかしながら19世紀になると、そのメッセージが次第にそぐわなくなり、ことにフランスの小さな教区とドイツ語圏では、最愛の人のアイデンティティと地位を死後も保ち続ける新たな方法が模索された。その結果、大切な祖先が骨の山に埋もれてしまわないよう、特権階級に属す骨を箱に納めたり、装飾をほどこして、故人の名前と生前の地位を記す行為が一般的になった。こうした傾向は近代的な衝動と考えられるかもしれない。ボードリヤールは、我々が現在抱く死についての観念は啓蒙主義以降に形成されたもので、死は次第に厭うべき光景となったと指摘した。[*31]　それゆえ、遺骨に名前をつける動きが19世紀に起きたことは、この新たな死の観念によって啓蒙主義後の別の発展、すなわち個人のアイデンティティの優越が打ち負かされないようにする潜在的な試みだったと解釈できる。原因がなんであれ、新たな潮流は納骨堂内にも一般社会を再現したヒエラルキーを作り出し、特定の遺骨に聖遺物のごときオーラをまとわせた。

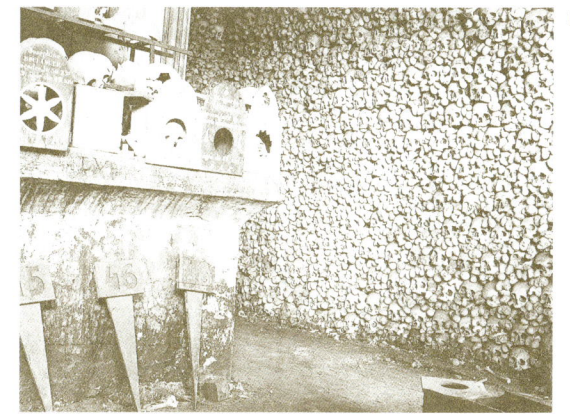

　特別な心遣いのために選び出されたのが特に頭蓋骨だったのは驚くにあたらない。フランスで一般的になった、頭蓋骨を礼遇する一つの手段が、中が見えるよう窓か穴を開けた木箱に故人の名前を彫り、頭蓋骨を納めることだった。あるイギリス人観光客はそれを「犬小屋に似た、小さな四角い箱」と評した。[*32]　箱は納骨堂内の、窓台や特別な棚の上など、目立つ場所に陳列されることが多かった。『ボヴァリー夫人』の作者ギュスターヴ・フローベールが、ブルターニュ地方キブロンの町のこうした慣習について書き記している。

　「15センチ四方で、十字架が載せられ、内部の頭蓋骨が見えるよう、前面はハートの形にくりぬかれている。ハート形の開口部の上には絵具で次の文が描かれている。〈これなるは何処で某年某月某日に亡くなりし＿＿＿＿の頭なり〉。これらはある程度地位のある人々の頭蓋骨で、もし没後7年を経ても親の頭蓋骨にこうした黒い小箱を捧げるのを惜しんでいるようなら、親不孝な息子と見なされることになる……数年前、この慣習を廃止する動きがあった。だが一騒動起こり、慣習は続いた。」[*33]

第三章　死の勝利──19世紀の骨の幻影

　その最も見事なコレクションが、アルザス地方マルヴィルのサン・ティレール墓地に今もなお残る【149-152】。マルヴィルで頭蓋骨箱が一般的になったのは19世紀後半のことらしく、その頃までにすでに1世紀の歴史があったブルターニュ地方から伝わった。2ダース程の箱が1890年代当時の配列のまま、壁に並んだ大量の骨とは別に、納骨堂の中央にある祭壇状の台の上に置かれている。[*34] 頭蓋骨を見せる開口部は大半が丸いが、ハートや星の形も見られる。髑髏や宗教的シンボルが描かれているものもある。故人の名前、享年または没年月日、地元出身者でない場合は生誕地が記されてあるのが普通だが、配偶者の名前や故人の肩書、「安らかに眠りたまへ」のような伝統的な文句や神のご加護を求める碑文も見受けられる。

　こういった慣習はフランスだけに限らない。1890年頃にザルツブルクの教会の一室で撮影された1枚の写真から、オーストリアでも頭蓋骨箱の利用が広まっていたことがわかる。[*35] しかしオーストリアのバイエルン地方とアルプス以北で遺骨を礼遇する手段として好まれたのは、頭蓋骨に直接描く方法で、18世紀に始まったこの伝統は、19世紀半ばに最大の人気を博した【153、155】。故人の名前と生年月日を額に記すのが普通だが、顧客の功名心と芸術家の腕前次第でさまざまなモティーフが描かれた。植物文様、特に花冠が一般的で、墓に供えられる花束の再現が意図された。植物には象徴的な意味があり、バラは愛、ツタは永遠の愛の象徴、月桂樹は勝利、オークの葉は栄光を意味した。他のモティーフは典型的なメメント・モリと似ている。例えば、まるで頭蓋骨の内部から出て来たかのように眼窩の周囲に描かれた蛇は腐敗と、原罪に対する罰としての死すべき運命という災いの両方を示している。

　オーストリアのハルシュタットにある聖ミヒャエル聖堂には世界最大の彩色頭蓋骨のコレクションがあり、納骨堂の頭蓋骨の約半分に相当する、大体600個の頭蓋骨が彩色を施されている。だが20世紀初めの調査では、納骨堂にある頭蓋骨は全部で4000個と見積もられていた。納骨堂にあった頭蓋骨の大半が、主として解剖学者と人類学者により他の場所へ移されたのは明らかだ。[*36] しかしそのほとんどは彩色されていない頭蓋骨だったので、彩色頭蓋骨の割合は当初かなり低かった。頭蓋骨を装飾することは、地元で何らかの名望のあった人物だけの特別な名誉と見なされていたのだ。彩色された頭蓋骨は家族ごとにまとめて置かれていたらしく、この慣習は親族間の結びつきを保つ方法でもあったようだ。19世紀の記録（序章で引用）に、大人が子供に亡くなった親族の頭蓋骨を示し、故人の生前の姿を語る様子が綴られている。[*37]

ハルシュタットにはあまりに多くの彩色頭蓋骨があるため、この慣習はこの町独自のものと誤解されることが多かった。正教の修道院の中にもこうした伝統が長く続いているところはあり、はるか遠くのメキシコ【154】でも見られる。実際、かつてはアルプス地方一帯に広まっていた慣習であった。他にもバイエルン地方ディンゴルフィングの聖ヨハネ教会の納骨堂に、約60個の見事な彩色頭蓋骨を納めた有名なコレクションがあり、ロット・アム・インの頭蓋骨の壁龕にも、かなり変色してはいるが、数個残る。スイスのドイツ語圏では彩色頭蓋骨を今なお目にすることがあり、中でも見事な例がシュタンスの、聖ペテロ・聖パウロ教会付属納骨堂内の骨の壁にある。この地域にあったカトリックの小教会に関する19世紀の調査書は、他にも多数の見事なコレクションを挙げているが、それらはもはや存在しない。*38 例えば、チロル地方のパズナウン村では金の葉の冠が描かれた頭蓋骨が大量に保存されていた。またザルツァッハ川流域には頭蓋骨を銀色に塗り、黒い文字で記す村もあったようだ。特に印象的なコレクションはエッゲルスベルクの納骨堂のもので、金の冠が描かれ、目のまわりを金と深緑で縁取られた100個の頭蓋骨が木の台の上に積み上げられ、納骨堂に入って来た者と向き合う形で置かれていたという。ザルツブルク地方でも頭蓋骨に彩色していたが、伝統的なウァニタスとメメント・モリの主題と関連した文句を付けるならわしがあった。「私は美しかったか、醜かったか？」、「私は金持ちだったか、貧乏だったか？」、「愛されていたか否か？」といった例が記録されている。*39

絵を描いたのは大抵は墓地の墓堀り人で、時には地元の大工が描くこともあったが、19世紀には、毎年村々を巡回して彩色をほどこす芸術家が独り立ちできるほど頭蓋骨の彩色が一般的になった。地元の職人の腕よりも高度な仕上がりが求められた場合、この専門家が村を訪れるまで頭蓋骨は取っておかれた。*40 頭蓋骨の装飾が彩色の範囲を超え、小道具を伴う場合もあった。エッゲルスベルクの納骨堂では、黒いレースをまとった骸骨の手が添えられ、その指が鼻と眼窩を覆っている女性の頭蓋骨があった。スイスのエメッテンでは地元の慣習により、頭蓋骨はリボンで飾られ家紋が添えられていたようだ。時には一本の紐が追加で頬骨のまわりに結ばれることがあり、故人のための祈りが唱えられるたびに結び目が作られた。

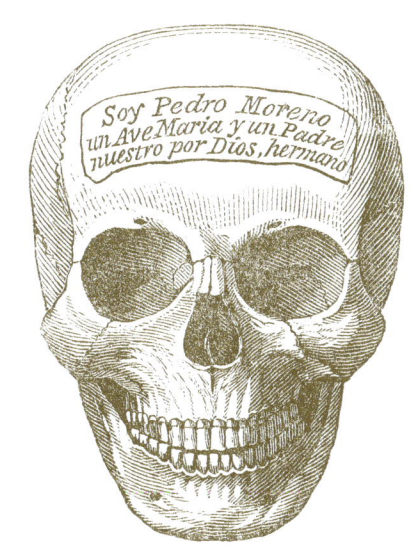

19世紀には、毎年村々を巡回して彩色をほどこす芸術家が独り立ちできるほど頭蓋骨の彩色が一般的になった

第三章　死の勝利——19世紀の骨の幻影

ハルシュタットの場合、彩色頭蓋骨の伝統が長く存続している点で珍しい。最近では1995年に、自分の頭蓋骨に彩色をほどこし納骨堂に安置するよう遺言に書き残した地元女性の頭蓋骨が新たに加わった。しかしその頃までに他のほとんどの地域で、装飾された頭蓋骨のコレクションが失われた。納骨堂自体は保存されても、骨にほどこされた装飾は不適当と見なされ、取り除かれたのだ。例えば、どこにでもある近代的な外観にもかかわらず、スイスのナータースにある聖マウリティウス教会の納骨堂【156-157】では少なくとも19世紀後半まで、聖職者の被るビレッタなどの頭飾りや、花冠をいただいた頭蓋骨がいくつか存在した。[*41] こうした小道具は1920年代、室内がより質素な造りに改修された時、願掛けの祠とともに取り除かれた。もっともほとんどの場所で装飾された頭蓋骨はただ埋め戻され、しかも多くの場合、かつて掘り起こされた墓地に再度埋葬された。

頭蓋骨を取り除く動きは19世紀の末に始まった。村の教会は、外の世界が次第に疑念や気味悪そうな視線を向けるようになったため、骨の展示そのものを廃止することを望んだ。だが装飾頭蓋骨を除去した一番の動機は、骨にまつわる奇妙な迷信がはびこっていたためだった。病気を治したり、現世的な利益をもたらす魔法の力を持つ頭蓋骨があると思われていたのだ。[*42] ことにくじの当たり番号を的中させる力があると強く信じられていた。オーストリアのアドリアッハとマリア・ヴェルトの納骨堂には、地元のくじの数に対応した、1から90までの数が描かれた頭蓋骨がある。一体どのようにして当たり番号が予言されるのか明らかではないが、近郊の町では、納骨堂の頭蓋骨を盗み、死者の魂がくじの組み合わせを夢の中で明かしてくれることを願って、頭蓋骨と寝るといったことはよく行われていた。東ドイツでは複雑な儀式を必要としたようだ。一言も話さず、頭蓋骨に意識を集中しながら、納骨堂の扉に90までの数をすべて書き出すというものだが、もしこの儀式が正確に実行されたなら、死者の魂がそのリストから当たり番号を魔法で消してくれると信じられていた。[*43] もちろんこういった行いを地元の教会当局は容認できず、頭蓋骨を展示から外すことでやめさせようとした。しかし次の章で見ていくように、こうした迷信は何もこの地域に限ったことではなかった。実際、迷信は納骨堂をめぐる神話の典型的な要素で、納骨堂という閾の空間で生者と死者の交流を促した。

> 病気を治したり、現世的な利益をもたらす魔法の力を持つ頭蓋骨があると思われていた

「パリのカタコンブ」［パリ、フランス］

[上— 158]　骨がある場所まで長く続くカタコンブの通路は、かつて採石場だった所で、パリ市街を建設する資材を供給していた。18世紀後半には通路の大半が構造的にもろくなっていて、地上の建物もろとも崩落することもあった。カタコンブの建造は地下通路を補強する意味でも役立った。

[次頁上左— 159]　ルイ＝エティエンス・エリカール・ド・チュリはカタコンブを設計した際、訪れた者が死に思いを馳せるよう、通路の至る所に銘文を設置した。この碑文は『オデュッセイア』第22歌から引用された一文で、ギリシャ語、ラテン語、フランス語で書かれている。意味は「死者を侮辱するのは不敬である」。

[次頁下左— 161]　1786年、地元の墓地から掘り出さ

[次々頁上右— 160]　カタコンブは特定の教会に属さず、どの教会とも関連はないが、それでも聖別された場所と見なされた。骨は全て教会付属の墓地から運ばれ、移送の際は司祭が行列に付き添った。さらに十字架などの宗教的シンボルが通路に設置された。

[次々頁下右— 162]　1897年 4月2日深夜、脛骨の円柱で秘密のコンサートが開かれた。侵入が露見すると、

Οὐχ ὁσίη φθιμένοισιν.

Non fas est mortuis insultare.

C'est une impiété
que d'insulter aux morts
Odyss. X

D . M .
II et III
Sept^{mbr}
MDCCXCII

OSSEMENTS DU
CIMETIERE DE
St ETIENNE DES
GRÈS DÉPOSÉS
EN MAI 1787

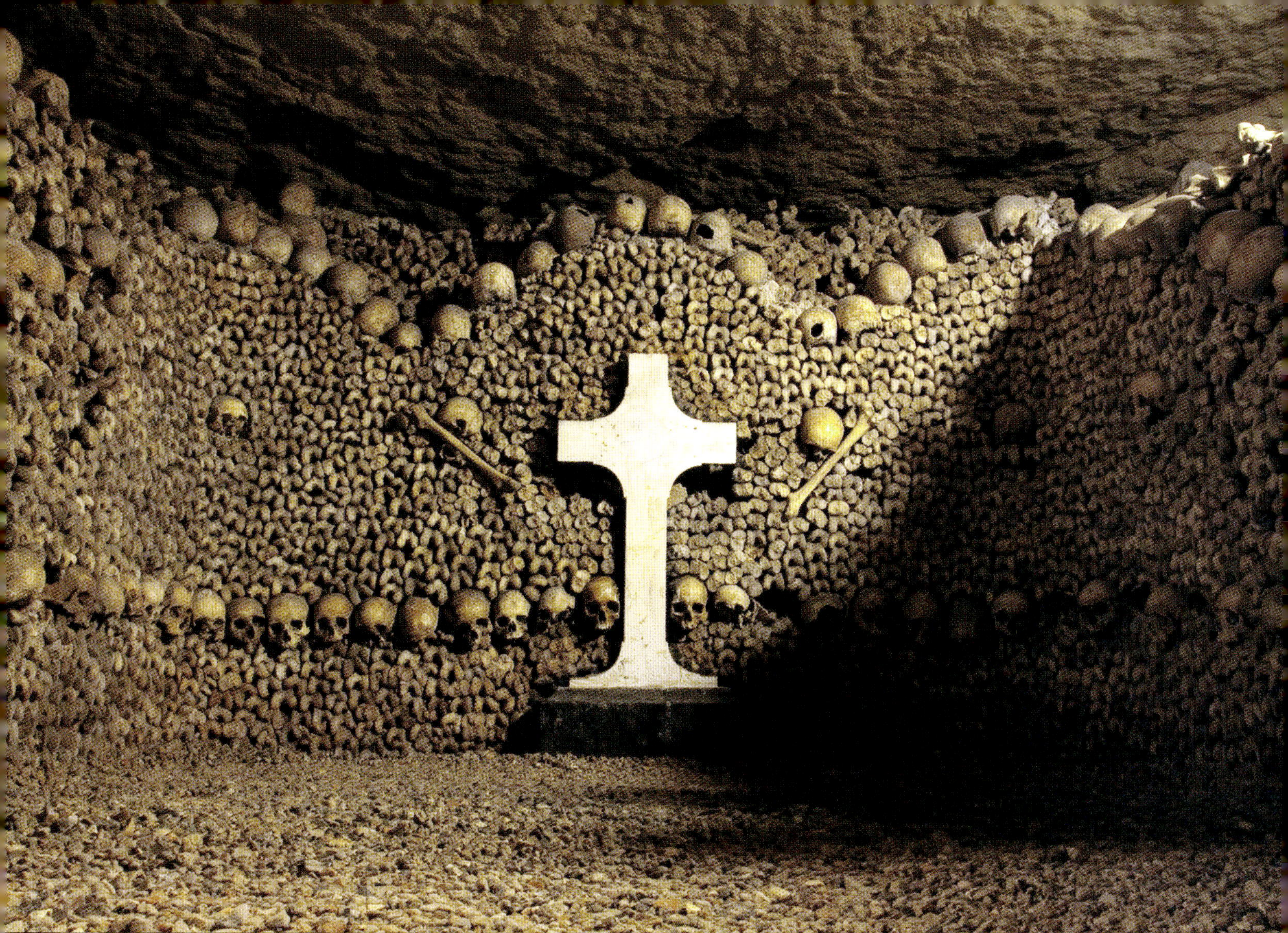

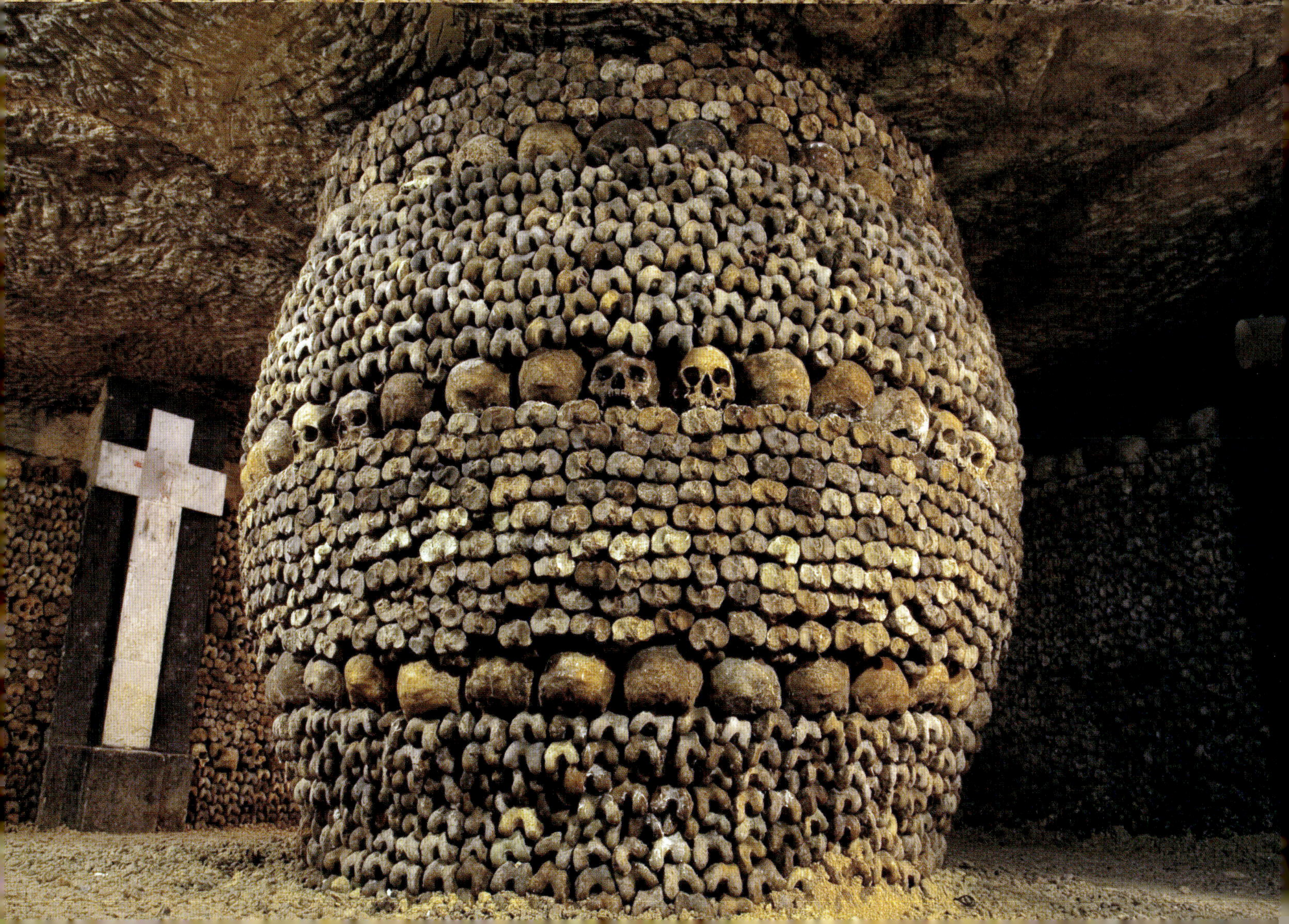

第三章　死の勝利──19世紀の骨の幻影

「パリのカタコンブ」［パリ、フランス］

[上－163]　カタコンブ内に置かれた碑文は古典文学や聖書から引用されている。壁に嵌め込まれた石板には、聖書のコヘレトの言葉から「青春の日々にこそ、お前の創造主に心を留めよ。苦しみの日々が来ないうちに」（12章1節）の一節がラテン語で彫られている。

[下－164]　この区画を建造するために用いられた骨が最後に通路に運び込まれた。石碑によると1871年4月17日にサン・ローラン教会付属墓地から移送された。1880年代までに推定600万体分の骨がカタコンブに運び入れられ、世界最大の納骨所が作られた。

「サン・バルトロメオ教会の骨の祠堂」
[ペション、ポルトガル]

[本頁－165]　ペションの教区教会の一角にある、1853という年次が彫られたこの小さな祠堂には、かつてポルトガル南部の人骨装飾建造物でよく用いられた、古典風の様式が見られる。長年風雨にさらされたためかなり傷んでいる。

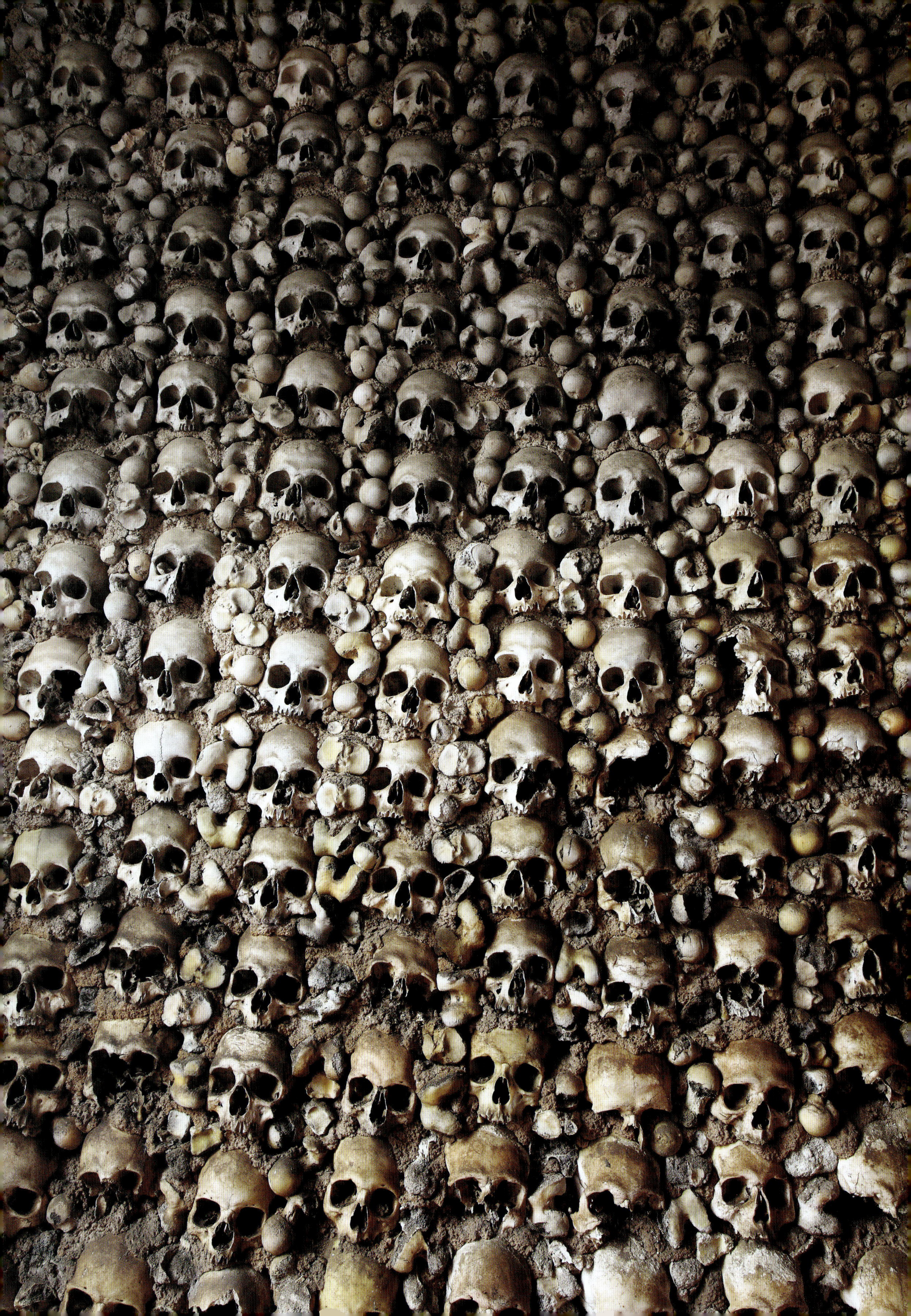

「グラサ聖母教会の骸骨堂(Capela dos Ossos)」
[モンフォルテ、ポルトガル]

[前頁— 166]　ポルトガルには人骨で装飾された建造物がヨーロッパで一番多く残っている。現存する6つの聖堂の中で一番小さいのが中部の村モンフォルテにある。来歴については不明な点が多いが、近郊の町エヴォラにある大規模な骸骨堂の名声に触発されたのかもしれない。

「ファロ大聖堂の祠堂」
[ファロ、ポルトガル]

[上— 167]　擬古典様式のアーチを持つこの祠堂は、中庭を挟んでファロ大聖堂の向かいに建つ。近くには煉獄にいる魂を描いた図像を特色とする教会があり、ことによると、そこはかつて納骨所として用いられ、この祠堂とも関連があるかもしれない。

第三章　死の勝利——19世紀の骨の幻影

「カルモ聖母教会の骸骨堂（Capela dos Ossos）」
[ファロ、ポルトガル]

[上－168]　教会は1713年の創建で、その約一年後に納骨堂が建てられた。骨は隣接の墓地から移されたもので、うち頭蓋骨の数は1245個である。「立ち止まり、いずれ汝の身にふりかかる運命を想像するがいい」と訪問者に警告する文が刻まれている。

[次頁－169]　この骸骨堂は、同じ敷地内にあるカルメル会修道院付属教会の重要なメンバーの霊廟としての役目も担っている。床の大きな敷石の多くに、地元の修道院の司祭や高位聖職者の墓標が刻まれている。

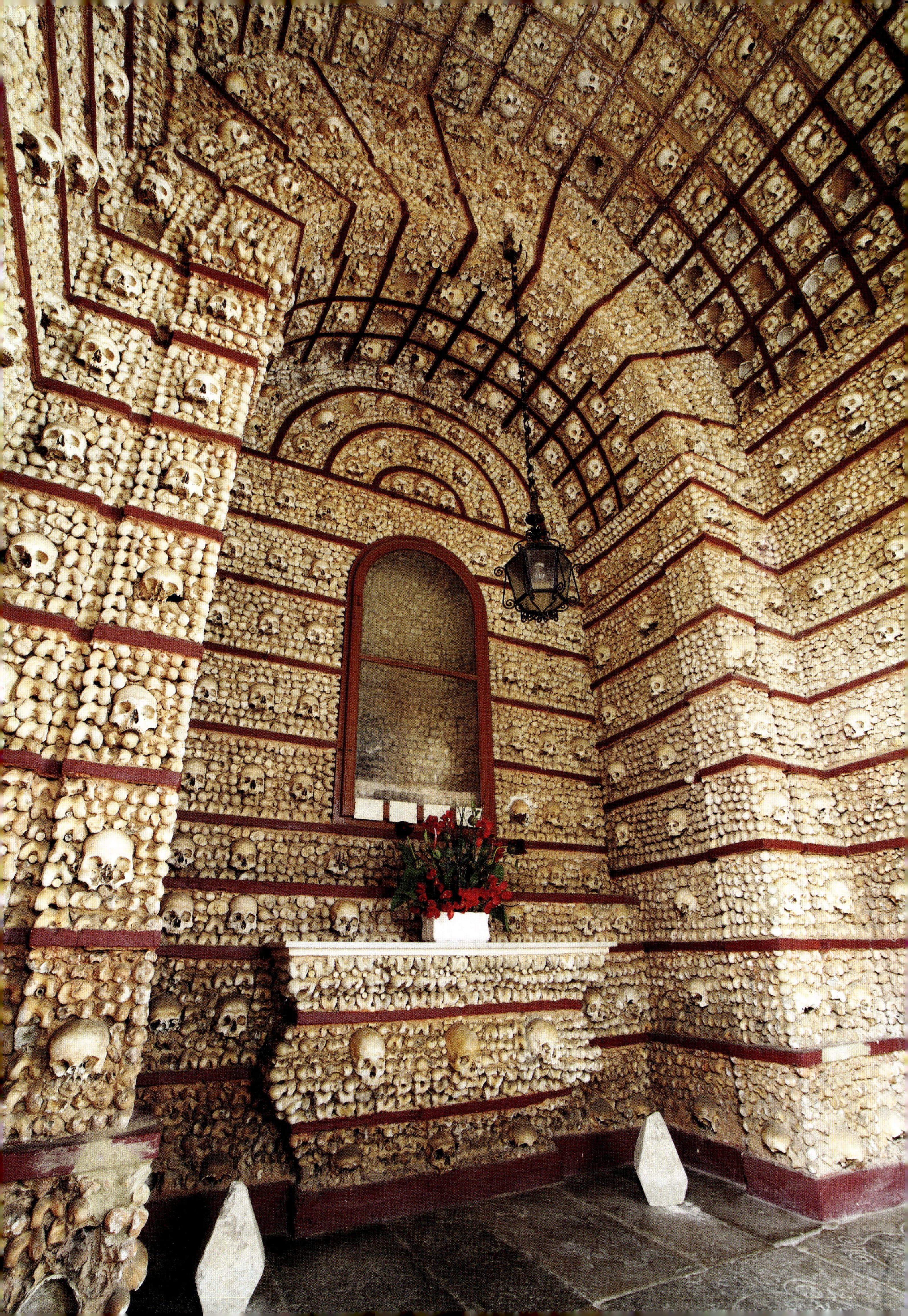

第三章　死の勝利——19世紀の骨の幻影

「カルモ聖母教会の骸骨堂」
［ファロ、ポルトガル］

［上左-170］　礼拝堂はそれほど大きくないが、まぎれもない新古典主義様式で細部まで設計されている。約4.6mの高さの天井アーチは赤く彩色された石で方形に頭蓋骨が縁どられ、古典主義様式のばら形装飾のある格間を模している。

［上右-171］　壁から突き出た頭蓋骨の中には傷みの激しい骨もあるが、全体として保存状態は素晴らしい。最初の建設工事での管理、穏やかな気候、大きな開口部から内部に循環する新鮮な空気など、諸条件がうまく組み合わさったおかげである。

「聖マウリッツ教会付属納骨堂」
[モウジネツ、チェコ]

[本頁-172] 装飾に用いられることなく、ただ積み上げられた骨の山は、18世紀後半の中欧の納骨所でよく見られた光景である。この中には15世紀に遡る骨や、30年戦争時の犠牲者の骨もあるとされる。

第三章　死の勝利──19世紀の骨の幻影

「骸骨堂（Kaplica Czaszek）」
［チェルムナ、ポーランド］

［上－173］　ポーランドの骸骨堂は中欧初の人骨装飾建造物としてこの地域一帯に影響を及ぼした。針金で固定した交差骨の上に頭蓋骨を載せた天井など、他では見られない飾り付けが特色である。伝説によると、この礼拝堂を建設した司祭ヴァーツラフ・トマシェク自身の頭蓋骨が祭壇上に置かれた頭蓋骨の中にあるという。

［次頁－174］　大天使ガブリエルが死者を眠りから起こすためのトランペットを掲げている。聖書の中にキリスト復活を宣言する彼の役割について記述した箇所はないが、さまざまな異教的神話と混合した可能性はある。この図像の起源はおそらく15世紀に遡り、英語圏では『失楽園』に最初の記述が見られる。

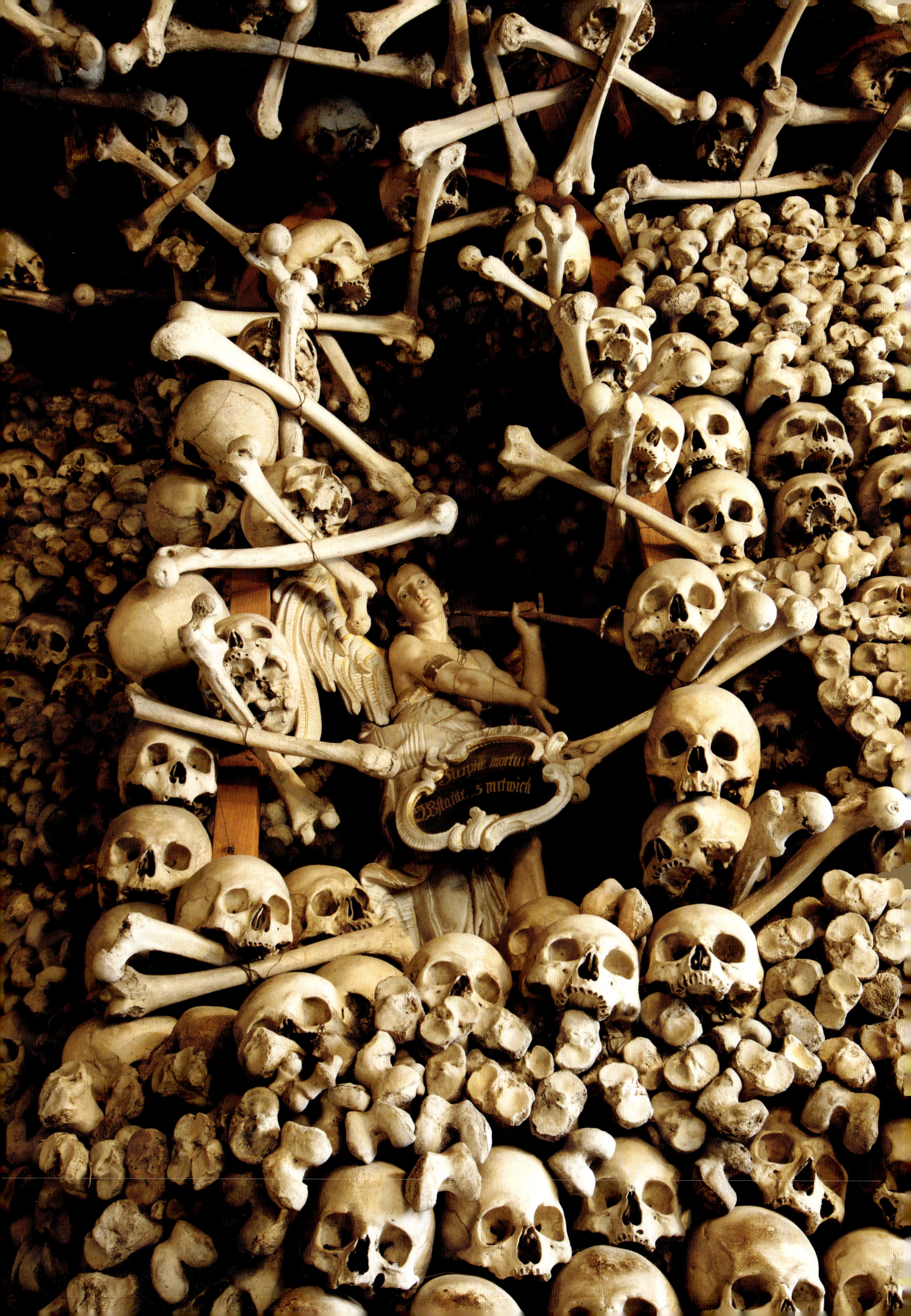
Surgite mortui

「諸聖人教会付属納骨堂（セドレツ納骨堂）」
[クトナー・ホラ、チェコ]

[上左-175]　骨のピラミッドがセドレツ納骨堂の四隅にある。かつては6つ存在し、展示の一部だったかもしれない。フランティシェク・リントが修復を手掛けた際、そのうち二つを解体し、自分の作品の材料とした。ピラミッドにはトンネルがあり、そこに頭蓋骨が置かれている。

[上右-176]　部屋の中央には、天使像を上に頂いた、頭蓋骨の並んだ木製の塔が4つある。リントの制作とされているが、実際には、18世紀初頭ここで働いていたイタリア系チェコ人建築家ヤン・ブラジェイ・サンティニ＝アイヒェルの作品かもしれない。

[次頁-177]　1860年代の改修により、セドレツ納骨堂は多くの観光客を集めるようになったが、当初ここに関心を抱いたのは主に解剖学者や人類学者であった。しかも彼らの興味の対象はその見事な装飾ではなく、頭蓋骨を研究し、ボヘミア人とモラヴィア人の人相を比較することにあった。

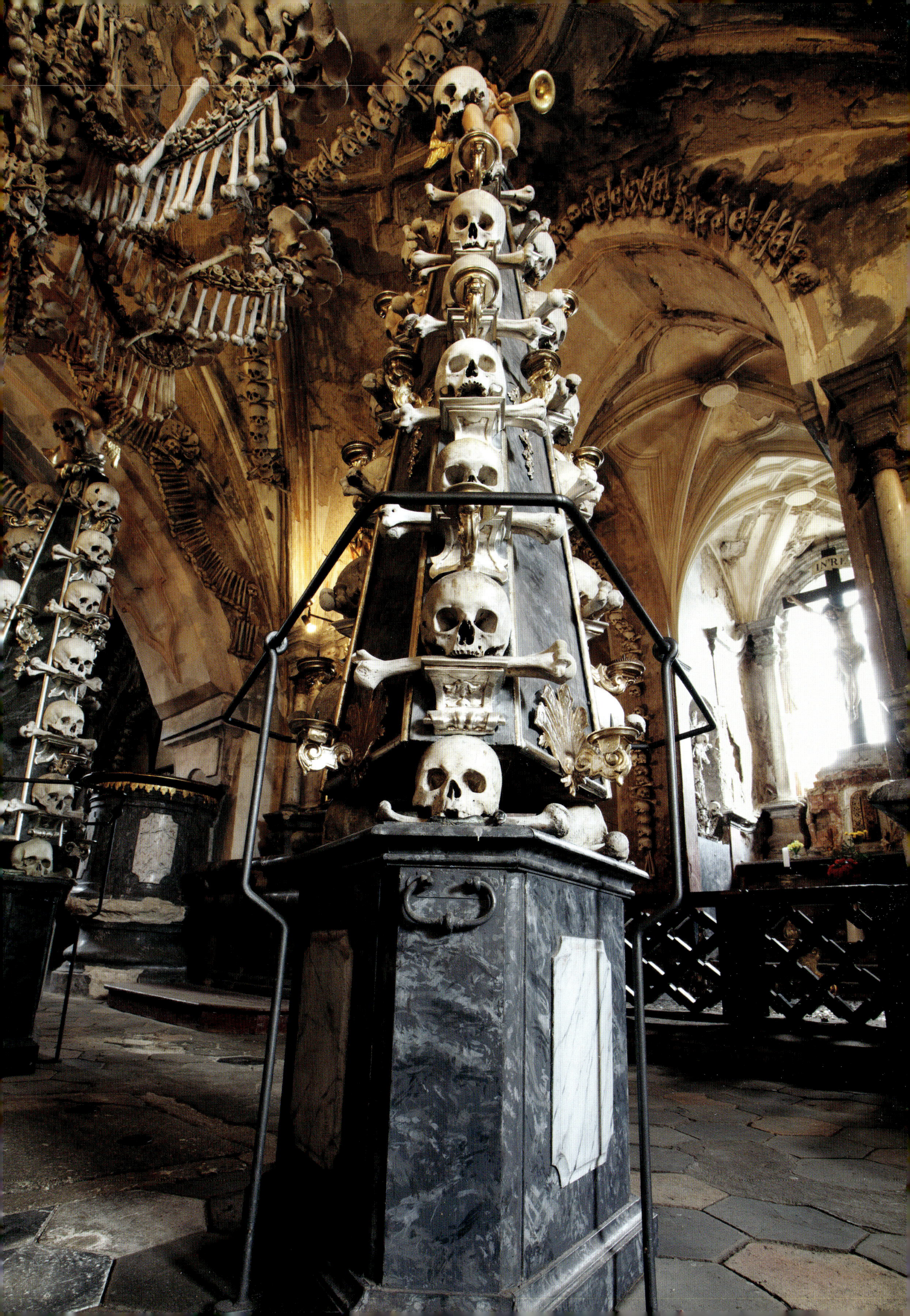

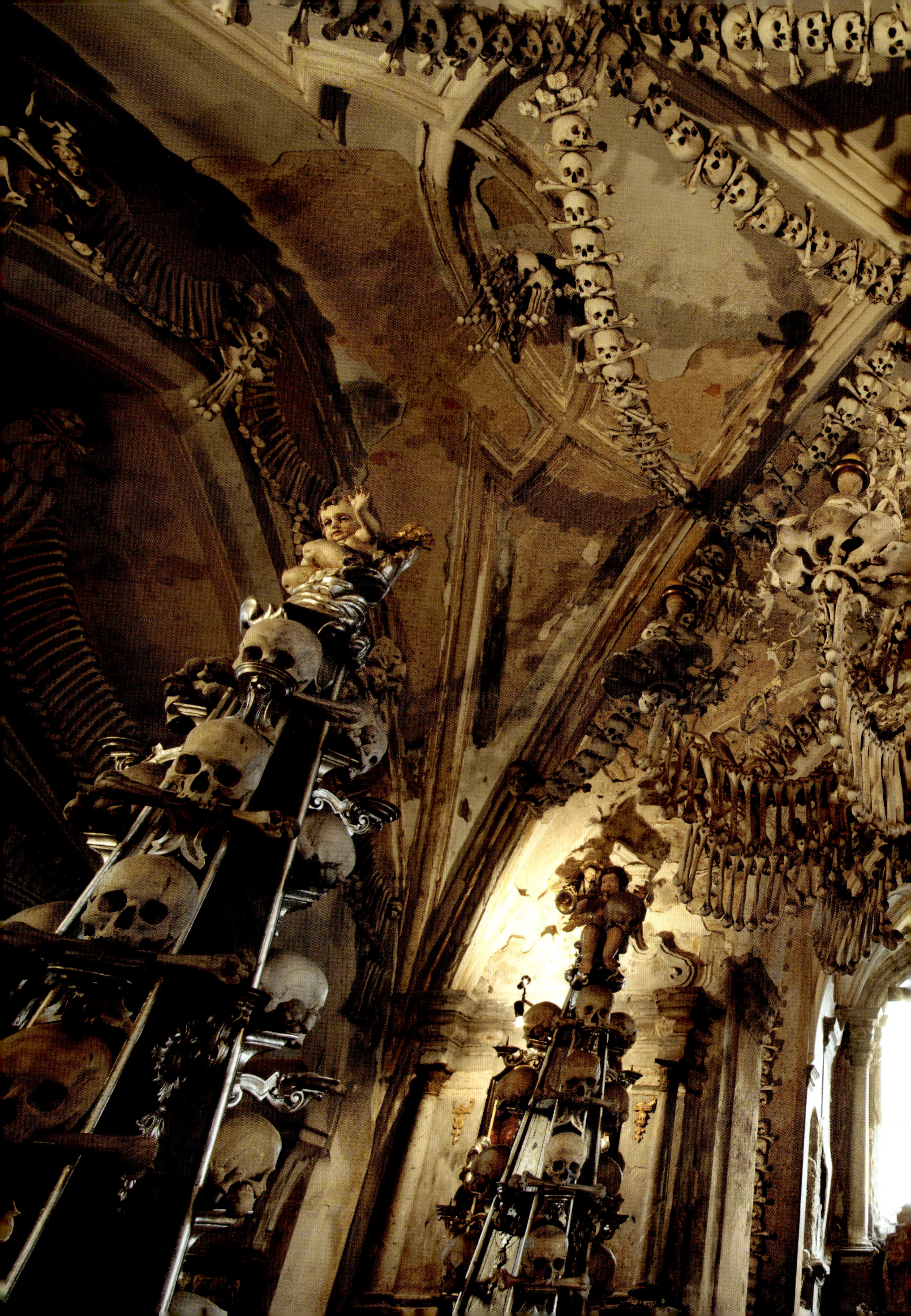

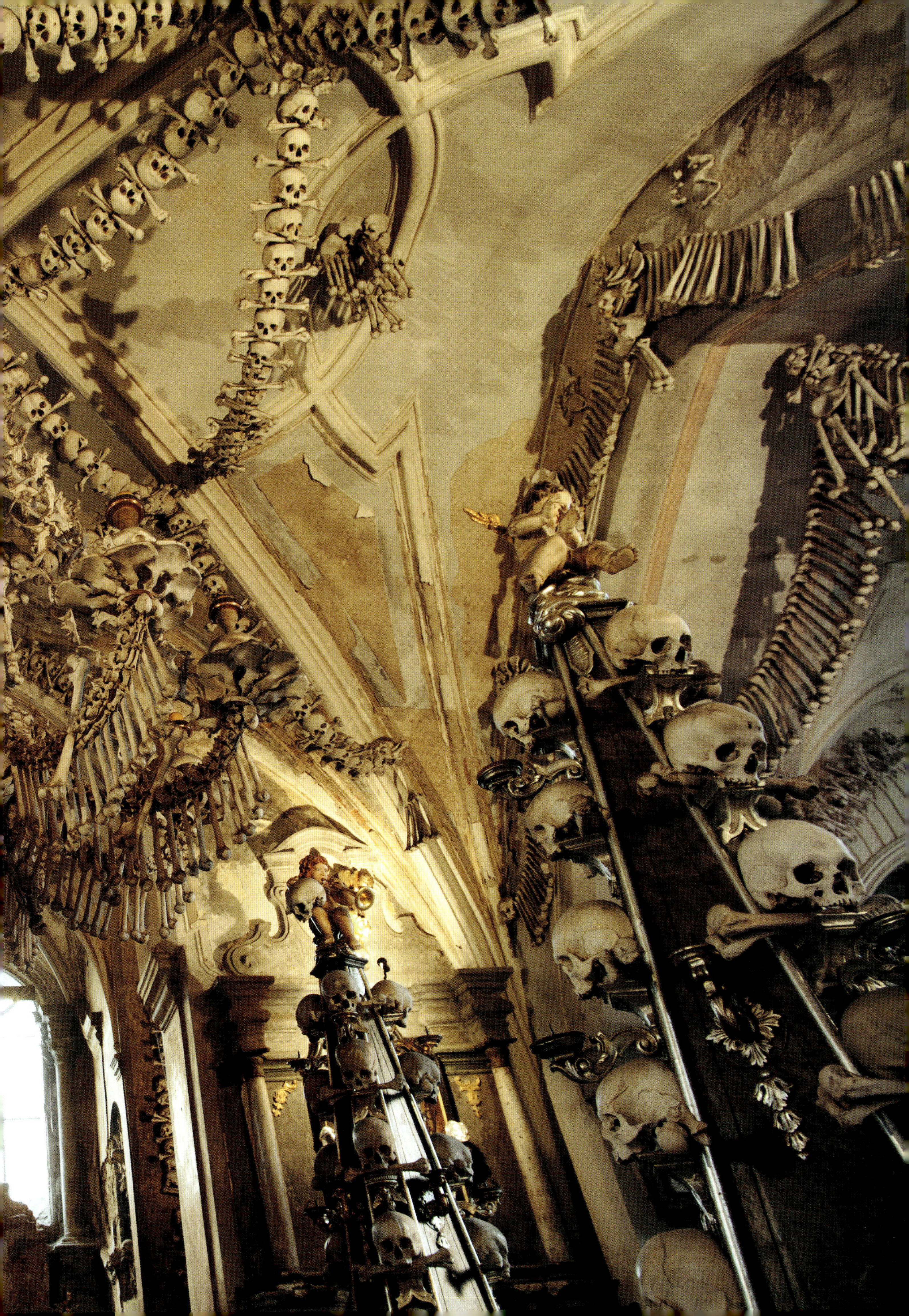

第三章　死の勝利──19世紀の骨の幻影

「諸聖人教会付属納骨堂（セドレツ納骨堂）」
[クトナー・ホラ、チェコ]

[前頁見開き−178]　他の納骨堂と異なり、セドレツの骨には埋葬されていた土壌による変色が見られない。どれも白いのは、リントが最良の状態の骨を塩素化石灰で脱色したためである。

[上−179]　聖堂の中心となる部屋は一辺が7mの正方形で、中央に幅2.4mのシャンデリア、その周りに4本の尖塔が配置されている。シャンデリアは人間の骨格を形成する全ての骨を含むと言われている。イタリアにかつて存在した骨のシャンデリアが影響を及ぼしたかもしれないが、かなり大きく、精巧な造りである。

「諸聖人教会付属納骨堂(セドレツ納骨堂)」
[クトナー・ホラ、チェコ]

[上左－180]　シュヴァルツェンベルク家の紋章をかたどるために無数のさまざまな骨が使われた。王冠の部分だけでも、頭蓋骨、肋骨、肩甲骨、さまざまな骨盤部分の骨が針金で結び付けられている。右下のカラスの翼部分は、ひどい関節炎のために骨が溶けて凝固した手首が用いられた。

[上右－181]　この納骨堂は以前は礼拝堂として用いられていたこともあり、聖体拝受用の祭具も骨でかたどられた。祭壇の両側にある壁龕には巨大な聖体顕示台があり、地下へ降りる階段には一対の聖杯が置かれている。

Antoine
DUBAS,
décédé le 5 Mai 1859
âgé de 61 ans.
Jeanne JACQUET
décédée
l'âge de 15 ans.
Marguerite
GUILLAUME
décédée le 14 Janvier 1858
mort le 28 7bre
1807

「サン・ティレール墓地付属納骨堂」
[マルヴィル、フランス]

[前頁－182]　マルヴィルにある中世後期に遡る納骨堂は、その建物自体印象的である。正面に列柱のある独立の建物で、2mの高さに積み上げられた骨が三方の壁をびっしり覆っている。だがこの場所を有名にしたのは、中央の棚に並んだ、箱に納められた頭蓋骨である。

[上－183]　箱には名前と没年月日が記してあるが、配偶者や家族の名が添えられていることもある。大抵はメメント・モリの図像や弔辞が記されている。上の写真中央の箱には髑髏と交差骨が描かれているが、その右側の箱には「安らかに眠りたまえ」とラテン語で書かれている。

「聖ミヒャエル聖堂付属納骨堂」
[ハルシュタット、オーストリア]

[上－184]　装飾頭蓋骨の最大のコレクションがハルシュタットにある。ここでは代々、教区の墓掘り人夫が頭蓋骨の彩色を請け負っていた。かつての墓掘り人夫の家は納骨堂より9m北側にあり、彩色をほどこす前に日光で脱色させるため頭蓋骨を置く棚もしつらえられていた。

[下－185]　1928年に遡るこの絵葉書のように、この場所を写した初期の写真には、現在展示の中心に置かれている磔刑像は見当たらない。磔刑像がいつ加えられたのか正確な時期はわからないが、小さな聖堂の雰囲気を作り出すために置かれたのだろう。

[次頁－186]　頭蓋骨の大半は1890年代よりも前に遡るが、教区民がそのことを希望する旨を遺言にしたためておいた場合は、20世紀後半でも、数はわずかながら新たに加えられた。最近では、1995年に彩色された女性の頭蓋骨が加わり、十字架の足元に置かれた。

[次々頁－187]　彩色頭蓋骨のおよそ3分の2は男性の遺骨である。妻の方が夫よりも長生きし、夫の遺骨を自分で処理できたからだろう。一方未亡人の遺骨は子供か親類にゆだねられたため、彼らが金を払ってまで頭蓋骨を装飾してもらうことはほとんどなかった。

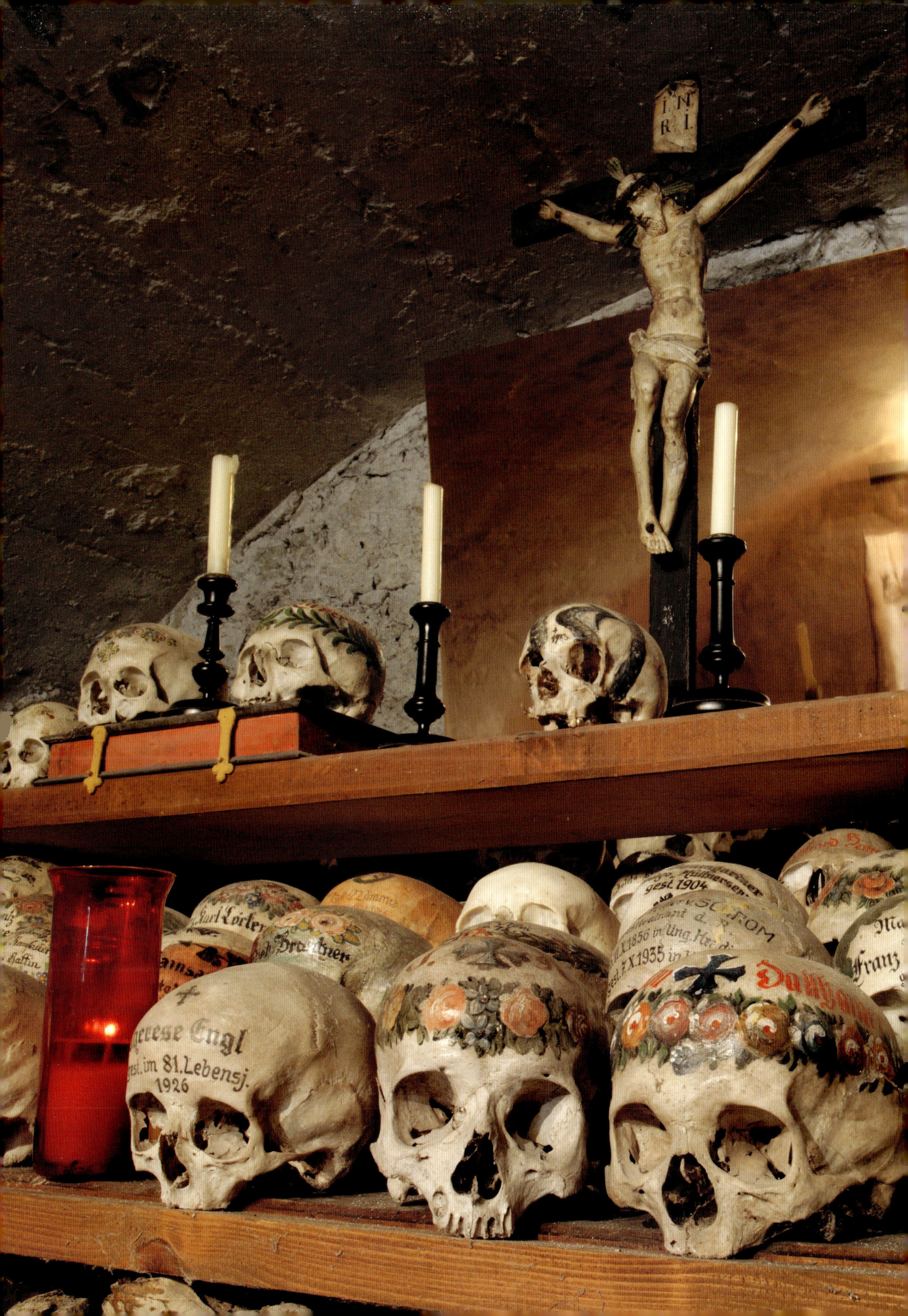

gest. im 81. Lebensj.
1926
gest. 1904
Franz

Josefa Kösler

Mathias Sollinger
gestorb: ano
1853

Juliana Höplinger
1879

Elisab. Schöfbenger
1875

Eva Schölbänger
1868

Michael T

Johann G. Kogler
k.k. pensionierter Berg-meister
und Handelsmann dhier
1871.

Rosa Kogler
geb. 28.1.1899
gest. 15.5.1946.

Georg Faber

第四章

天国の魂

骨の山にまつわる神話と心霊術

❖

HEAVENLY SOULS

Spiritualism and Mythology in the Bone Pile

第四章　天国の魂——骨の山にまつわる神話と心霊術

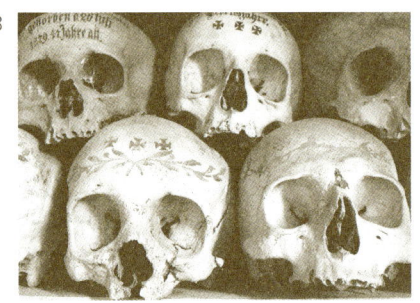

大量に蓄積された骨が民衆の想像力を刺激し、神話的な地位を獲得することがあった。また納骨所はしばしば死者の魂との交歓といったカルト的な習俗の中心となった。こうした行いの中には教会に認可されたものもあり、神学的に正当化された。特に礼拝堂として機能していた納骨堂では、煉獄にいる魂のための礼拝が捧げられることが多かった。

煉獄は聖書にはないカトリックの概念である。初期キリスト教の伝統的な信仰によれば、最後の審判で死者は救済される者と地獄に落とされる者とに分けられる。しかしながら、神学者たちは魂が浄化される場所の存在について考察し、完全なる善人でも悪人でもない者は、そこで罪が消され魂が天国に召されることを願い、試練に耐えることになるだろうと説いた。煉獄で課される試練はどれも苦しく、火を伴うとされた。16世紀ドイツのフランシスコ会士で作家のヨハネス・パウリは、煉獄を火が燃え盛り、「鉄床(かなとこ)が投げ込まれたら一瞬のうちに溶けてしまうほど熱い」場所と述べた。[*1] 死者のための中間的な場としての煉獄という新しい概念は12世紀の後半に広まり始め、1254年にカトリックの教理に取り入れられた。[*2]

多くの人々が、煉獄にいる魂のために生者が祈祷や礼拝をすることにより、彼らを手助け——逗留期間を短くし、彼らの苦しみを和らげることさえ——できると信じた。プロテスタントの改革者たちが、生者が死者のために執り成すことができるという信仰をあざけった時、カトリック側は改めてトレント公会議（1545–63年）において、煉獄への信仰を伝統的な信仰として強調した。こうしていわば教会公認の死者崇拝(カルト)の基礎が築かれた。人骨が常に蓄えられていた16、7世紀の納骨礼拝堂は、理論上リンボ〔地獄と天国の中間にある、キリスト降誕以前の善人や洗礼を受けずに亡くなった幼児の霊魂が住む所〕に閉じ込められた人々への祈祷を捧げるのにふさわしい場所とされた。煉獄との直接の関連は納骨堂の装飾にもしばしば見られる。例えばサンタ・マリア・デッラ・コンチェツィオーネのクリプトでミサを執り行う礼拝堂は、アッシジの聖フランチェスコとパドヴァの聖アントニウスとカンタリーチェの聖フェリーチェが煉獄から魂を解放する様子を描いた絵を掲げている。ポルトガルのエヴォラにあるサン・フランシスコ教会付属納骨礼拝堂では、煉獄にいる魂を描いた小さな絵が入り口上部にかかっており、1728年に遡る記録からここでリンボにいる魂に祈りが捧げられていたことがわかる。[*3] こうした礼拝堂のほとんどで、万聖節と万霊節には死者の魂を記念しリンボにいる魂のために祈りを唱える、特別な礼拝が執り行われた。

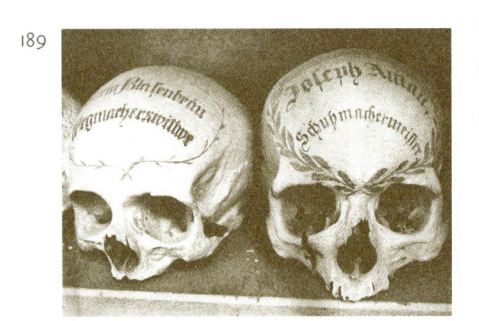

> 人骨が常に蓄えられていた16、7世紀の納骨礼拝堂は、理論上リンボに閉じ込められた人々への祈祷を捧げるのにふさわしい場所とされた

ドイツ語圏では「魂の礼拝堂」と呼ばれる小さな建物が教会のそばに建てられ、煉獄にいる魂に奉納されることがあった。ディンゴルフィングの彩色頭蓋骨は、教会の古い墓地に建造された礼拝堂に保存されている【188-189】。教会の記録で死者のための礼拝堂と最初に記されたのは1659年で、煉獄にいる魂に奉仕する信心会の会合場所に用いられ、19世紀に改築された。十字架の両脇の、鉄格子の嵌まった窓越しにずらりと並んだ頭蓋骨を見せるという、きわめて演劇的な飾り付けが特色である。しかし訪問者の注意を引くのは頭蓋骨の上の、壁を一面覆い尽くす大きな絵である。横一面に死者の復活の情景が描かれ、その下の4枚のパネルには死後の世界が、臨終の時、審判、天国、地獄の4場面で示されている。場面ごとに聖書の一節が添えられ、死者は神の前で申し開きをしなければならず、それに応じて裁かれることを訪問者に思い起こさせる。[*4] その下の棚に並んだ頭蓋骨は煉獄に閉じ込められた者を象徴しており、彼らを救済するために祈りを捧げるよう訪問者に促した。スイスのイタリア語圏の町ポスキアーヴォで1730年代に建てられた葬送礼拝堂、サンタンナ礼拝堂の列柱廊（ロッジア）【200-202→pp.140-141】もまた死者の要求を満たす納骨所に改変された。司教区で今なお役目を果たしている礼拝堂は祭壇に煉獄の絵を掲げている。礼拝堂に入る前、訪問者はまずロッジアを通るが、そこの木製の飾り棚に地元の墓地から掘り出された約637個の頭蓋骨が並べられている。飾り棚には、おなじみのメメント・モリの図像を含め、絵が描かれているが、死者への義務を訪問者に思い出させるための銘も添えられている。例えば煉獄から解放される魂を描いた絵にはこうある。「親類縁者に友よ、我らのために祈りたまえ」。ロッジアでの展示は礼拝堂に入る人々が死者のため敬虔な祈りを捧げるよう、厳粛な雰囲気を作り出している。

　イタリアでは煉獄にいる魂への関心が非常に高く、17世紀初頭には記念教会がナポリに建てられたほどだった。そのサンタ・マリア・デッレ・アーニメ・デル・プルガトーリオ・アダルコ教会は、1605～6年にナポリの貴族により創設された信心会が発展した教会である。1616年以降、教会堂の外側は頭蓋骨と交差骨で飾られ、教会の地下にある納骨所では、訪れた者が人骨を前に直接寄進でき、リンボにいる魂のために毎日ミサが捧げられた。しかし教会公認の煉獄信仰は、下層階級を中心に民衆文化の隅々まで浸透した非公認の死者崇拝により衰退した。カトリック信徒でありながら、時には教会そのものを無視した生活を送っていた下層階級は、生者が死者のために執り成すことができるばかりでなく、死者もまた生者を助けることが可能という信仰に触発された。下層階層の信者は煉獄にいる魂に献身的であったと考えられていたが、実のところ、彼らが実際に信奉していたのは骸骨そのもので、古い納骨堂を間に合わせの礼拝所にすることも稀ではなかった。

　こうした崇拝はイタリアで特に広がりを見せた。最大の規模を見せたのがロンバルディア州ゲディで、「穴からの死者」（モルティ・デッラ・フォセッタ）がその崇拝対象であった。この場合の穴は1630年から31年に町を襲った疫病の犠牲者の遺骨で満ちた、三つの大きな溝を意味した。遺骨は1660年代に掘り返されたため、見ることも触ることもでき、1680年代までに聖ロクスに奉献された大きな祈祷堂がその場所に建てられた。嘆願者は死者と連絡し合う手段として骨に執着し、死者のために祈るのではなく、死者に対しさまざまなお願いをし、死者が執り成してくれた便宜に感謝を捧げた。一般人の遺骨が聖者の遺骨のように扱われるのを懸念した教会側は、18世紀初頭この場所での崇拝を禁じる命令を出し、骨を隠蔽した。供物は万霊節の日だけ、しかも蠟燭の奉納という形でのみ許可された。それにもかかわらず、遺骨の信奉者を思いとどまらせることはなかった。彼らはその場所を崇拝し続け、1770年までに2万3000人という驚異的な数が、立派な信心会に成長した会員数として記録に残る。[*5]

ゲディのような規模は例外的だが、集積された骨を崇敬する儀式はイタリア各地で盛んに行われた。ヴァルヴェルデにも同種の集団の礼拝堂があり、そこで何が行われていたか不明だが、1660年にベルガモ郊外の墓地から取り出された遺骨が納められていたという。ヴァルテッリーナ地方テーリオでは、異常なまでの人骨崇敬がサン・ジェルヴァージオ納骨堂で見られた。干ばつの時には頭蓋骨が地元の川に運ばれ、川の水で洗われた。それにより死者をなだめ、通常の天候に回復させてもらうためであった。そうした民間信仰は18、9世紀を通じて根強く、20世紀になっても残っていた。例えばシチリア島のパレルモでは、斬首された犯罪人の頭蓋骨を納めた納骨堂の穴を中心に信奉者の団体が形成された。民間伝承によれば、旅先で強盗に襲われた信者が斬首された死者の魂に助けを求めたところ、骨で武装した骸骨が穴から起き上がり、暴漢を追い払ったという。ゲディ同様、その団体の信仰に不安を抱き、奇怪な主張に困惑した教会当局は、納骨堂を閉鎖して頭蓋骨を目につかないようにしたが、信者たちはあきらめなかった。20世紀前半もなお繰り返し訪れていた信者は床越しに骨に話しかけては、返事が聴こえるのを期待して耳を地面に押し付けた。*6

> 死者をなだめるため、干ばつの時には、頭蓋骨が地元の川に運ばれ、川の水で洗われた

こうした場所のほとんどが現存しない。しかし中にはミラノのサン・ベルナルディーノ・アッレ・オッサ教会のように、既存の教会に組み込まれて無事保存された例もある【190-191】。教会に隣接していた納骨堂は、1642年に鐘塔が倒れた時に押し潰された。ある種のカルト信奉者を引き付けたため骨は取り除かれ、教会の一室の壁に模様が浮かび出るよう並べられ、納骨礼拝堂となった。*7 現在遺骨は金網で固定され、大きな戸棚の中に陳列されており、側壁の中央では長骨に囲まれた頭蓋骨が大きな十字架を形作っている。骨が描いた装飾ディテールは石膏の壁にも見られる。ペンデンティブ〔ドームを築くために方形の空間の四隅に築いた三角形状の球面壁体〕の基礎部分にある(「処女マリア」を意味する)MVの頭文字もその一つである。礼拝堂は聖母マリアに奉献され、キリストの死を嘆き悲しむ聖母像を納めた祠が祭壇に置かれた。

サン・ベルナルディーノの骨は評判を呼び、建物の外壁に投入口が設置されると、骨からの見返りを期待して信奉者が献金した。そのおかげで十分な資金が集まり、1690年代には、ヴェネツィアの画家セバスティアーノ・リッチを雇い、天井に絵を描かせた。彼が描いた絵はその後何度か修復が加えられたため、いささか謎めいているが、絵の主題は天国へ召される魂と考えられ、納骨堂にふさわしい。1750年代に部屋が増築された時は、室内を見に集まった信奉者の一群があまりに多く、しかも熱狂的だったので、彼らを統制するためにスフォルツァ城から兵士が動員されたほどだった。また1776年の改修時には、骨に献金をする者には骨が報いるという信仰を意味する「与えよ、されば汝にも与えられん」というキャプションが加えられた。特に天候と健康に関し効力があると考えられていた。*8 納骨堂は聖なる場所として機能し続け、今もなお、毎日のようにここを訪れ、死者のために祈祷や献金を捧げる人々がいる。

イタリアばかりか全ヨーロッパで、民衆による遺骨崇拝の中心となったのはナポリである。ここでは骨と魂の交流が異常な程盛んだった。煉獄にはまった魂――「見捨てられた魂」と地元では呼ばれた――は現実の存在で、夢や幻視を通して生者と交信し、この世に自由に介在できると信じられていた。最も有力な魂のものと考えられた頭蓋骨は信者を獲得して崇拝され、中には名士の地位を得た頭蓋骨さえあった。サンタ・マリア・デッレ・アーニメ・デル・プルガトーリオ・アダルコ教会のクリプトでは「ルチア」ないし「処女花嫁」の名で呼ばれている頭蓋骨が、何世代にもわたり熱狂的な信者に霊感を授けた。結婚直後、齢16にして亡くなったとされるルチアは、白いヴェールで飾られ、若い女性の守護聖人のような存在となった。ナポリで最も重要な場所は、フォンタネッレ墓地【192-193】の名で知られるようになった人工の洞窟で、ここには貧者の遺骸がまとめて積んでおかれた。*9 5000㎡の納骨所は火山により堆積した凝灰岩を切り出して作られた。古代ギリシャの入植者がこの地域のトンネル網の建設に着手し、ローマ人と初期キリスト教徒が拡張した。1500年の時点ですでに大量の骨が洞窟内に蓄積していたが、その後一世紀半以上もの間、この広大な場所がペストなど伝染病の犠牲者の遺体安置所となったため、骨の数はさらに増えた。洞窟に行きついた死者の数は数百万とも言われている。

　17世紀に相次いで発生した洪水で洞窟から大量の遺体がナポリの中心部へと流れ込み、身元不明の死者が川を埋め尽くした時、市の長老たちが骨を整理してこの場所を正式な納骨所に整備する決定を下した。それ以降フォンタネッレ墓地は公営の納骨所として管理された。またこの場所を中心とした崇拝者の集団が形成され、19世紀にその全盛期を迎えた。その頃すでに疫病の犠牲者は「366穴の墓地」の方に埋葬されるようになっていた。1762年に開設されたこの新しい墓地の名前にある「穴」――むしろ桶の方がふさわしいが――の数は一年の日数に相当した。各桶は順番に開けられることになっていて、その日の死者が放り込まれると、12ヶ月の間に石灰で分解された。しかし新墓地は、霊的な中心地としてはフォンタネッレ墓地に取って代わることは出来なかった。フォンタネッレでは骨に接近できたからだ。頭蓋骨は棚か木製の細長い箱の中に置かれ、19世紀半ばにこの納骨所を管理していた神父ガエターノ・バルバティの尽力で、さまざまな展示物が設置された。ギリシャ神殿のファサードのようなものが骨で作られ、墓からよみがえったかのごとくキリスト像がその入り口に立つ。洞窟の一方の端にはゴルゴタの丘の原寸模型があり、頭蓋骨の山の上には空の十字架が置かれた。入り口には礼拝所も設置された。*10

　フォンタネッレ崇拝は身寄りのほとんどない年配女性の間で特に人気が高く、彼女たちは亡くなった人々からのお告げを夢に見たと主張した。この墓地の死者は身元不明だが、本当の名前を夢の中で後援者に明かすことがあった。後援者は自分にコンタクトを取ってきた魂の頭蓋骨を「引き受け」、事実上「見捨てられた魂」の後見人のような存在となった。彫刻をほどこされた大理石の祠がそうした頭蓋骨を安置するために建設され、花や贈り物が供えられた。その見返りとして死者は後見人の願いをかなえてくれるが、死者に誓願をする方法はさまざまで、夢の中、直接の会話、テレパシーの他、願いを記した小さな紙を頭蓋骨の眼窩に入れることもあった。

133

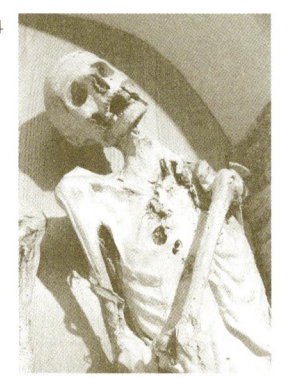

第四章　天国の魂──骨の山にまつわる神話と心霊術

こうした誓願が常に宗教的な内容とは限らない。むしろ仕事や夫を探すとか病気の治癒といった世俗的な事柄への力添えを請う方が多かった。ある頭蓋骨の場合、公共の財産と見なされていたため引き受けは不可能だったが、不妊の女性を助けると考えられていた。子供の出来ない若い女性は、墓地へ行きその頭蓋骨をなでるよう勧められていたため、納骨所で一番なめらかに磨かれた頭蓋骨となった。何世代にもわたり多くの女性が妊娠を祈願してこすった結果、まれにみる光沢とつやを帯びたのだ。またアルプス地方でも見られた慣習だが、フォンタネッレ墓地を訪れた者は、死者に当たりくじの番号を教えてくれるよう祈願した。実際これが頭蓋骨に対する要求で一番多かった。市のくじ引きの前日には最大の群衆が洞窟に降りて自分の頭蓋骨に供物を捧げ、何とか当たり番号の組み合わせを授けてもらおうと霊との交流を求めた。

頭蓋骨が置かれた祠には「祈願成就（Per grazia ricevuta）」など感謝の言葉が刻まれていることが多い。名前が書かれた祠も多いが、これは死者の名ではなく寄贈者の名前で、頭蓋骨の信奉者たちの所有欲の強さを示している。中には予約済みの魂を競争相手に取られないようにするため、鍵や鎖とともに戸のついた箱さえあった。フォンタネッレ墓地の魂の中には、地元の伝承で有名になった魂もある。ある少女に関する有名な伝説によると、少女は若くして亡くなったが、その後墓地で死者の魂と交わる隣人の夢に何度も現れた。大変貧しい家の出だった少女の魂は、ひどい身なりのまま埋葬されたことを歎き、死者と生者の世界を分かつ川を渡る際にはきちんとした長衣(スータン)を着なければならないと隣人に訴えた。隣人がそのことを少女の母親に伝えると、母親はその服を手に入れ、その晩ベッドの傍らにある椅子に服を置いた。翌朝も服はまだそこにあったが、まるで誰かがそれを着て水たまりか小川を渡ったかのように裾が濡れていたという。*11

何と言ってもフォンタネッレで最も有名な魂は、「大佐(キャプテン)」と呼ばれる最も力のある魂で、彼のものとされる頭蓋骨はゴルゴタの丘を模した展示の中央に置かれている。「大佐」にまつわる最も有名な逸話は、一組の男女をめぐる話である。話は若干異同があるが、19世紀のヴァージョンによれば、信心深い少女が、彼女ほど敬虔でない恋人から一緒に夜墓地に来るよう説得された。詮索好きな視線を逃れ、洞窟の闇にまぎれたその場所で、彼女は恋人にうまく言いくるめられ一夜を共にした。その後すぐ結婚前に関係を持ってしまったことを彼女は後悔した。自分の行いを深く反省した彼女は「大佐」に打ち明け、二人の関係が幸福な結婚に終わるよう、頭蓋骨に祝福を求めた。このことを耳にした恋人は彼女の迷信的行為をばかにし、棒を「大佐」の眼窩に突き刺し、「もし話がいくばくかなりと真実であれば、婚礼の儀に姿を見せよ」と挑発した。婚礼の祝宴の最中、古びた軍服を着た見知らぬ男が入ってきたことに彼らは気付いた。この客が辞去した時、花婿は彼の後を追い、誰が招待したのか尋ねた。振り返った男は微笑みを浮かべながら「お前だ、フォンタネッレ墓地で」と答え、コートの前をはだけて骨だけの体を見せたという。*12

遺骨崇拝の人気は衰えることなく、20世紀になっても続いた。1969年にナポリ大司教のコッラード・ウルジ枢機卿が、頭蓋骨への崇拝をやめさせようと洞窟を閉鎖したが、この場所に魅せられた民衆はフォンタネッレ墓地への出入りを認めるよう市に働きかけ、その後も時折公開されることになった。

フォンタネッレ墓地を訪れた者は、死者に当たりくじの番号を教えてくれるよう祈願した

134

イタリアの他の場所では、個々の遺骨にまつわる伝説が形成された。パレルモのカタコンベの「乙女の聖堂」にあるボンネットをかぶった骸骨は特に重要な登場人物のようだ【104→p.73】。彼女は訪れた男性に懸想することがあり、結婚の誓約を得ようと男性の夢枕に立つと言われている。もし男性が死骸姿の花嫁を恐れしりごみしたら、その妻や恋人の上に不幸が降りかかるかもしれない。またカタコンベを訪れる女性は、彼女の嫉妬心を刺激しないよう、彼女のいる所では注意する必要がある。他に伝説に富んでいるのが、ウルバーニアのブオナ・モルテ信心会の死者の教会にある一体のミイラ【194】で、いつの頃か頭部が取り去られ、別人の頭部が置かれた。この理由を説明するため、悲恋物語が編み出された。それによると、一人の少女がロサーリオ家の息子と深い仲になったが、彼女の家族には承認できない相手だった。家族の不名誉を避けるため、何者かが金を払って少女を始末させた。少年は深い悲しみのあまり、亡くなった彼女の頭を切り落とし恋人の形見としたという。ちなみに現在置かれている頭部に関しては、偶然所有することになった信心会が、それを彼女の肩の上に置く方が、首なしの死骸を展示するよりもましと考え、置いたそうだ。別の遺骸はダウン症の特徴を示している。しかしどういう訳か伝説では、そのために彼は犬のように四足で歩いていて、馬車に引かれて亡くなったとされている。彼の姿があまりに小さく、御者が彼に気づかなかったのだという。

　　納骨堂の装飾を請け負った人々をめぐる伝説も数多く、しばしば、作家自身の遺骨が最後の仕上げを飾ったとされる。この説が浸透しているのがポーランドのチェルムナにある骸骨堂で、設計者ヴァーツラフ・トマシェク神父の頭蓋骨が展示の最後の仕上げとして祭壇の上に置かれたと言われている。似たような話は他の納骨堂にも伝わる。その一つ、ローマのサンタ・マリア・デッラ・コンチェツィオーネでは、骨の配列を考案した芸術家自身も死後ミイラにされ、最後まで空だった壁龕に安置されたという。*13　すでに述べたとおり、セドレツ納骨堂では、フランティシェク・リントによる改修以前に同納骨堂の骨を配列した人物の正体をめぐりさまざまな説が伝わる。一説によれば、以前は盲人が飾り付けたという。盲目の修道士とされるのが普通だが、20世紀初頭に納骨堂の管理人の妻が語った話では、盲目の子供になっている。*14　1890年代からこのような俗説を打ち消す試みはなされているが、いまだに根強く、現在納骨堂に置かれている観光客向けのパンフレットでも盲目の修道士の伝説が紹介されている。もっとも今日では修道僧は「半盲」となっている。どうやら話にいくばくかの信憑性を持たせる、当世風のひねりのようだ。*15

納骨所の骨の総数が好奇心をかきたてるのは当然だが、これもまた神話化の過程を経ることがある。すべての遺骨を実際に数える作業に取り組む者はこれまでも、またこの先もいないと思われるので、推定された数は実態と大きくかけはなれている場合が多い。例えば、イングランドのロスウェルにあるホーリー・トリニティ教会地下の小さな納骨所【195】が保管している遺骨の数は200から300といったところだろうが、4万と主張する説もあり、はるかに規模の大きいセドレツ納骨堂の骨の最大推定数と同じである。*16　こうした見積もりがいかに根拠のないものであるか、次の例がはっきり示している。セルビアのニシュにある頭蓋骨の塔【196】は19世紀初頭からバルカン半島の旅行記に度々登場するが、どの著者も先達に勝らんと躍起になっていたようだ。1830年代の記録では、4つの面のそれぞれに600個の頭蓋骨が嵌まっているとされ、これだと全部で2400個となる。*17　それから10年も経ないうちに「1万5000から2万個」へ急増した。*18　1854年出版の本では「キリスト教徒3万人分の頭蓋骨で出来たピラミッド」となり、どちらの数も凌駕した。*19　実際には塔にあった頭蓋骨の正確な数は952個で、各面に横に17個ずつ14列並んでいた。最大値の30分の1にも満たない。

第四章　天国の魂――骨の山にまつわる神話と心霊術

骨の出所もまた途方もない空想をめぐらす機会を提供してきた。これまで何度か述べたように、納骨堂を飾るのに用いられた骨は地元の墓地から掘り出されたものだが、このありきたりな答えが常に民衆を満足させるとは限らない。スイスのナータースに積まれた骨は、地元民に疫病を広めた罪で火刑に処された魔女の一味の骨と言い伝えられていた。賢明な住民は告訴された者の多くは無実だとわかっていたので、無垢な血が流されたことを教会の指導者が忘れぬよう、その遺骨で教会に向かいあう壁を築いたという。ポルトガルのアルカンタリーリャにあるコンセイソン聖母教会の納骨礼拝堂【59‐60→pp.42-43】が保管する骨の起源については、秘かにプロテスタントへ改宗した地元民の遺骨と伝えられている。彼らが秘かに集っていた建物が地震で倒れ全員が犠牲となったが、カトリックでなかった証拠ががれきの中から発見されると、カトリック信仰から逸脱する者への戒めとして、骨が礼拝堂に並べられたという。

骨の山を取り巻く伝説の中で最も不自然な伝説を選ぶなら、スペインのロンセスヴァージェスの聖霊堂地下にある中世の納骨所【213→p.152】をおいて他にはない。クリプトには小さな保管場所があり、主として頭蓋骨と長骨が土間に散らばっているが、ここはシャルルマーニュ〔カール大帝〕との関連が信じられていたため「シャルルマーニュの墓室」【197】と呼ばれている。中世フランスの叙事詩『ローランの歌』で、バスク地方のロンセスヴァージェス近くでサラセン人により虐殺されたと詠まれた、ローランとフランスの勇将たちの遺骨と信じられているのだ。伝説によると、ローランと仲間たちは、シャルルマーニュ自身の指示で正式な叙勲を受けてその近辺に葬られたという。シャルルマーニュの軍隊が778年にこの地域の戦闘で敗退を喫したのは事実だが、ローランという人物が現実に存在し、戦いに参加していたかどうかは別問題である。例え彼が実在したとしても、ここにある骨はどれもカロリング朝の時代まで遡るほど古くない。したがって伝説とはまったく関係がない。建物自体は9世紀のもので、町はちょうどサンティアゴ・デ・コンポステラへの巡礼路沿いにあるので、骨は恐らく巡礼者の遺骨だろう。

それにもかかわらず、骨をローランと仲間たちのものとする説は驚くほど根強い。セルヴァンテスは『ドン・キホーテ』の中で数回そのことに触れ、19世紀後半から20世紀初頭までも繰り返し本に登場した。[20] 伝説は遺骨に栄誉を授ける（フランスの）天使まで登場させて潤色された。[21] さらに並外れた体格と武勇の持ち主である戦士であれば骨も巨大であるに違いないと信じることで遺骨をめぐる神話はますます非現実的なものとなった。実際この説が「巨大な」を意味する古い英語「rouncival」の語源（「Roncesvalles（ロンセスヴァージェス）」に由来）の根拠とされている。この単語は14世紀の文献に出てくるので、語源的意味が正しければ、遺骨を取り巻く伝説は相当古いことになる。[22] ロンセスヴァージェスの骨をめぐっては複雑な情況が絡んでいるのは確かだが、骨の主が誰であろうと、彼らが巨人でなかったのは確かだ。しかしながら骨が現実に勇敢な戦士たちの遺骨であったとしても、彼らが仲間に不足することはない。というのも、他にも多くの納骨所が――事実と異なる場合もあるが――有名な戦いの犠牲者と関連があるからだ。

バスク地方のサラセン人により虐殺されたローランとフランスの勇将たちの遺骨と信じられている

197

「聖ヨハネス教会の納骨所」
［ディンゴルフィング、ドイツ］

[上-198]　ディンゴルフィングの納骨室には彩色をほどこされた頭蓋骨がおよそ60個ある。そのほとんどが19世紀のもので、ハルシュタットを除くと最大の装飾頭蓋骨のコレクションである。納骨所は1650年代からここに存在する。なぜ彩色されていない頭蓋骨を取り除く決定がなされたのか不明である。

[次頁見開き-199]　演劇的な展示構成で、頭蓋骨が煉獄にはまった魂に見立てられている。頭蓋骨の上の絵は、一番上が死者の復活の情景で、その下の4枚の大きなパネルには銘板に引用された聖書の一節に基づいて、死の場面と人間の死後の運命が描かれている。引用箇所は左から順に、ルカ福音書12章46節、マタイ福音書25章34節、同41節、ローマの信徒への手紙14章12節。

Auch ihr seid bereit, denn der Menschensohn wird zu einer unvermutheten Stunde kommen. Luk 12,46.

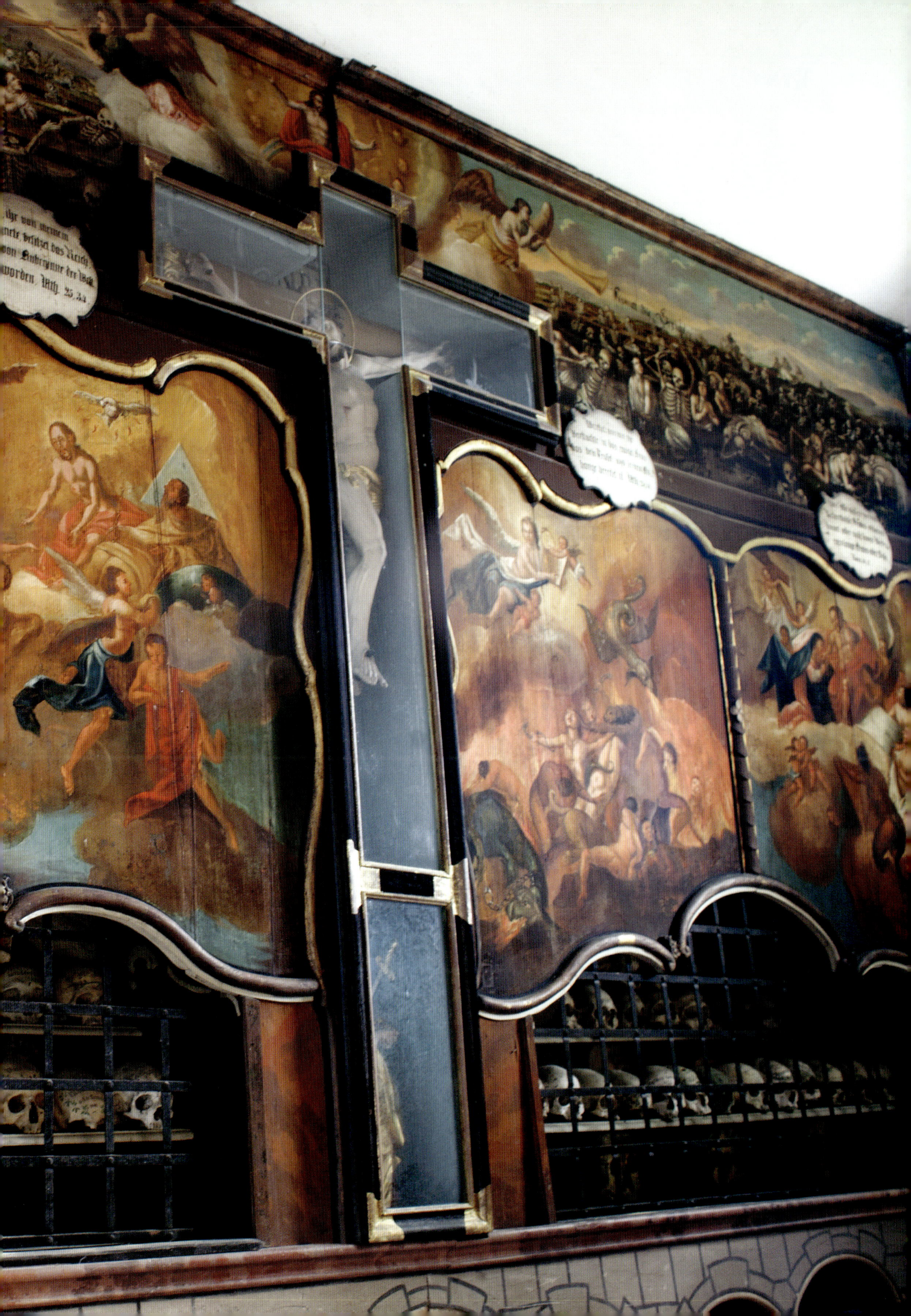

PARENTI & AMICI
PREGATE PER NOI

SON' VIVO

MEMENTO
MORI.

ATTENDETE E STVPIRETE
IO FVI GIA POTENTE E DOTTO
OR IN NIENTE SON RIDOTTO.

「サンタンナ礼拝堂のロッジア」［ポスキアーヴォ、スイス］

[前頁-200]　飾り戸棚にはメメント・モリの銘以外にも、煉獄にいる魂への執り成しを思い起こさせるための文が記されている。左上の、天使によって炎の中から救い出される魂を描いた絵には「友よ、親類たちよ、我らのために祈りたまえ」という文章が添えられている。

[上-201]　壁にかかっている轝(そり)は死者を運ぶために用いられたもの。飾り棚には、壁を中央に横切る形でイタリア語の文章も書かれている。その意味は「我らもかつて汝らのような姿であった、墓の中では汝も我らのような姿になるであろう。」

[下-202]　戸棚に納められた637個の頭蓋骨は、1730年代にロッジアが納骨所へと作り替えられた時、隣接の墓地から移された。現在のような内装になったのは1904年のことである。礼拝堂は今なお魂に祈りを捧げる場所として用いられ、堂内には煉獄の図が描かれた祭壇がある。

第四章　天国の魂——骨の山にまつわる神話と心霊術

「サン・ベルナルディーノ・アッレ・オッサ教会」
[ミラノ、イタリア]

[上－203]　地元の伝説では、サン・ベルナルディーノにある遺骨は、4世紀異端のアリウス派によって迫害されたか、539年に侵入したゴート人によって殺されたミラノのカトリック信者のものとされていた。骨には天気を司り、病気を治す力があると考えられていた。

[次頁－204]　ヴェネツィアの画家セバスティアーノ・リッチが天蓋と穹隅(ペンデンテイブ)の絵を1698年に描きあげた。天国へ召される魂を描いた図と一般的に考えられてきたが、他にも、ゴート族に殺されたミラノ市民を描いたとする説も含め、さまざまな説が唱えられている。

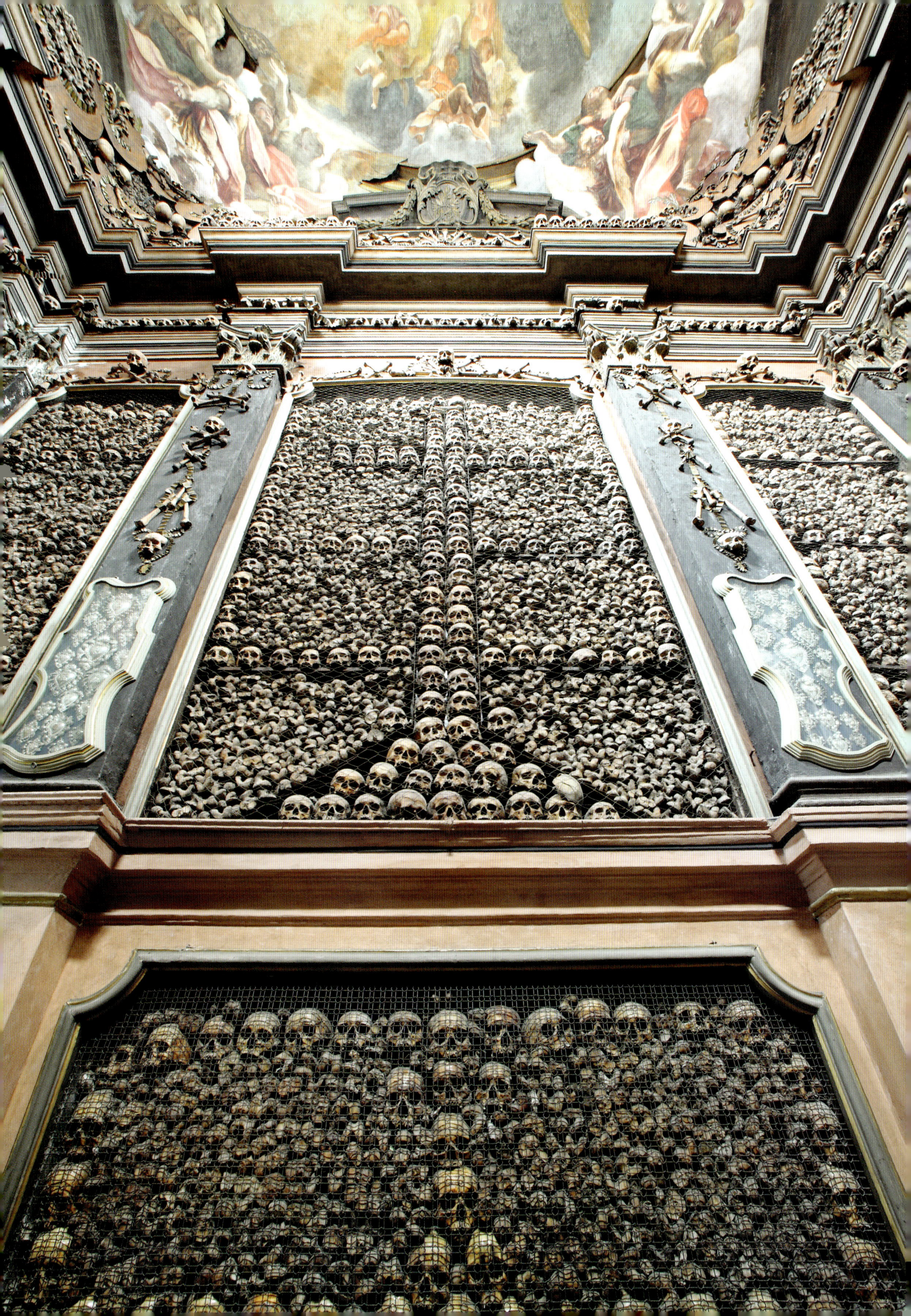

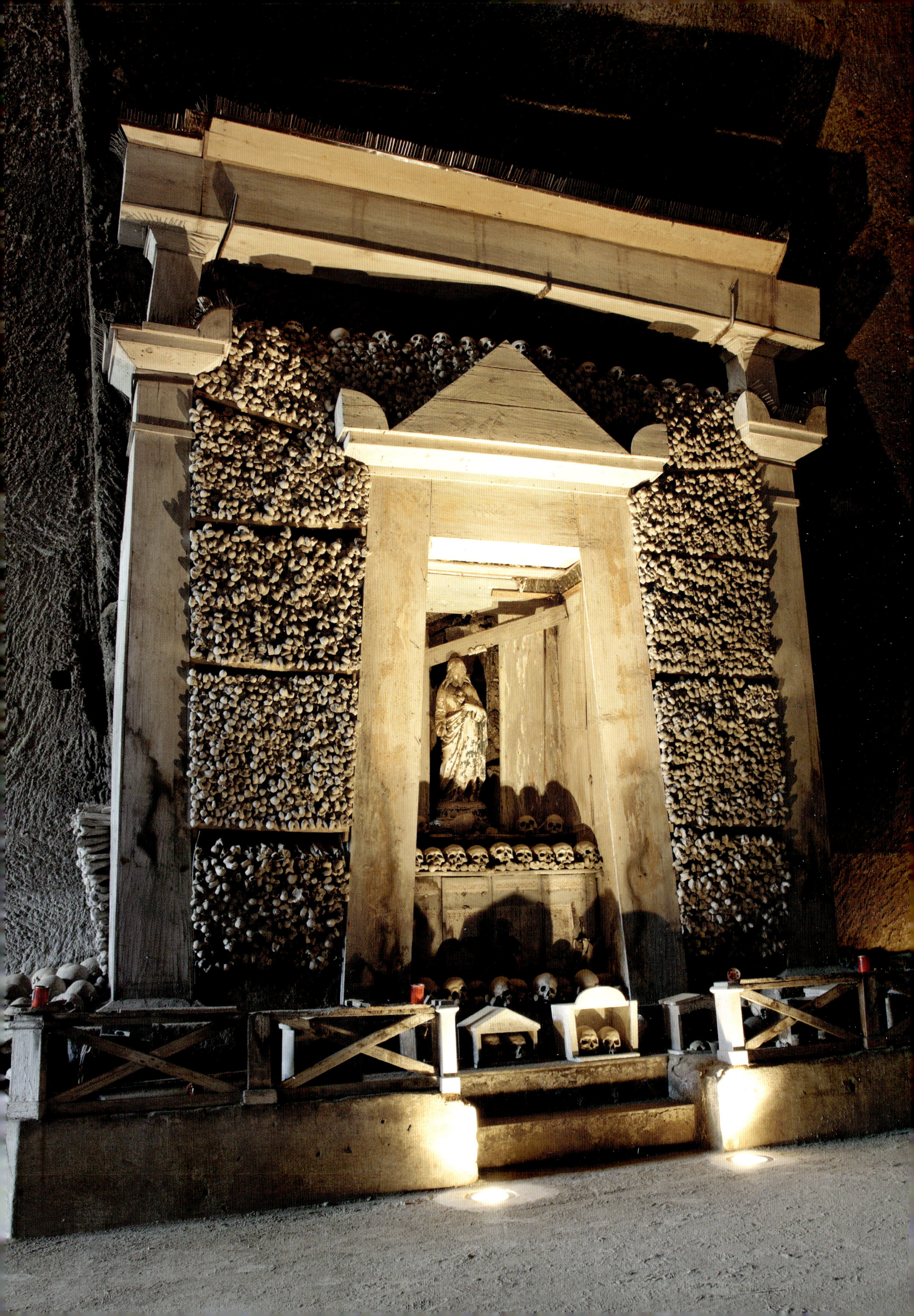

「フォンタネッレ墓地」［ローマ、イタリア］

[前頁-205]　フォンタネッレ墓地にある骨は、そのほとんどがそのままむき出しで置かれているか、小さな祠に納められているかのどちらかだが、一つだけ大きな建造物がある。ペディメントのあるこの門は大量の長骨に縁どられている。その中央には、あたかも墓から現れ出たかのように、キリスト像が立っている。

[上-206]　「祈願成就（Per grazia ricevuta）」とは、恩寵に感謝を表すために用いられる表現。よく使われる言い回しで、1971年度のカンヌ映画祭で賞を獲得したイタリア映画のタイトルにもなった。フォンタネッレの祠に一番多く記された文句である。

「フォンタネッレ墓地」
［ナポリ、イタリア］

［上－207］　フォンタネッレ墓地には中心となる空間が二部屋あるが、そのうちの一部屋の裏側に写真の十字架がある。洞窟内には古代ギリシャ・ローマ時代の遺跡もあるが、現在のような状態になったのは、大部分が1872年以降、ガエターノ・バルバティ神父がこの場所を新たにしつらえる任務に着手してからのことである。

［次頁－208］　もう一つの大きな部屋には、キリスト磔の地ゴルゴタを象徴する3本の十字架が立つ。中央の十字架の土台に置かれた頭蓋骨の一つが「町で最も有名な魂」である「大佐」の頭蓋骨と言い伝えられている。右側の祠には、やはり「祈願成就」と刻まれている。

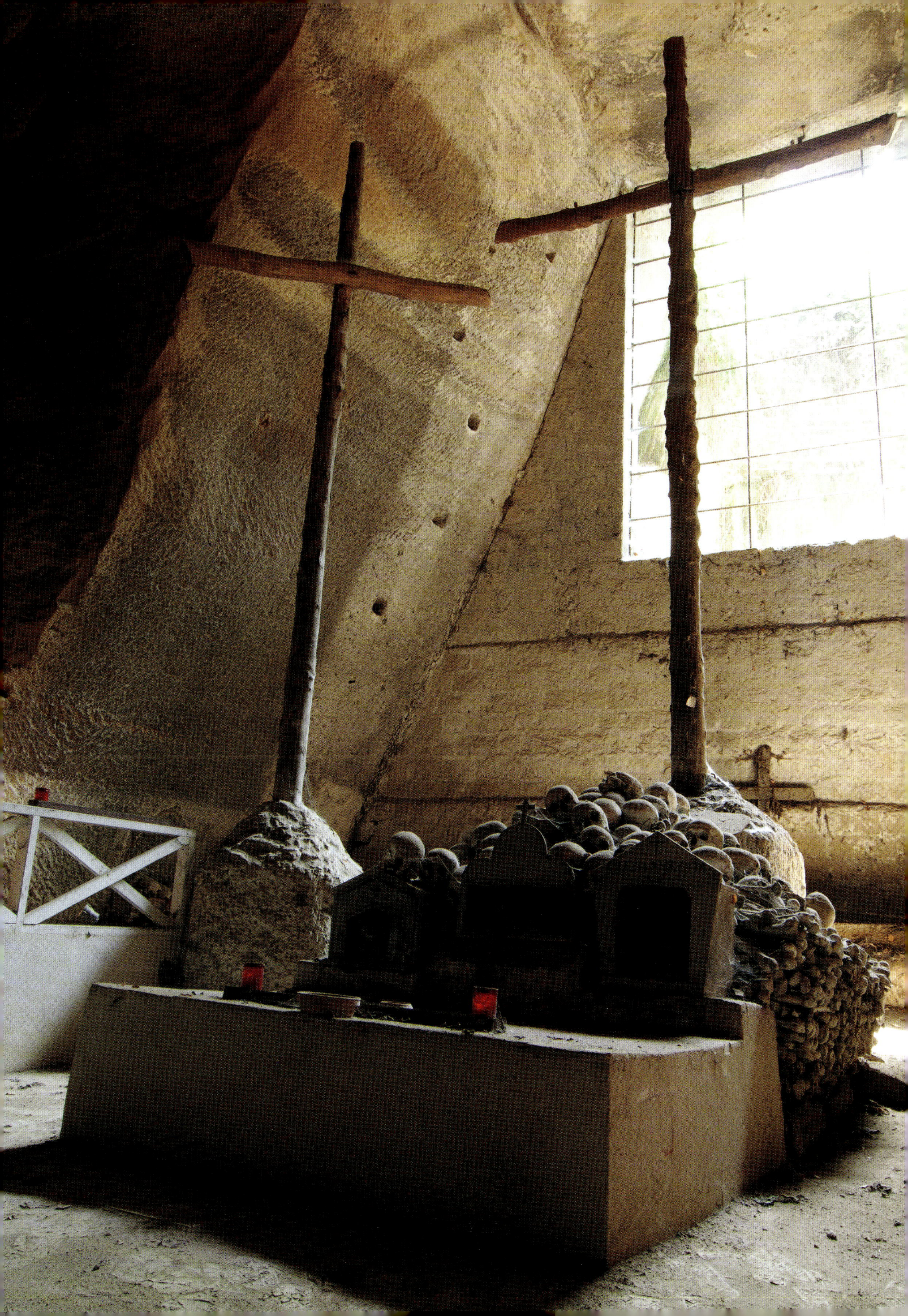

第四章　天国の魂──骨の山にまつわる神話と心霊術

「フォンタネッレ墓地」
[ナポリ、イタリア]

[本頁－209]　全盛期には多くの市民が、くじの当たり番号を啓示してくれるのではないかと期待してこの場所を訪れた。なかでもドン・フランシスコの名で有名な頭蓋骨には的中させる力があるとされ、その信奉者たちは、彼が当たりの組み合わせを知らせてくれると信じていた。

「フォンタネッレ墓地」
[ナポリ、イタリア]

[本頁－210]　上段と下段のそれぞれ中央に置かれた2つの祠には、伝統的な「祈願成就」の文句が刻まれているが、下段の左右にある祠には、頭蓋骨を個人の所有物として示すために、それぞれの頭蓋骨を引き受けた人々の名前が刻まれている。

第四章　天国の魂──骨の山にまつわる神話と心霊術

「フォンタネッレ墓地」
［ナポリ、イタリア］

［本頁－211］　右から二つ目の祠にはガエタナ・ミッリャレシなる寄進者の名前と1950という年次が刻まれている。1969年にコッラード・ウルジ枢機卿の命で閉鎖されるまで、20世紀後半になってもなお、魂との交流が盛んに行われていた。

「フォンタネッレ墓地」
［ナポリ、イタリア］

［本頁-212］　祠が一番の奉納品だが、他にも感謝の気持ちを示す贈り物はいろいろある。祠の前にあるのは、ぼろぼろになった、祈願の蠟燭を置く真鍮の容器である。小さな白い銘板には、祈願成就を感謝して寄進したミケーレ・ダマートの名と1949年7月18日の日付が記されている。

第四章　天国の魂——骨の山にまつわる神話と心霊術

「シャルルマーニュの墓室(聖霊礼拝堂のクリプト)」
[ロンセスヴァージェス、スペイン]

[本頁－213]　「シャルルマーニュの墓室」と名付けられたのは、地下室の長く深い形状と、シャルルマーニュ(カール大帝)と関連があると信じられていたためである。ここが封鎖されたのは12世紀と考えられるため、ここの骨を『ローランの歌』と結びつける伝説に何の根拠もないのは確かだが、骨の来歴は謎に包まれている。

第五章

我を忘れることなかれ

記憶の場としての納骨所

✧

FORGET ME NOT

Ossuaries as Commemorative Sites

第五章　我を忘れることなかれ——記憶の場としての納骨所

　ーランとフランスの勇将たちをロンセスヴァージェスの遺骨と結び付ける伝説は極端な例であるにしても、納骨所にある骨を地元で起きた虐殺の犠牲者の遺骨と空想する傾向はどこにでも見られる。イングランドのハイズにある、セント・レナーズ教会地下納骨所の骨【214】は、他のどの納骨所にもまして、多くの戦いと関連付けられてきた——時には戦いそのものが架空のこともあった。1830年代、推定4000体の遺骨が地下納骨所いっぱいに積み重ねられ、二つある出入口の尖頭アーチには、頭蓋骨がアーチの先端まで達する棚に並べられた。[*1] この場所について記した昔の歴史書は、骨の由来について確実な事はわからないと率直に述べている。しかしやがて、13世紀に近郊で殺されたフランス人兵士の遺骨をこのコレクションの始まりとする説が生まれた。18世紀後半までにはこの説に代わり、850年代、アングロ・サクソン系のマーシア国王エセルウルフの軍隊との激しい戦闘で亡くなった、侵入者デーン人の遺骨とする説が主流となった。それによると、アングロ・サクソン人は戦いで消耗し、死骸を処理することができなかったため、デーン人の遺体を朽ちるままに放置し、白骨化した後に骨を集め教会に預けた。この説は信憑性があるとされ、19世紀には納骨所でその通りの由来が紹介されていた。

セント・レナーズ教会の遺骨は、他のどの納骨所にもまして、多くの戦いと関連付けられてきた——時には戦いそのものが架空のこともあった

　やがてこの説は、456年にハイズ近郊で起こった、ヴォーティマー王率いるブリテン人とサクソン人との戦いにからんだ別の説に取って代わられた。今度はより複雑さを増した。戦場に放置されていた遺骨が運ばれて来たところまでは同じだが、遺骨は完全に分類され、ブリテン人の骨はハイズの納骨所、サクソン人の骨はフォークストーンの納骨所に預けられたという。フォークストーンの納骨所を突き止めたとはどこにも記されていないが、この説も信用を得て、地元の歴史家に歓迎された。「専門家」の中には該当する場所を見つけられず困惑する者もいたが、その存在は確信していたようだ。この話は徐々に発展し、ハイズの納骨所を写した、現存する中で最古の写真に添えられたメモから察するに、19世紀のいつ頃からか、骨はヘイスティングズの戦いに由来するとさえ考えられていたようだ【230→p.162】。戦闘説を引用する際にそれを裏付ける有力な証拠として挙げられたのが、骨の山には成人男性の骨しかないという主張であった。しかしこれは明らかに事実に反する。女性はもちろん、子供の骨も相当数含まれていることは、以前から知られているからだ。[*2]

154

ハイズとロンセスヴァージェスの骨は、信頼に足る証拠よりは活発な想像力によって有名な戦いに結び付けられるようになったが、本当の戦争犠牲者の骨で飾られた巨大な記念碑は歴史上数多く存在し、記念の場として機能した納骨堂という、一つの重要なカテゴリーを成している。実際、人骨で飾られた最初の建造物は戦闘の記念品で、虐殺された人々の骨で記念碑を作る欲求は近代まで続いた。最近のそうした例はカンボジアのチュンエク村にある仏塔(ストゥーパ)で、ここにはクメール・ルージュの虐殺現場(キリング・フィールド)から掘り出された約5000個の頭蓋骨が展示されている【215】。戦死者の遺骨で記念碑を作る伝統は、中央アジアにおいては少なくとも14世紀のモンゴル人征服者ティムールの時代から続く。制圧した敵の頭部で塔やピラミッドを建設するのは稀なことではなかった。そうした建造物は、勝利の記念と、征服者への抵抗を試みる可能性のある被征服民への威嚇という二重の目的にかなっていた。ティムールは、バグダッドとイスファハン近郊にそうした塔を建設したことで知られる。伝説によればそのうちの一つは、およそ10万個の頭蓋骨から成るとされたが、この数が相当誇張されたものであるのはほぼ間違いない。はるか東方のインドにも同様の建造物は存在した。うち一つはアクバルがパーニーパットでの勝利の後に建てたものだが、現存せず、ムガール時代の細密画から往時の姿がしのばれる。*3

ヨーロッパに限ると、そうした記念碑的納骨堂で最も有名な建造物が、チュニジアの沖合に浮かぶジェルバ島にかつて存在した【216-217】。16世紀後半の建造とされ、マルタ島からトリポリへ向かう途上この島を略奪したスペイン人の頭蓋骨が嵌め込まれていた。町中で強姦と略奪を繰り返した後、酔って前後不覚になったスペイン人は、サラセン人の反撃にあって皆殺しにされた。その結果生まれた建造物は、「ブルジュ・エル・ルース」と呼ばれ（「頭蓋骨の塔」を意味するアラビア語の「Brj r'iys」が転訛したと思われる）、ほぼ円錐状の形で高さはおよそ10m、頂上にはスペイン人司令官フアン・デ・ラ・サエラの頭蓋骨が載っていた。頭蓋骨はモルタルに嵌め込まれ、控えめな見積もりで約800個の頭蓋骨が塔に嵌まっていたという。*4 ブルジュ・エル・ルースは1848年まで残っていたが、島のキリスト教系住民の要求で破壊され、住民が頭蓋骨をカトリックの墓地に埋葬した。塔を描いた古い版画からかつての姿を知ることができる。

> そうした建造物は、勝利の記念と、征服者への抵抗を試みる可能性のある被征服民への威嚇という二重の目的にかなっていた

第五章　我を忘れることなかれ——記憶の場としての納骨所

　今なお残るそうした記念碑は、セルビアのニシュにある頭蓋骨の塔のみで[218]、19世紀初頭、トルコの支配に対し反乱を起こしたセルビア人愛国者の頭蓋骨を使って建てられた。1809年5月19日、ニシュのチェガルの丘で、反乱の指導者ステヴァン・シンデリッチほか3000人のセルビア人が殺された。戦いの後トルコ人は地元住民を威嚇するために兵士の頭を切り落とし、綿にくるむと、戦利品としてイスタンブールへ送った。トルコのスルタンは、頭蓋骨をさらせば威嚇の効果が一層高まると考えた。彼は頭をニシュに送り返すよう命じ、反乱が無駄な行いであることを示す象徴として、人の往来が激しい道路の脇に塔を建てた。高さ9mの4面体の塔は、各面に、横に17個ずつ14列の頭蓋骨がモルタルに嵌め込まれていた。地元民を脅すことだけを意図した構造のため、野外で風雨にさらされると直ちに破損した。頭蓋骨の多くがセルビア人に盗まれたが、彼らはそれらを埋葬するか聖遺物として家に持ち帰った。1830年代、期待に胸を膨らませてやって来た旅行者はその有様に失望すると「取るに足らないしろもの」と評し、塔の完成からわずか20年しか経っていないのに、残る頭蓋骨は数個しかないと述べた。[*5] 1850年代までに塔はひどく荒れ果て、鳥が巣を作っているのを発見したイギリス人が、「大昔のセルビア人愛国主義者の空ろな頭蓋骨にツバメの卵が一個孵化していた」と報告したほどだった。[*6] 1878年にトルコの支配からニシュが解放された時もまだ老朽化した建物は残っていて、セルビア愛国主義の記念碑として保存する決定が下された。風雨から保護するために全体が覆われ、1892年には近くに礼拝堂が建てられた。952個の穴のうち、60個の穴にはまだそのまま頭蓋骨が残っており、頭蓋骨の塔の遺跡は旧世界式の蛮行を伝える唯一無二の記念碑となっている。

　戦闘を死者の骨で記念する同様の伝統は西欧で発展したが、通常は礼拝堂の建設を伴っており、事実上、記念行事と宗教儀式の両方に使える記念建造物を作り出した。今はもうないが、歴史上名高い場所がスイスのモラ（ムルテン）に存在した[219]。ブルゴーニュ伯シャルル1世のフランス軍が1476年にスイス軍により打ち負かされた後、フランス人兵士の遺体はすぐに埋葬されたが、4年後に掘り出され、スイス人の武勇と国の独立の記念物として礼拝堂の室内を飾った。銘板によれば、打ち負かされたフランス軍兵士の遺骨の展示を「全能にして全き善である神に」捧げていた。[*7] 納骨堂は窓から中が見える造りで、兵士の遺骨の数は8000から1万体分とされていたが、おそらくその数は誇張だろう。[*8] 礼拝堂は3世紀以上その場所にあったが、1798年、祖国の名誉に対する侮辱と考えたフランス人兵士により破壊された。アレクサンドル・デュマがその破壊の様子を、フランス人兵士が「国家的恥辱の記念物をすべて消し去るため、遺骨を湖に投げ捨てた」と記している。[*9]

　モラの納骨堂に対する反応はともかく、戦争記念碑兼納骨堂という着想を受け入れたフランス人は、1916年のヴェルダンの戦いの跡地近くにあるドーモンに、その種のものでは最大の建造物を建てた。第一次世界大戦時の激戦の犠牲者を記念するため、1932年に落成した建物には20万から30万の兵士の遺骨が、カトリックの礼拝堂と二本の長い回廊の下に保管されている。死者は発見された区画ごとに一まとまりにされ、回廊内部の26の記念碑に名が刻まれた。ドーモンでは骨は飾られることなく建造物の下に納められ、窓越しに覗くことしかできない。

フランスの納骨礼拝堂には、実際に戦争犠牲者の骨で飾られ、今もそのまま残る所もある。リヨンのブロットー礼拝堂[220]は、1793年に革命政府の行き過ぎた行為に抵抗し、射殺された209名の市民の遺骨を収容している。聖職者への襲撃や、罪のない人々が嫌疑をかけられて逮捕・拷問されたことに憤った地元民が火薬庫を襲い、市庁舎を占拠した。国民公会は反乱を鎮圧するため、市に6万の軍勢を送った。市を防御した市民の数はわずか8000で、徹底的に制圧され、6ヶ月におよんだ報復攻撃のあいだに2000人が死刑に処された。1819年、処刑が行われたブロットー平野に犠牲者を記念して市が教会を建てた。エジプトのピラミッドを模した珍しい造りだが、十字架を屋根の上に頂いていた。扉の上のペディメントには「神の栄光のため／1793年のリヨン包囲戦の犠牲者のため」と彫られてあった。11ヶ所の共同墓地から掘り返された骨とともに、地元軍を指揮しスイスへ脱出したプレシー伯ルイ・フランソワ・ペランの遺体もそこに埋められた。毎日のミサは教会の管理を任されたカプチン会修道士たちによって執り行われた。ピラミッド型の建物は19世紀末に取り壊され、より伝統的なバシリカ様式の建物に建て替えられると、1906年に骨はクリプトへ移された。クリプトの両側の壁に沿って骨は積み上げられ、部屋の中央にあるプレシー伯の墓を側面で守っている。[*10] 教会は現在ドミニコ会によって管理されているが、所有しているのはリヨンを守った人々の子孫から成る団体で、この団体が年に二回クリプトでミサを行い、市のために命を落とした人々のために祈りを捧げている。

　しかしながら、戦死者の遺骨を収容する納骨礼拝堂の伝統がもっとも浸透しているのはイタリアである。最初にそうした礼拝堂が建ったのは海辺の町オトラント[221]で、ここは1480年、トルコの艦隊によって略奪された。教会は完全に破壊されて聖職者は拷問され、地元民は虐殺された。ある報告によると、「祭壇から引きずり降ろされた灰色の髪の大司教はのこぎりで身体を二つに切り裂かれ」、コーランを受け入れるのを拒否した民衆は虐殺された。[*11] 地元の記録によれば約1万2000人が命を落とした。この数字はおそらく誇張だろうが、900個の頭蓋骨を掘り出せるだけの犠牲者を出したのは確かで、頭蓋骨は1500年に大聖堂の後陣(アプス)のそばに付設された記念聖堂の、壁の飾り棚に安置された。頭蓋骨は、他の骨や少量の炭化した皮膚とともに、地元では犠牲者の丘として知られる近くの平原から取り出された。時が経つにつれ頭蓋骨は聖遺物として地元で崇敬されるようになった。異例なことではあるが、18世紀、教皇クレメンス14世は犠牲者全員を列福し、礼拝堂に唯一無二の威信を授けた。ここは収容された遺骨全てが列福された唯一の納骨堂である。[*12]

「祭壇から引きずり降ろされた灰色の髪の大司教はのこぎりで身体を二つに切り裂かれ」

オトラントは、イタリアに数多く存在する納骨礼拝堂の中で、兵士によって贖われた犠牲を称えるために愛国主義が宗教と結びついた最初の例である。こうした場所は特にイタリア北部で、独立を求め国同士が戦っていた19世紀に急増した。1848年と1866年にイタリア軍とオーストリア軍の間で激戦が繰り広げられたヴェローナ近郊のクストーザでは、納骨所と礼拝堂が一体になった著名な建築物が建てられた【222】。建築家ジャコモ・フランコ設計の石造りの建物は1879年に落成し、戦いの双方の犠牲者の4000を超える頭蓋骨が、八角形の回廊に沿って設置された棚に陳列された。納骨所の中央に積み上げられた、主に長骨から成る大きな骨の山には十字架がつけられ、その前には主要な指揮官の遺骨を納めたケースが置かれた。この部分は高さおよそ40mのオベリスクの基礎にあたる。建物はこの地域で一番標高が高いベルヴェデーレ山の頂上に位置するため、来訪者に大変強い印象を与える。オベリスクの内部には礼拝所があり、外壁には戦いの日付と、「戦場に倒れし勇敢なる犠牲者に平安があらんことを」の文章が刻まれている。

第二次イタリア統一戦争中の1859年、オーストリア軍と、イタリアのピエモンテとフランスの合同軍の間で闘われたソルフェリーノの戦いは、二つの納骨礼拝堂ばかりか、国際的な救助団体の設立によっても記念された。ジェノヴァ出身の実業家アンリ・デュナンは戦いの三日後に到着し、4万人にも及ぶ死傷者を目の当たりにした。死者の数があまりに多く、排水溝に遺体を埋葬しなければならないほどだった。その光景に衝撃を受けたデュナンは「ソルフェルーノの記憶」と題した本を著し、負傷兵を治療する中立組織の設立を提唱した。そして自身の提案を実行に移し、赤十字を創設したのである。埋葬から10年――地元の法律で当時規定されていた、遺骨発掘までの最短期間――を経て、一つの団体が設立され、ソルフェリーノ【239-245→pp.170-173】とサン・マルティーノ・デッラ・バッターリャ【246-248→pp.174-175】に納骨礼拝堂が建設された。6ヶ月以上かけて何千体もの遺骨が掘り出されたが、その作業に当たったのは地元の農民たちで、彼らの多くは10年前に遺体を埋葬していた。

どちらの礼拝堂も基本的に同じ設計で、後陣を囲む、天井まで達する曲線状の棚に頭蓋骨が並べられ、床にある開口部からクリプトに並べられた頭蓋骨が見えるようになっている。デゼンツァーノ・デル・ガルダ郊外にあるサン・マルティーノでは1274個の頭蓋骨が礼拝堂に展示されている。クリプトでは頭蓋骨の前にイタリア軍司令官アレッサンドロ・テバルディの名声を称える骨壺が置かれている。ソルフェリーノの礼拝堂は以前サン・ピエトロ・イン・ヴィンコーリ教区教会であったが、大砲で損壊し修復された。この建物の方がやや大きく、翼廊(トランセプト)部分にも頭蓋骨を収容し、全部で1413個ある。また展示もより演劇的で、クリプトに掲げられたイタリア国旗と、後陣の前に垂れ下がるヴェルヴェットの幕で舞台空間のように見せていた。活人画を演ずるかのごとく、幕の前には骸骨が置かれていたが、その後取り除かれた。脇の部屋には発掘の過程で発見された医学的異常を示す骨が展示されているが、それよりも来訪者の心を揺さぶるのが、戦争という悲劇を思い出させるため置かれた故人ゆかりの品々である。その中には遺体と一緒に発見された、フランス人兵士が恋人へ宛てた手紙もある。[*13] 納骨堂の落成式は華やかに執り行われ、戦いに関わった国々は政治家や軍人からなる代表団を派遣した。彼らは平和という大義を称え、骨の展示によって示された寓意を認めるためにやって来た。戦場の敵も今や死に臨む戦友である。来場者の中には芝居がかった展示をあざける者もいた。アメリカの旅行作家ジョン・スタッダードは「4体の骸骨が式典の案内人のように立つ……怪しげな趣味」と評した。[*14] しかし戦いのもたらした結果に苦しんだ人々にとって、教会は厳粛な追憶の場となり、遺族から感謝の言葉や遺品が次々と寄せられた。

> 彼らは平和という大義を称え、骨の展示によって示された寓意を認めるためにやって来た。戦場の敵も今や死に臨む戦友である

記念納骨堂は戦没者に限らない。ポルトガルはカンポ・マヨルの教区教会、エスペクタソン聖母教会には平和な時代に起きた災害の犠牲者を追悼するために建てられた、小さいながらも注目に値する骸骨堂（Capela dos Ossos）【223】がある。1732年9月16日、大嵐の最中に雷が城の塔を直撃し、中に保管されていた6000バレルの火薬と5000発の弾薬に引火した。続いて起こった火災で家屋836棟が焼け、1076名の死者が出たが、遺体の多くは損傷がひどく、見分けがつかないほどだった。死者は共同墓地に埋葬されたが、1766年に800人分の遺骨が掘り出され、教区教会の中庭を挟んで向かい側にある礼拝堂を飾るために用いられた。*15 カンポ・マヨルの礼拝堂は、同種の建造物の中で建築的に最も洗練されており、伝統的な建築ディテールを模倣し、反復と分節のパターンを定めるために骨が用いられている。長骨で出来た偽のアーチが礼拝堂の真ん中にかかり、長い方の壁を二つに分けている。壁の一方には入り口の扉と大きな壁龕が一つ、反対の壁には壁龕が二つある。長骨で作られた壁龕には焼けこげた皮膚がわずかに残る骸骨が一体ずつ納まり、目の高さよりやや上に置かれた骸骨は、この小さな礼拝堂の支配者として君臨しているかのようだ。天井部分のアーチの両側は、並んだ頭蓋骨でさらに四つの三角形に分割され、ゴシック建築のリブ・ヴォールトを模した造りとなっている。

この納骨堂は現在も大災害で亡くなった人々を追悼している。祭壇には花や蠟燭が絶やさず供えられ、犠牲者のための祈祷が捧げられている。記念の場としての礼拝堂の役目は、広場に面した窓の周囲に残る、骨のかけらを使って書かれた銘文に要約されている。文字の大半が剥がれ落ち、全ての単語をはっきりと識別できないが、納骨堂で通常見られるメメント・モリの銘に比べやや冗長で語調も異なる。まだ判読可能な最後の節、「主よ、彼らに永遠の休息を与えたまえ」は生者ではなく神に向かっての呼びかけである。礼拝堂は大災害で亡くなった人々の、煉獄にいる魂に奉献された。死者のために祈りを捧げることで彼らが十分に苦しんだことを神に証明し、1732年の大火によりすでに彼らの罪は清められたので、彼らが天国へ入ることを認めてもらえるよう願ったのだ。

これまでに紹介してきた事例が示しているように、特定の人々の死を追悼するための納骨堂の利用には、伝説に彩られた長い歴史があった。その場合、死者たち自身の骨が彼らの記念碑を形作った。しかしながら、納骨堂が個人の墓に用いられる例——要するに、他人の骨を用いて一個人を記念する——はきわめて稀である。その一例が、19世紀オーストリアの作曲家アントン・ブルックナーの墓である。少年の頃のブルックナーは、リンツ近郊のザンクト・フローリアンにあるアウグスティノ会修道院で最初は聖歌隊員、後にオルガン奏者を務めた。ヨーロッパ最古の修道院の一つ、ザンクト・フローリアン修道院は、1071年創設の少年合唱団で世界的に有名である。ブルックナーはその長い伝統の中で最も名声を博した門下生であったので、記念として小バシリカ聖堂地下にあった古い納骨堂が、1896年の彼の死後、墓として新たに整えられた【224】。鉄格子の後ろに、奥の壁に向かって、長骨を間に挟んだ頭蓋骨の列が整然と積み上げられ、作曲家は部屋の真ん中の、骨に対置する形で置かれた石棺の中に横たわっている。ブルックナーの遺骸は合唱団と向かいあう指揮者のように頭蓋骨の方に面しているが、修道院の誰一人、この配置が意図的かどうか知らなかった。

159

個人の墓として納骨堂を利用した中で最も驚嘆すべき例を、ペルーのアンデス山地の小さな村ランパにある、サンティアゴ・アポステル教会に見ることができる【225-226】。世界で最も珍しい、マカーブルな埋葬記念碑の一つに挙げられるのは、地元の政治家で鉱山の事業主だったエンリケ・トーレス・ベロンが永眠する場所で、始めから一個人の記念碑として創建された唯一の納骨堂である。地元以外にほとんど知られていない奇妙な埋葬建造物は、1960年代にベロンの私財を投じて建設された。16世紀に銀採掘の町としてランパを建設したスペイン人の末裔ベロンは、老朽化した植民地様式の教会が修復されることになった時、教会を譲渡してくれるなら、その資金を提供しようと持ちかけた。ベロンはスペイン人の骸骨——彼の祖先の遺骨で、彼の考えでは継承財産の一部——を発掘し、夫婦の墓をその骨で飾りつけることを望んだ。2000個以上の頭蓋骨が掘り返され、教会地下の10mの深さの墓室に飾られた。さらに複数の遺体の骨を関節でつないで合成した約50体の骸骨が組み合わされた。骸骨は脊柱を伸ばすため余分な椎骨が加えられ、頭蓋骨は二つ、一つは横向きにもう一つの上に載せられた。しかも手首と足首から先の部分はない。このような解剖学的に誇張した表現を依頼したベロンの意図は不明だが、1968年初頭に建物は完成し、翌年ベロンが亡くなると、彼はアンデスのマウソロス王としてそこに安置された。[*16]

墓は円筒状の地下室の基底部にあり、壁に並んだ骸骨が一種の死の舞踏(ダンス・マカーブル)を再現している。骸骨の列は上下を頭蓋骨の列に接し、頭蓋骨の中には交差した骨と組み合わされたものもある。気味悪い内装は、簡素な石造りの大きなドームという、比較的凡庸な外観を目にした後では驚かされる。ドームの上に頂くのは、ミケランジェロの有名な作品を複製したアルミニウム製のピエタ像で、屋根に開いた円形窓の真下に飾られている。内装と外装は一見ちぐはぐなようだが、全体としてみると、墓から様々なメタファーが読み取れる。墓の内部は下へ向かって徐々に暗くなり、死の暗黒を再現している。一方、穏やかで素朴な外観は上方のピエタ像と、円形窓から差し込む光と調和する。あわせて眺めると、墓の二つの要素が対話を形作り、肉体上の死が信仰と魂の啓蒙を通じて克服されるかのようだ。

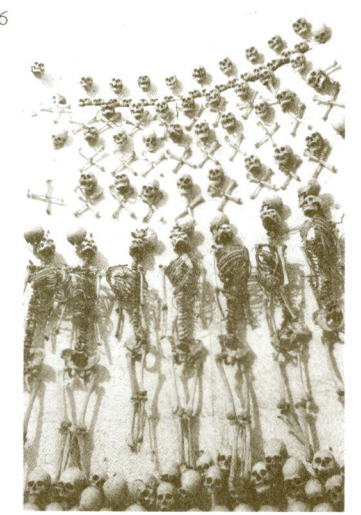

人里離れた小さな町ランパに暮らす住民の大半はアンデスの先住民で、この墓は地元の民話や迷信の中で重要な位置を占めている。ドームの前にあるのは祭壇で、教会によって公式に宣言された2つの祝祭日には、ここで祝典が執り行われる。その7月12日と10月16日はベロンの誕生日と命日にあたり、ランパでは万霊節に近い重要性を持つようになった。しかしながら、この祭壇の後ろには小さな窓があり、そこには伝統的に5個の頭蓋骨が置かれ、しばしば非公式の供物——飴、煙草、コカの葉が一般的——が捧げられていた。墓所内の死者の魂が仲介者の役目をし、自分たちに恩恵を与え、苦しみを取り除いてくれると信じる地元民がお供えしたものである。

ベロンの墓が建造されたのが最近であることを知った観光客はしばしば驚く。このようなマカーブル趣味は過ぎ去った時代の遺物と一般に見なされているからだ。しかしこの作品が、現代版メメント・モリの特異な一例という訳ではない。保存の必要から、現在に至るまで多くの納骨所で作業は続けられており、また全面的な修復により、古い納骨所が新たに現代的な造りに変わることもある。

> 地元以外にほとんど知られていない奇妙な埋葬建造物は、1960年代にベロンの私財を投じて建設された

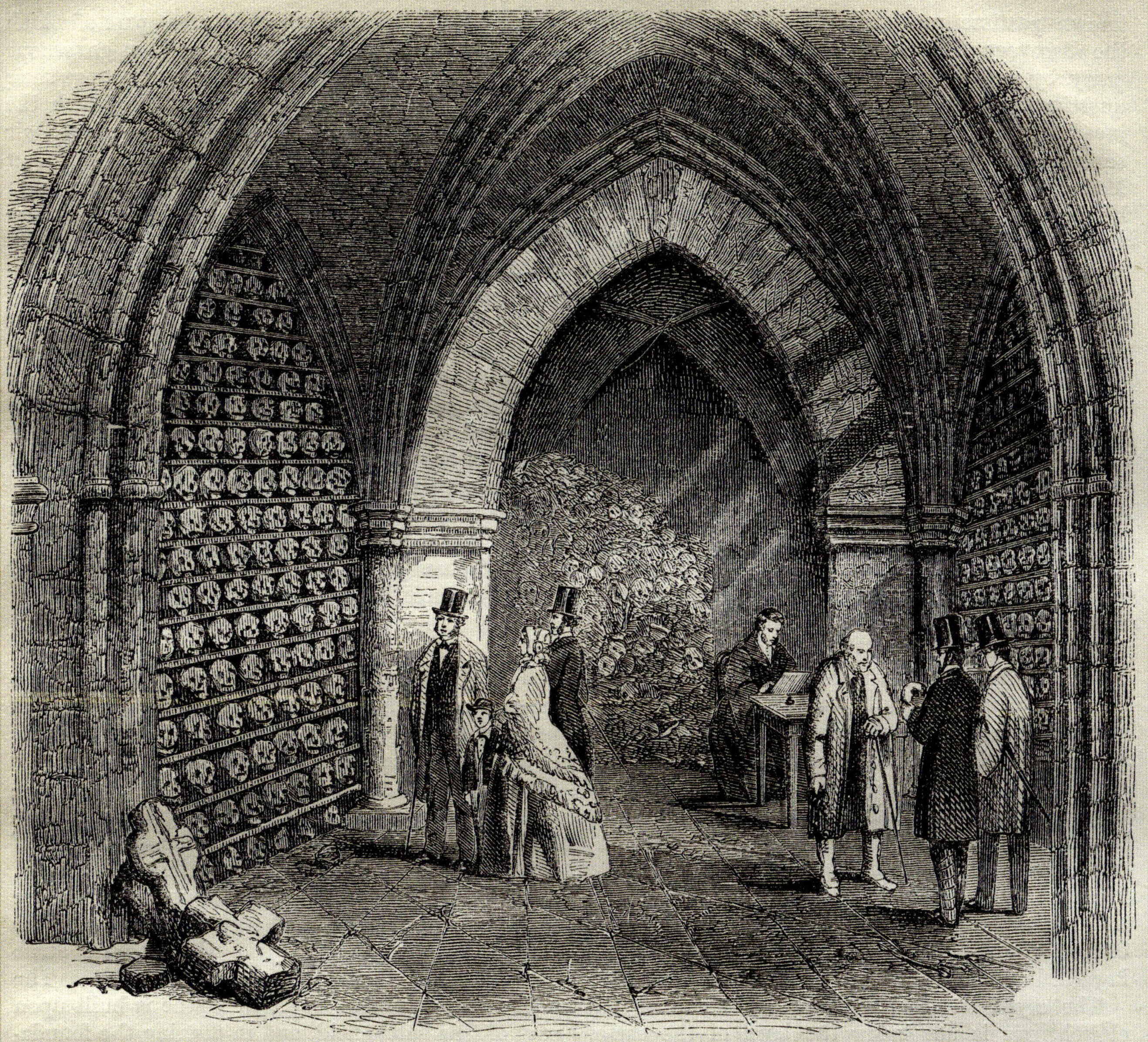

「セント・レナーズ教会のクリプト」
[ハイズ、イングランド]

[上-228]　頭蓋骨はクリプトの正面と裏口の両側にある尖頭アーチの下に何段にも積まれている。18世紀の文献には、通路いっぱいに積み重なった骨に関する言及はあるが、アーチの下の骨については一切触れていない。頭蓋骨がここに並べられたのは1830年代のことかもしれない。

[次頁上-229]　現在クリプトと呼ばれている場所は、以前周歩廊だった部分で、宗教改革期までは行列用の通路として用いられていた。ここに骨が集積されるようになったのはそれ以後だという説が有力である。そうでなければ行列の邪魔となり、厳かな雰囲気をそこねたであろう。

[次頁下左-230]　鶏卵紙に印画されたこの古い写真は推定1860年代の撮影で、セント・レナーズ教会納骨所を写した最初の写真。写真の下の方に、骨は「ヘイスティングズの戦いで倒れた人々のもの」と書き込まれている。骨の由来にまつわる数多くの伝説の一つである。

[次頁下右-231]　1910～20年代の絵葉書。イングランドに残る最も有名な納骨所として、セント・レナーズ教会のクリプトはケントの海岸を訪れる観光客のあいだで長らく人気を集めていた。早くも19世紀半ばには、旅行案内書に紹介されていた。

Hythe, Church Crypt.

163

第五章　我を忘れることなかれ——記憶の場としての納骨所

「チュンエクのキリング・フィールド慰霊塔」
［プノンペン、カンボジア］

[本頁－232]　かつては果樹園と中国人墓地であった、プノンペン近郊の集団墓地で発見された9000人の遺骨がこの記念館に収容されている。1975〜79年のクメール・ルージュによる虐殺の犠牲者で、その多くはトゥールスレン監獄の収容者だった。下の部分には犠牲者の墓から掘り出された服が納められている。

「頭蓋骨の塔（Ćele Kula）」［ニシュ、セルビア］

第五章　我を忘れることなかれ——記憶の場としての納骨所

「ブロットー礼拝堂のクリプト」
［リヨン、フランス］

［上－234］　ブロットー礼拝堂は、自分たちの町のために命を犠牲にした人々を追悼する記念館として使われている。5月と10月の第3月曜には祈祷式に続き、特別なミサが捧げられる。

「オトラント大聖堂の納骨礼拝堂」
［オトラント、イタリア］

［次頁－235］　1480年の大虐殺（157頁参照）の犠牲者にまつわる奇跡が語り伝えられている。最初にアントニオ・プリマルドが首をはねられたが、彼の胴体は立ち上がった。トルコ人は牛を使ったが、それでも彼の胴体を倒すことが出来なかった。最後の犠牲者が倒れるまで立っていたという。

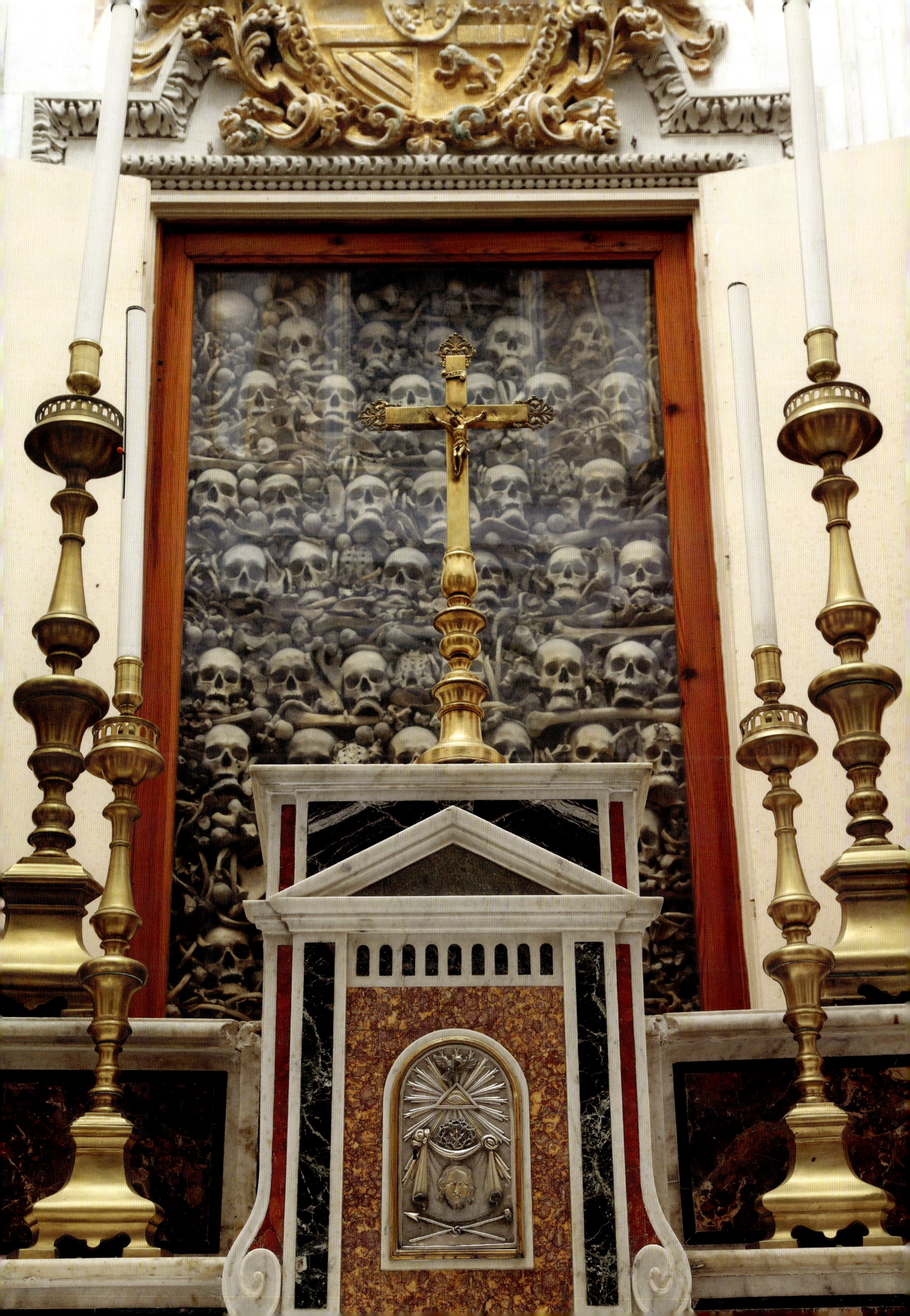

「クストーザ納骨堂」［クストーザ、イタリア］

[上－236]　ドイツで出版されたこの版画の下絵を描いたのはイタリアの画家アントニオ・ボナモレで、落成式（158頁参照）の様子を数枚のデッサンに描き残した。クストーザの戦いがオーストリア側の圧倒的勝利だったせいもあるかもしれないが、この納骨堂がドイツ語圏の読者に人気の主題だったことを示している。さらに1879年には詩も書かれた。

[次頁上－237]　納骨堂の設計案を競うコンテストが催され、八角形の回廊を基本とするジャコモ・フランコの案が優勝した。回廊の通路に沿って設置された6段の棚に頭蓋骨が並べられており、ざっと見たところその数は4000個以上に及ぶ。

[次頁下－238]　納骨堂の中央は長骨が大きな山となって積み重ねられ、その前に軍所属部隊の記章と将校の頭蓋骨を納めたガラスケースが展示されている。このケースに収められているのはルイジ・ジョルダネッリ大尉の頭蓋骨で、1866年6月24日にイタリア軍が敗北した時、第四歩兵隊を指揮していた。

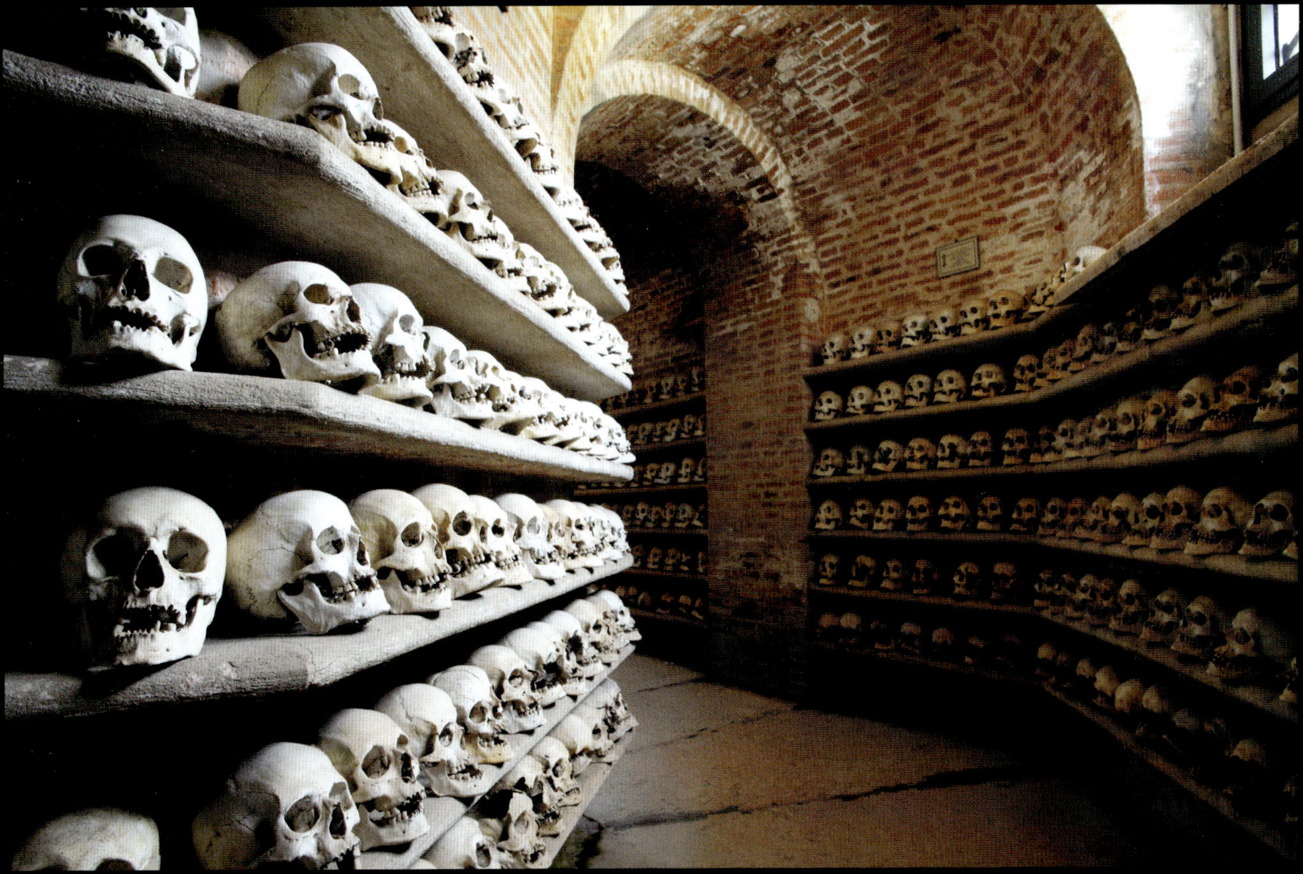

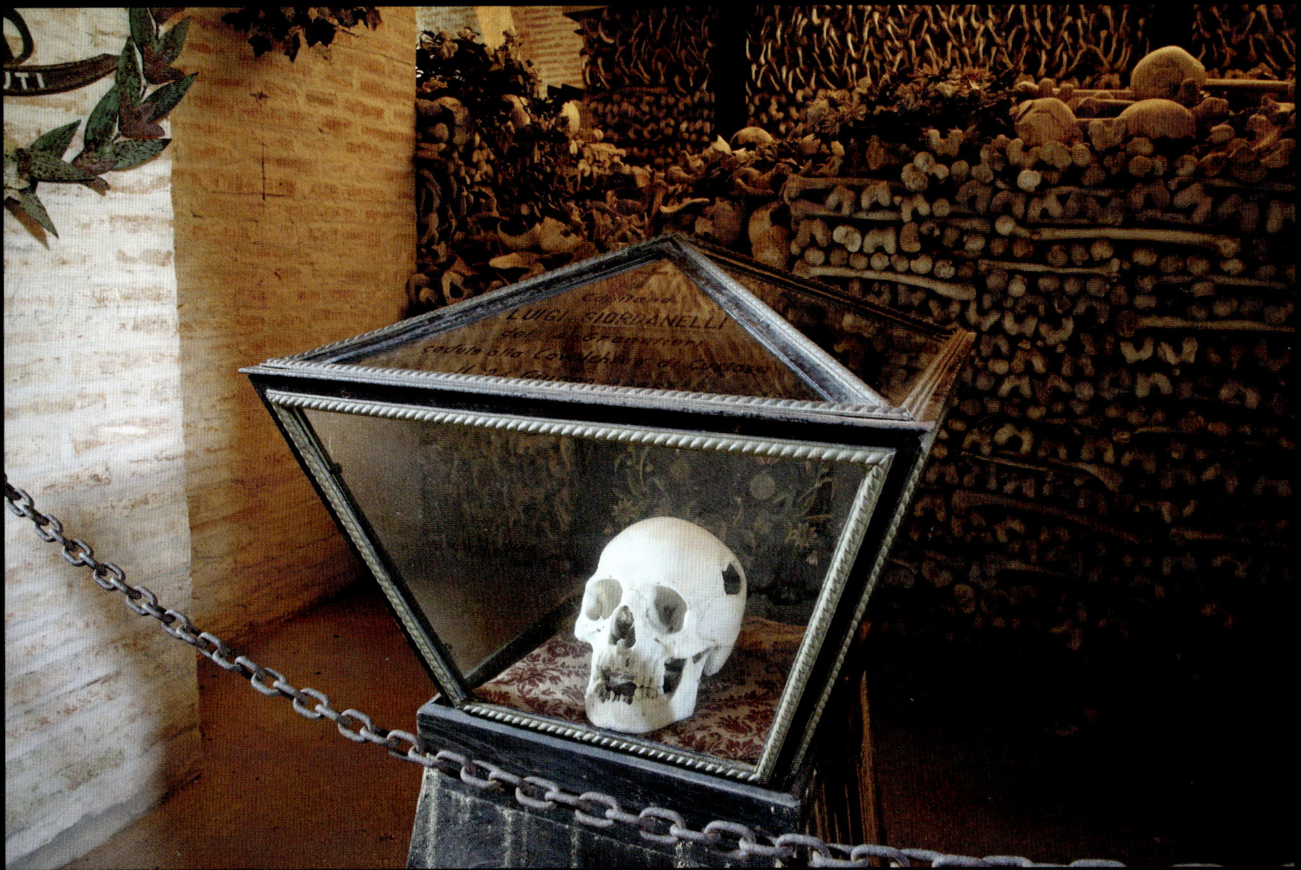

「ソルフェリーノ納骨礼拝堂（サン・ピエトロ・イン・ヴィンコーリ）」
[ソルフェリーノ、イタリア]

[上－239] ソルフェリーノのクリプトではイタリア、フランス、オーストリア各国出身兵士の骨の山の上にイタリアの国旗が掛かっている。大きな木製の十字架は政治家ジャン・バッティスタ・ジョルジーニの言葉、「この小さな墓穴が、祖国解放のため犠牲となり虐殺されし人々の遺骨を、誠意をもって擁護する」を掲げている。

[左－240] 1872年版『グラフィック』誌掲載の祭壇を描いた図。1870年落成の礼拝堂はヨーロッパ中から人を引き付けた。1876年、匿名で訪れた一組の男女が、納骨堂が閉まっていたにもかかわらず入館を許された。数日後感謝状が届き、そのうちの一人がナポレオン3世の嫡子であったことが判明した。

[次頁－241] アプスには5つの大きな飾り棚が並び、天井のアーチ基部まで、それぞれ頭蓋骨が21列展示されている。飾り棚の間にはガラス蓋付のイオニア式付柱があり、その中にも頭蓋骨が納まっている。後から加えられた頭蓋骨は翼廊に置かれ、総数は1413個となった。

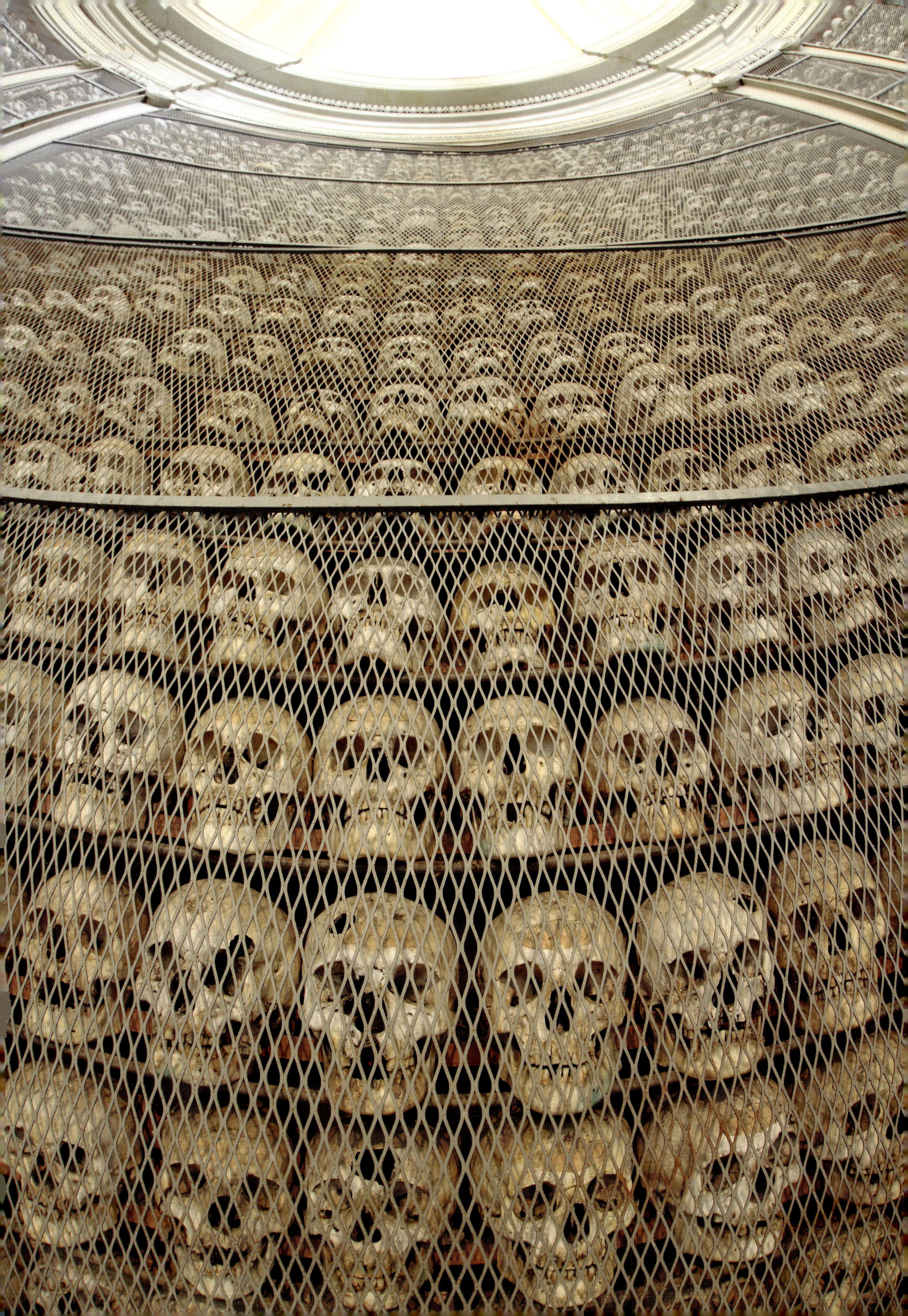

第五章　我を忘れることなかれ──記憶の場としての納骨所

「ソルフェリーノ納骨礼拝堂（サン・ピエトロ・イン・ヴィンコーリ）」
［ソルフェリーノ、イタリア］

［上－242］　1869年、ルイジ・トレリ伯爵により1859年のソルフェリーノの戦いで殺された人々を追悼するための団体が設立され、納骨堂の建設が提案された。この計画に寄せられた寄付金の中には、ナポレオン三世からの1万リラも含まれた。掘り出された骨をきれいにし、展示用に整えるため、医者も立ち会った。

［右－243］　『グラフィック』誌に掲載された別のイラストから、クリプトのアーチ部分に骨を使って十字架の形を浮かびあがらせていたことがわかる──この装飾が以前はあったとしても今はない。イラストでは小さな髑髏がスパンドレルに嵌め込まれているが、これも実際にはなかったかもしれない。

「ソルフェリーノ納骨礼拝堂（サン・ピエトロ・イン・ヴィンコーリ）」
[ソルフェリーノ、イタリア]

[左－244]　巨人を含め、4体の骸骨がアプスの前に置かれていた。このうち2体の身元は判明しており、2人ともフランス人である。巨人の骸骨は現在、現場から発掘された医学的奇形を示す骨を収容するために、解剖学者のジョゼッペ・アマデイ・ディ・カヴリアーナが作った一室に置かれている。

[下－245]　戦死者は地元の農民によって幅の広い水路に埋葬されたが、10年後に再び彼らが遺体を掘り返した。6ヶ月以上かけて発掘された9000体の遺骨は、司祭や地元の名士の行列を従えて、黒帯をかけた葬礼用の馬車で納骨堂まで運ばれた。

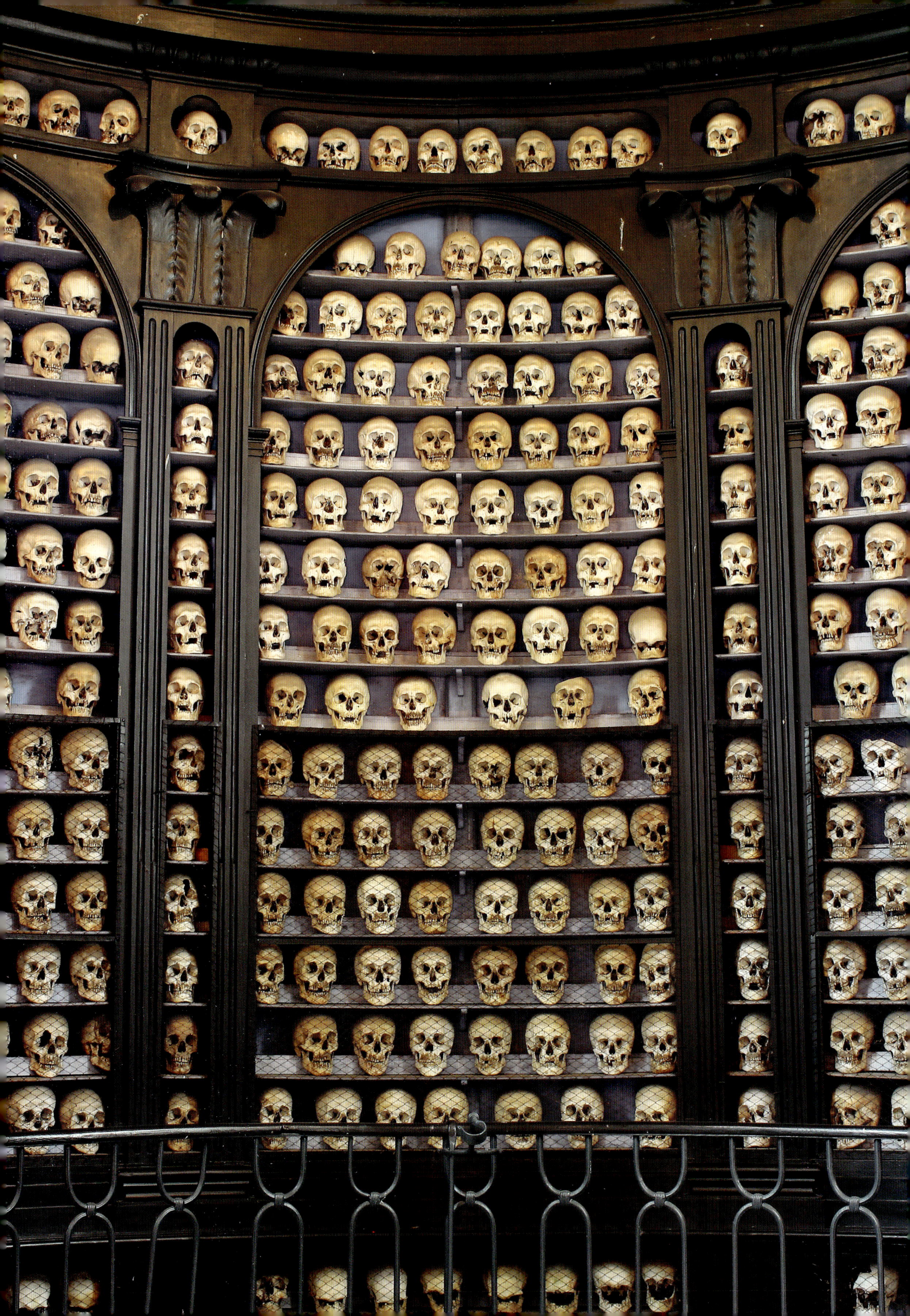

「サン・マルティーノ・デッラ・バッターリャ」
［サン・マルティノ、イタリア］

[前頁－246]　この礼拝堂は以前トレッカーニ家が個人で所有しており、納骨堂として寄付されるまで、トレッカーニ伯礼拝堂の名で呼ばれていた。1870年6月24日（ソルフェリーノの納骨堂と同じ日）に落成し、1274個の頭蓋骨を含む、2619人分の遺骨を収容している。

[上－247]　サン・マルティーノの納骨堂はソルフェリーノより若干小さく、明るい石ではなく木製の暗い色のキャビネットが特徴だが、その他のデザインはほとんど同じである。どちらの納骨堂も、喪の象徴とされるイトスギが植えられた広々とした道の先にある。

[左－248]　ジョン・L・スタッダードはアメリカの有名な旅行作家で、4大陸20ヶ国以上の国々を取材した。サン・マルティーノの納骨堂訪問記とこの写真は1911年出版の本に収録された。同じ巻でソルフェリーノについても報告している。

第五章　我を忘れることなかれ――記憶の場としての納骨所

「エスペクタソン聖母教会の骸骨堂（Capela dos Ossos）」
[カンポ・マヨル、ポルトガル]

[上－249]　礼拝堂内に安置されている犠牲者の命を奪った火薬庫の爆発（159頁参照）により、カンポ・マヨルの人口は約3分の1に激減した。広場に面した窓から、通行人を眺める頭蓋骨の列と、犠牲者を襲った悲劇について記した銘板が見える。

[次頁－250]　関節で結合された3体の骸骨が誰なのか、骸骨をそのままの形で保存することは礼拝堂の設計段階から決まっていたのか、それとも発掘時に骨が揃った状態で発見されたことがきっかけなのか、いずれも不明である。骨には今なお焼けこげた肉がこびりついている。

[次々頁－251]　綿密にデザインされた細部の装飾は美しく調和が取れている。ここは中央ポルトガルにかつて4ヶ所存在した礼拝堂の一つである。エヴォラとモンフォルテの他、エルヴァスにも納骨礼拝堂があったが、1883年に骨は取り除かれ、地元の墓地に埋められた。

[その次の頁－252]　半島戦争〔1808～14、スペイン・ポルトガル軍が英仏連合軍を撃退した戦い〕時にこの町を通った英国軍はこの礼拝堂を見て驚いた。ジョン・パターソン大尉は次のように記している。「この上なく不気味な光景が……死を想起させる墓室のアーチ天井から吊り下がった、ランプが照らす青白いかすかな光により、一層陰鬱さを増していた。」

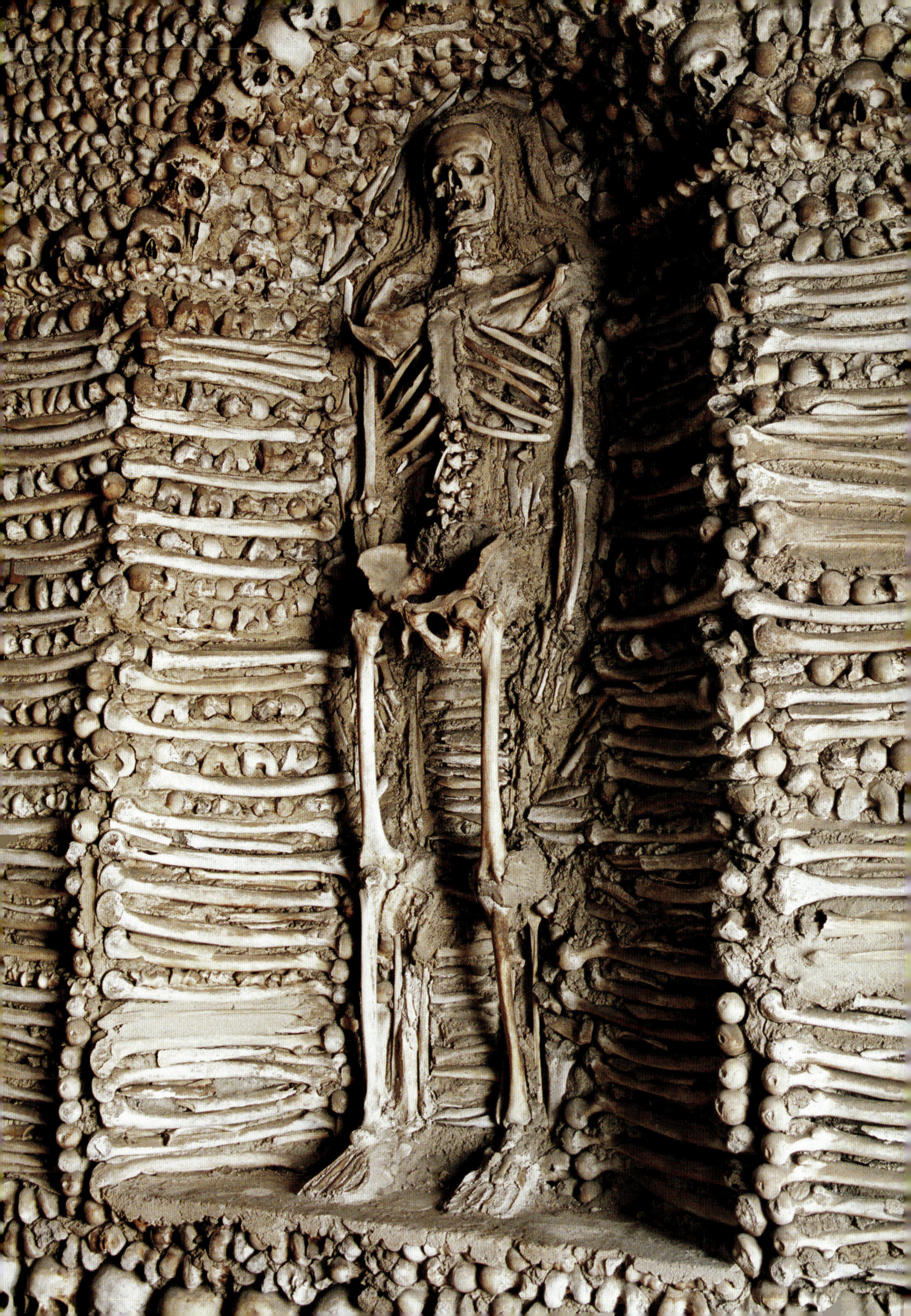

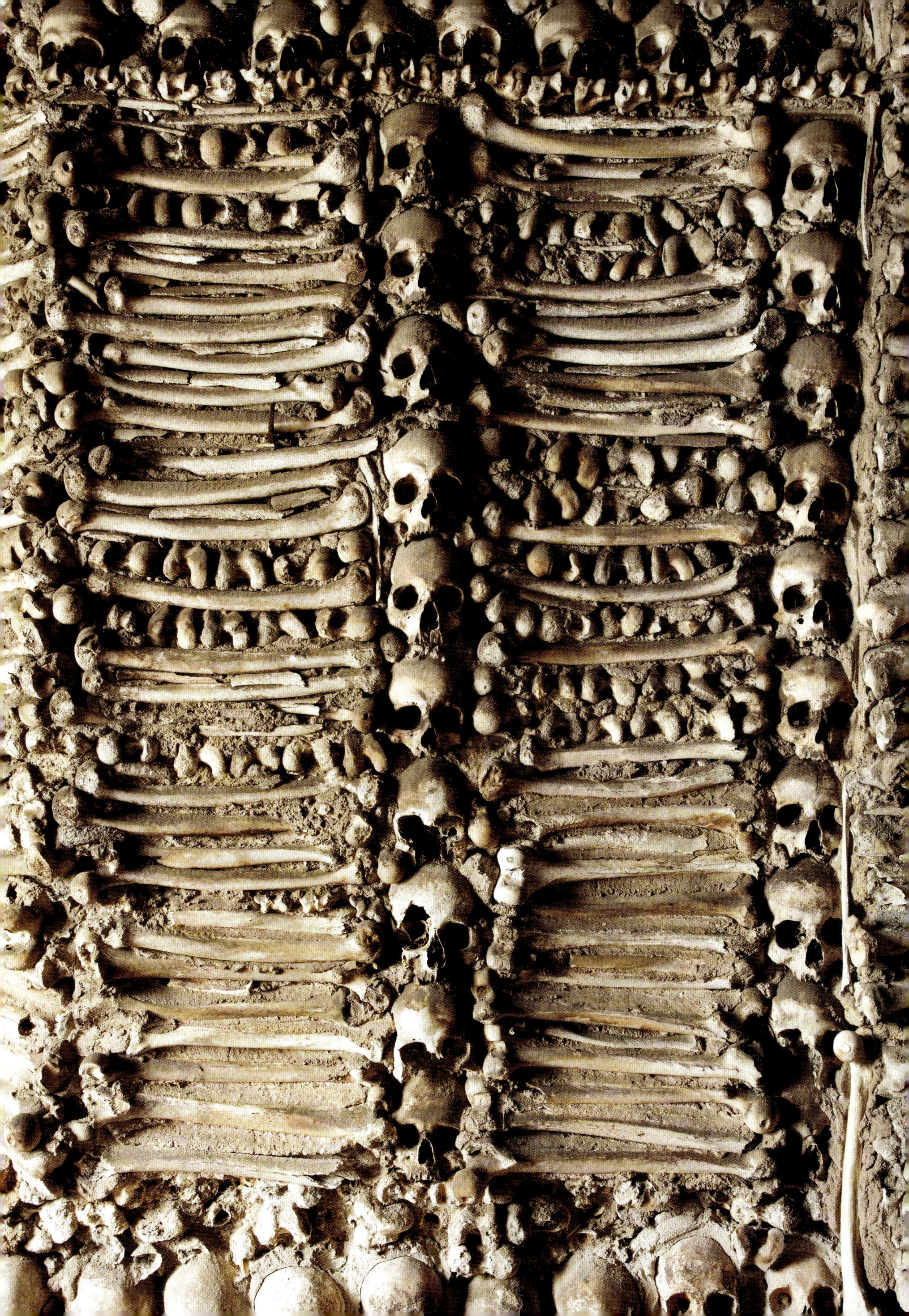

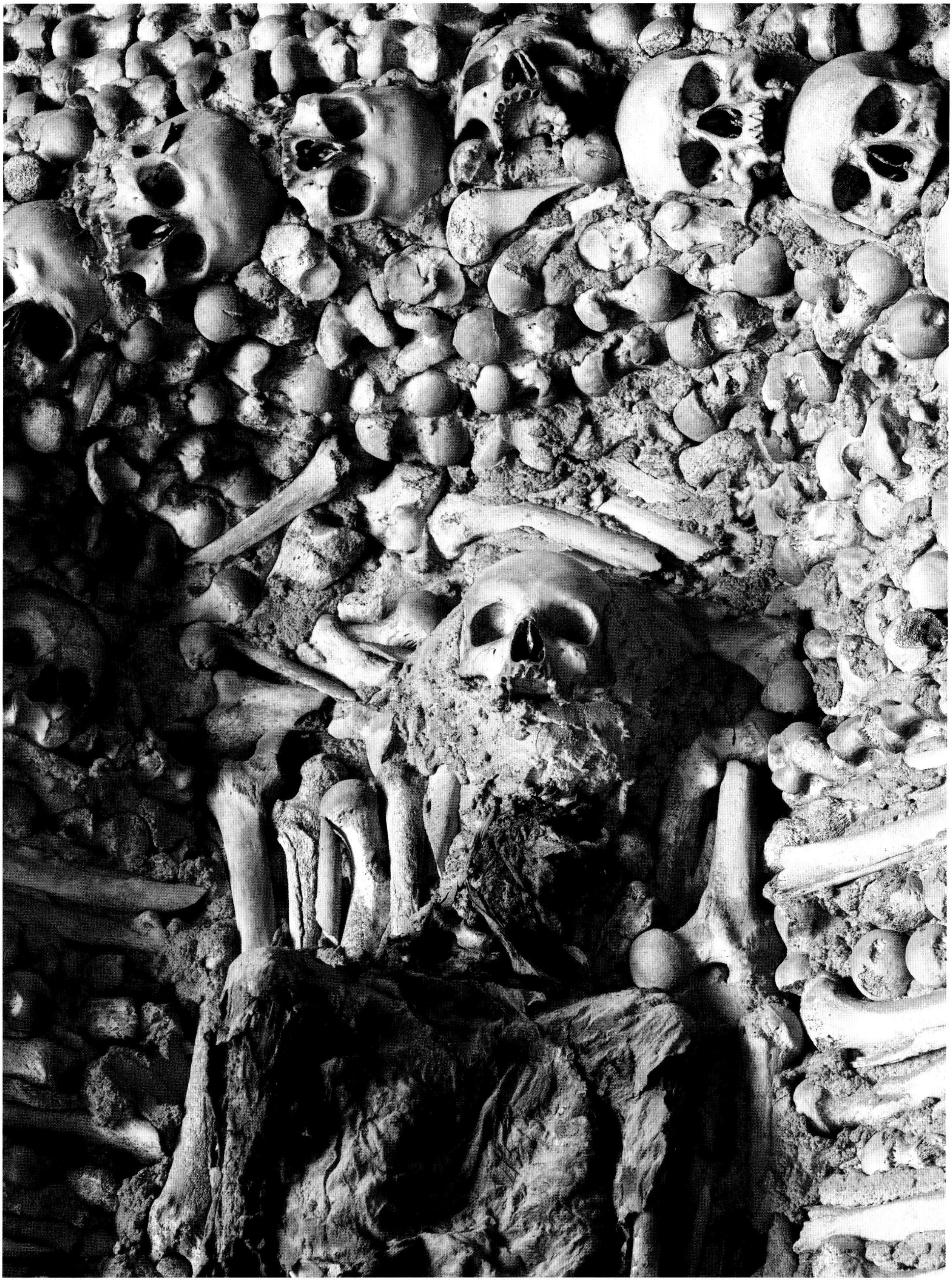

第五章　我を忘れることなかれ──記憶の場としての納骨所

「アントン・ブルックナーの墓、ザンクト・フローリアン修道院付属納骨堂」
［ザンクト・フローリアン、オーストリア］

［本頁－253］　作曲家アントン・ブルックナーは本人の要望で納骨所に葬られた。ヘルベルト・フォン・カラヤンは霊感を得るためにここを訪れたことがある。「私は教会でのコンサートの前に地下納骨所に連れてこられた……これから指揮するコンサートに備え、気持ちを整えねばならないと考えた。」

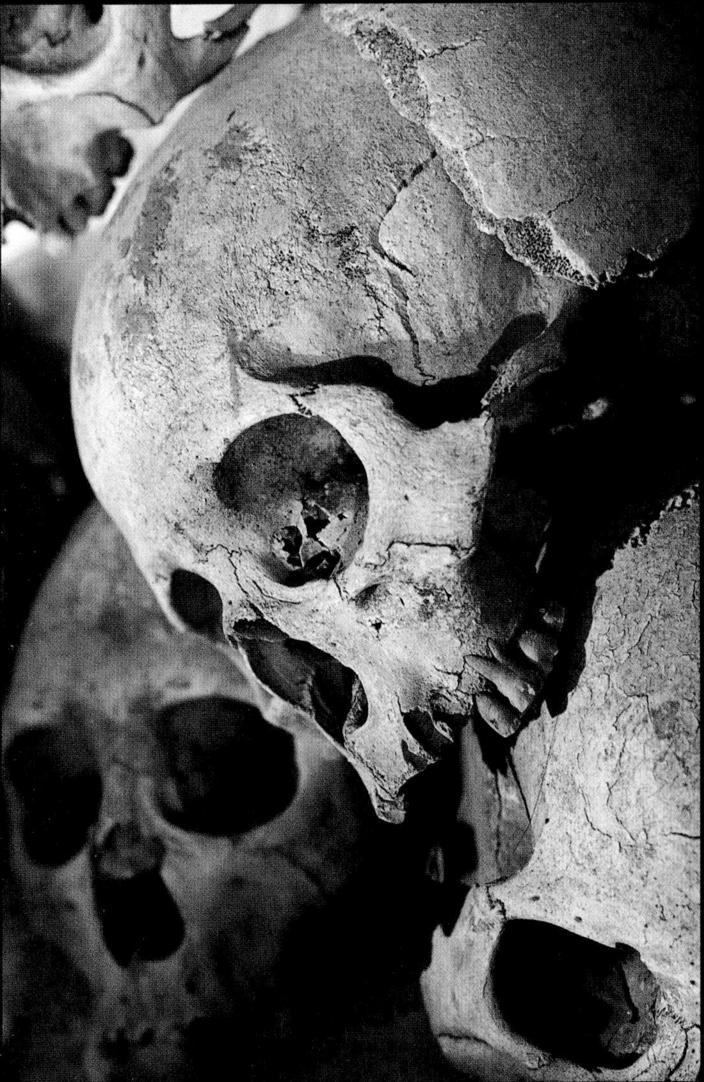
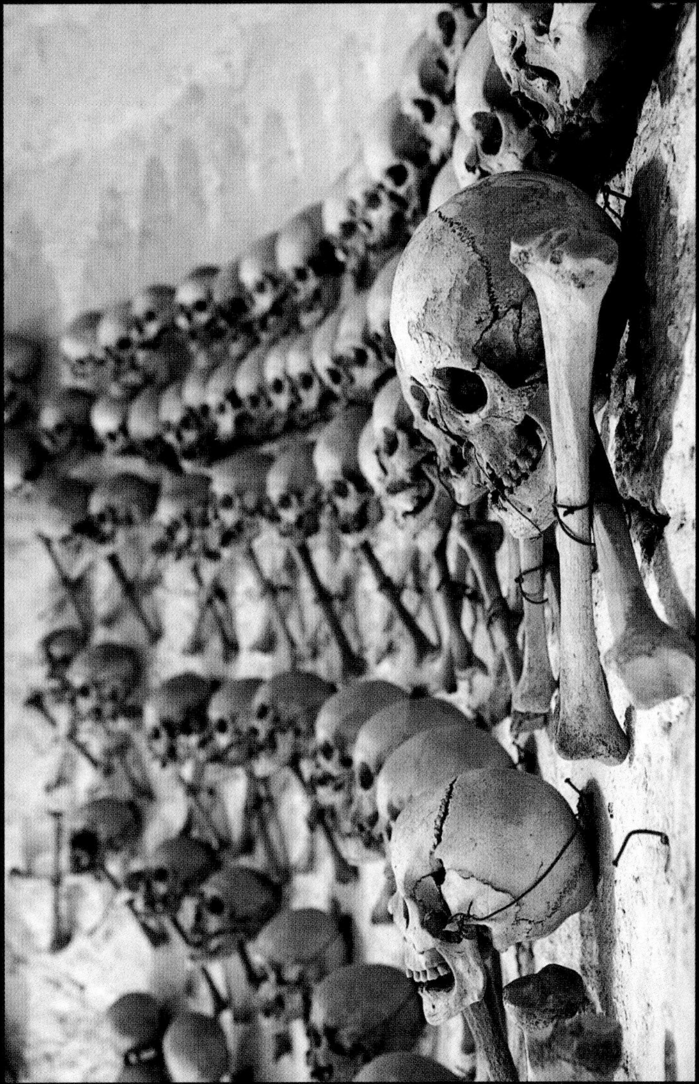

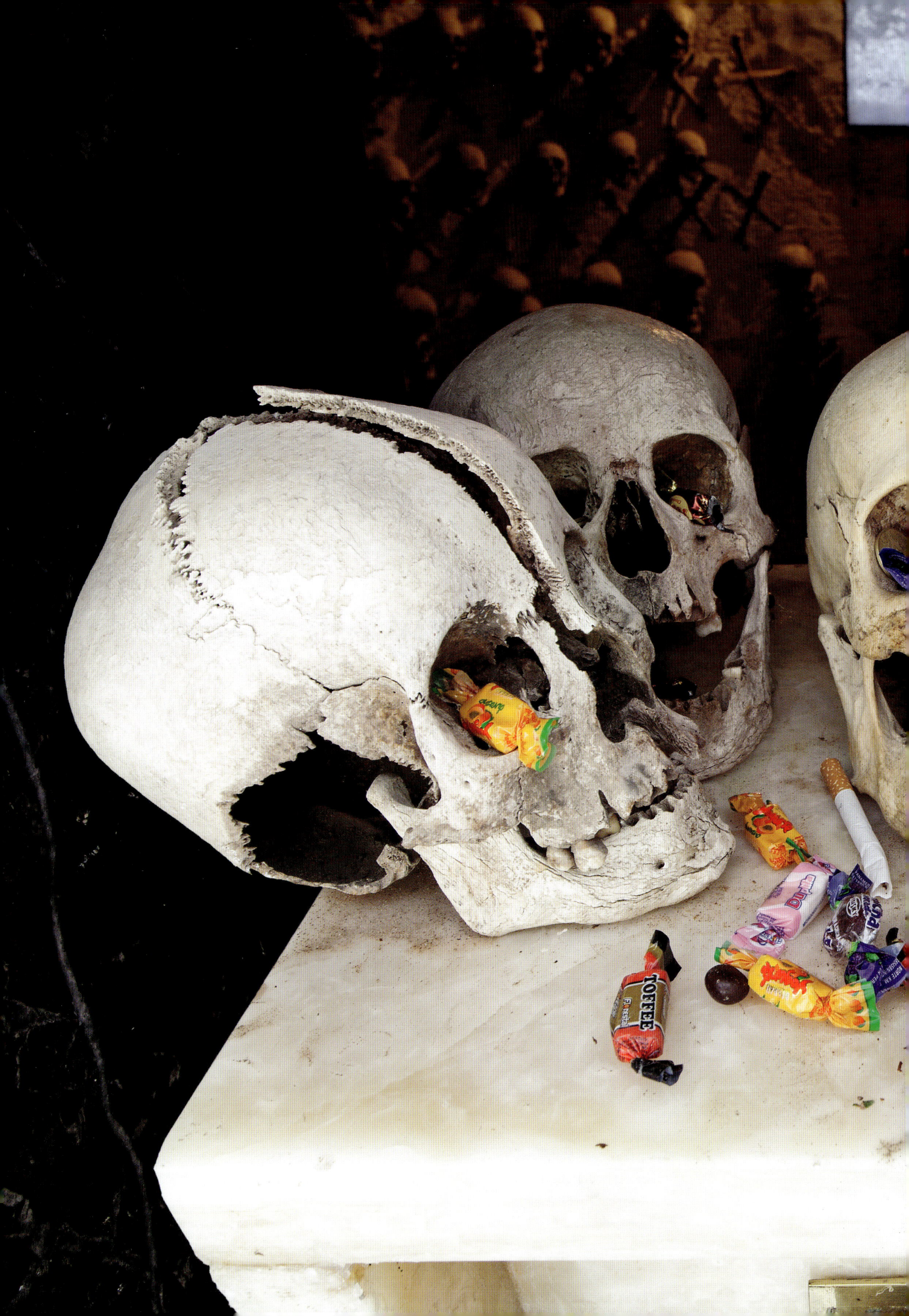
TOFFEE

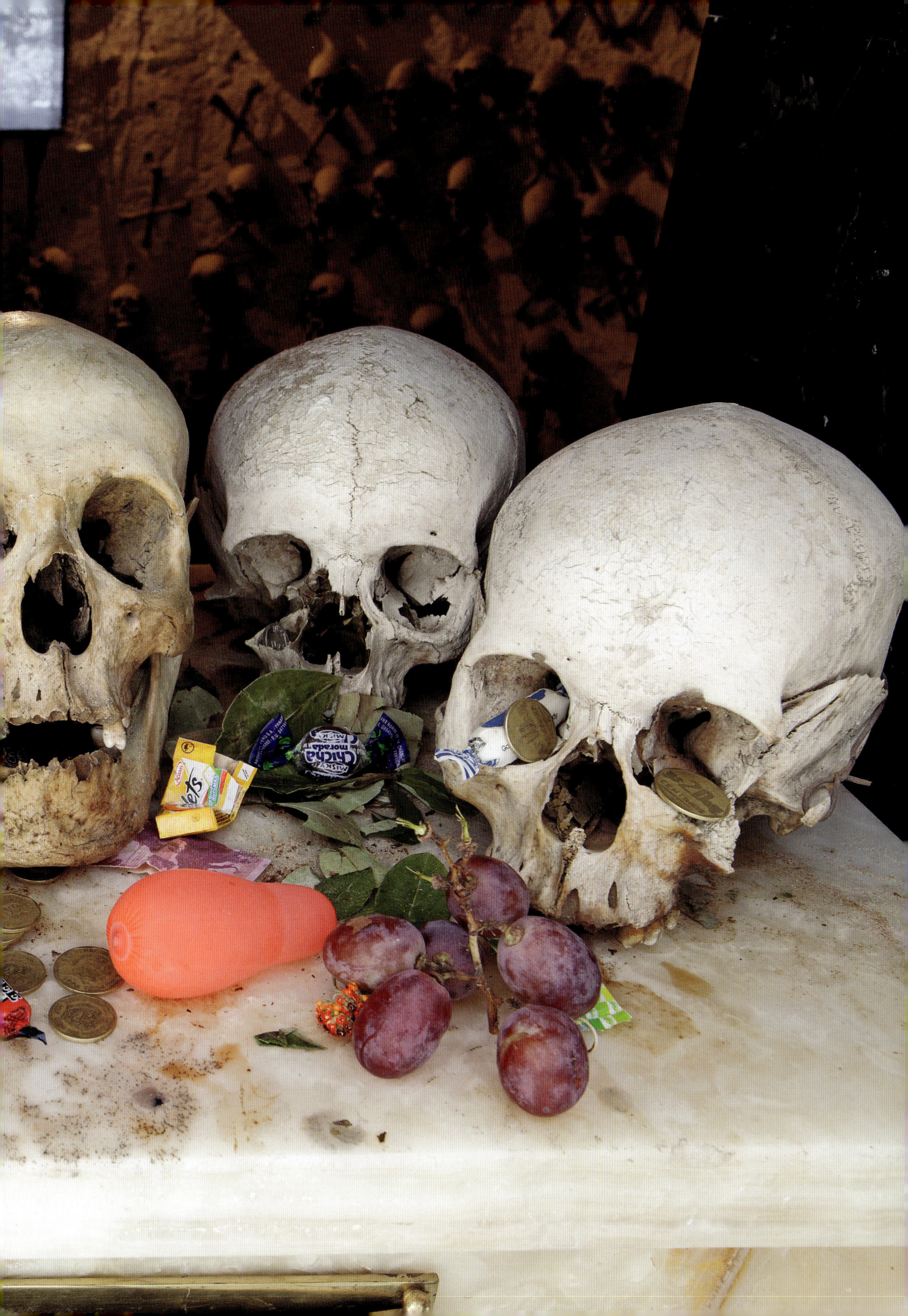
Chicha
morada

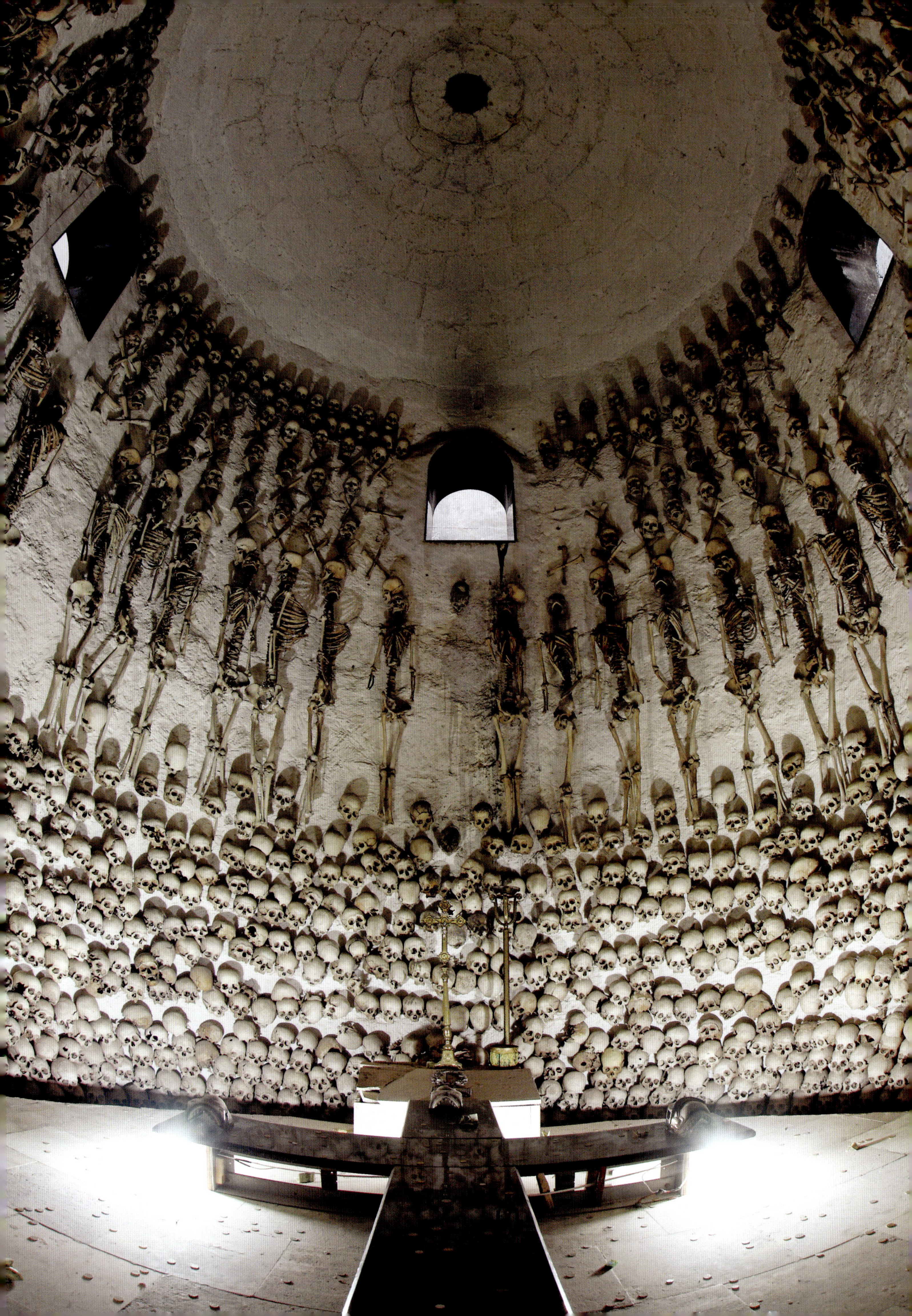

第 六 章

死者を
よみがえらせる

保存と修復

❖

RESURRECTING THE DEAD

Conservation and Reconstruction

第六章　死者をよみがえらせる——保存と修復

奇想を凝らした納骨堂は今やごくわずかしか残っていない。人々から崇敬されていた多くの納骨堂が破壊され、年代物の写真や版画、旅行記で記憶にとどめられ、伝説として語り継がれる。長い間使われずに密閉されたまま、完全に忘れ去られた納骨所が発見されることもあった。だが荒廃がひどく、大掛かりな修復が行われたために、元の姿をほとんど留めていないこともある。また特に積極的に観光客を受け入れたところでは劣化がひどいため、後世のために残すつもりなら保存が緊急の課題である。どうやら近代は、死者をついに忘却の淵に追いやったようだ。

20世紀の初めまで、骨で装飾された建造物の中で最も有名な場所は、マルタ島のヴァレッタにあった骸骨堂だった【258-259】。ここは聖ヨハネ騎士団の省察の間としても知られ、騎士団のメンバーの遺骨と、彼らと一緒に1565年のマルタ島包囲戦でトルコを相手に聖エルモ城砦を防御して倒れたスペインの大部隊の遺骨で建てられていた。1731年に遺体が集められ、この島を守るために命を犠牲にしたキリスト教徒を記念する礼拝堂を飾るために用いられたが、結局礼拝堂は完成しなかった。この仕事に任命された芸術家が建設中に亡くなると、骨の山は隅に放置され、二度と使われることはなかった。[1] 完成した部分の壁にはおよそ2000個の頭蓋骨が嵌め込まれていた。他の骨は、サンタ・マリア・デッラ・コンチェツィオーネと同じように、装飾模様や縁飾りを描き出すために使われ、鎌を持ち、服をまとった2体の骸骨が壁龕の中に納められていた。祭壇の上方にある大理石の板には、次のような意味のラテン語の銘文が刻まれていた。

世界は一つの劇場、人の命が憂き世すべての境界なり。
生は虚飾の権化なり。死がその幻想を打ち破り、現世すべての境界なり。
この場を訪れし者どもにこれらの公理を十分に考えさせ、
死をまざまざと思い起こさせよ。汝に平安あれ。[2]

マカーブルな傑作、また地中海世界を訪れる旅行者のための観光名所の一つとされた骸骨堂は、第二次世界大戦中に爆撃で破壊された。[3]

ポルトガルで最古の人骨装飾聖堂として記録に残る礼拝堂もまた消失した。コインブラのサンタ・クルーズ修道院にあったその納骨堂については、1533年に遡る記録が残っており、1139年のオーリッケの戦いでイスラム教徒に殺されたキリスト教徒の骨で飾られていたようだ。だが何の痕跡も残さず失われた。建物を描いた絵も残っておらず、破壊の状況さえ忘れ去られた。エルヴァスの納骨礼拝堂も、マデイラ島のフンシャルにあったフランシスコ会の納骨堂【260】同様、破壊された。フンシャルの納骨堂は18世紀から19世紀初頭までポルトガルで最も有名な骸骨堂で、エヴォラに現存する納骨堂を凌ぐほどだった。マルタ島の骸骨堂同様、フンシャルにあった建物も、船の停泊地として人気のある島にあったため多くの人が訪れた。その評判は旅行者の間に広まり、他の納骨堂の手本となったほどで、アイルランドでは珍しい納骨所がある町キラーニーを訪れた観光客が、マックロス大修道院の小さな納骨室の内装をフンシャルのようにしたらどうかと町の人々に勧めたという。[4]

今では古い版画でしか見ることのできないその礼拝堂はフランシスコ会の修道院の中にあった。往時の様子を一番よく伝えているのが、1790年代に訪れたイギリス人ジョン・バローの文章で、次のように記されている。「フランシスコ会修道院の翼棟にある一室、壁と天井が完全に頭蓋骨と大腿骨で覆われ、一組の大腿骨を交差させて出来た鈍角に頭蓋骨が組み合わされている。骨で覆われていないのはドアの向かいの壁中央だけで、祭壇らしきものの上に奇妙な絵があり……聖フランシスコを描いているのか……天秤で罪人と聖人の重さを比べようとしている……天井から垂れ下がる煤けたランプは、ソケットの中でかすかに光っているだけで、この陰気な頭蓋骨の住みかを照らすにはほとんど役立たない。」[*5]

案内をした修道士は、骨はすべて「島で亡くなった聖人の遺骨」だと主張したが、頭蓋骨の数を3000と見積もったバローは、礼拝堂の主要な役目は観光客相手の商売だと推察し、「聖フランシスコの托鉢修道会がこのメメント・モリを見せる主な目的」は客から寄付金を頂戴するためだと書き留めた。[*6] 礼拝堂はそれから間もなく荒廃し、1856年までには取り壊されたようだ。[*7]

しかしながら、名だたる納骨堂が失われてしまった一方で、元通りに修復された場所もある。記録に残る最初の復旧例はイングランドのロスウェルにあるホーリー・トリニティ教会の、南側の側廊地下で発見された納骨室である【261】。ここは隣接する墓地と、恐らくは地元の他の埋葬場所から掘り出された骨を保管する役目があった。骨学者の研究により、ここに納められた骨がおよそ1300年頃から、納骨所が――多分宗教改革のために――使用されなくなった16世紀半ばか後半までのものと判明した。この時納骨所は閉鎖され、やがて忘れられた。それを発見したのは墓掘り人で、伝承が確かであれば、1700年、彼が「根掘り鍬を振るっていた時、突然暗く深い穴に嵌まって」底まで落下し、「過去何世代にわたり集められた骨のただ中にいることに気付いた」という。[*8]

20世紀に発見された納骨所の一つが、ロンドンの中心部フリート街のセント・ブライズ教会地下にある【271-272→p.194】。1666年のロンドン大火の後にクリストファー・レンが再建したこの教会には、中世の納骨堂とクリプトがあり、1850年代にコレラに対する懸念から閉鎖された後忘れ去られていたが、1950年代の考古学調査の際に発見された。教会が第二次世界大戦中爆撃で損傷を受けたため、再建に先立って調査が行われていたのだ。発掘によって中が開けられた時、地下納骨所の一つが頭蓋骨を「なだれのように」吐き出した。また別の納骨所では独自の謎めいた配置が見られた。約300体分の頭蓋骨と長骨が市松模様に置かれていたのだ。[*9] セント・ブライズ教会から発掘された総計約5000人分の遺骨の大半は1952年から53年の間に取り除かれたが、小さな納骨所は、その珍しい市松模様のデザインとともに教会の地下で保存されている。

中欧では20世紀の後半にいくつかの納骨所が発見され、修復された。1953年、スロヴェニアはクラーニの聖カンティウス・聖カンティアヌス・聖カンティアニラ・聖プロトゥス教会付属墓地の発掘で、13世紀の円形納骨堂の遺跡が姿を現した。現在では骨の山が復元され、ガラス越しに展示されている【270→p.193】。同様に12、3世紀に遡る骨を貯蔵していた葬送礼拝堂と納骨堂の遺跡が、1990年代にスロヴァキアのブラティスラヴァ中心部地下で発見された【275→p.196】。この建物については古い記録が残り、トルコ人が西方に侵略した1529年に破壊されたとある。まだ考古学調査が続けられているが、納骨所は一部再建され、一年に一回、地元遺産の記念日に一般公開されている。[*10] さらに1990年代、チェコのクシュチニにある聖母マリア教会地下から、554個の頭蓋骨を含む人骨が発見され【262】、18世紀後半まで使われていた納骨所だったことが判明した。再建された納骨室には、月桂樹と頭文字で飾られた頭蓋骨が一つ納められているが、これはチェコで発見された唯一の彩色頭蓋骨である。

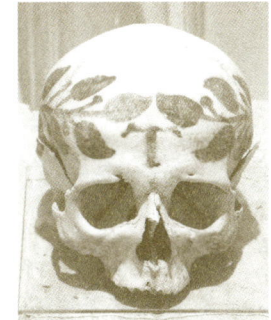

第六章　死者をよみがえらせる──保存と修復

はるか遠く離れた南アメリカでも古い納骨所が次々と発見された。特に16、7世紀にクリプトでの埋葬が主流となっていたフランシスコ会修道院で相次いだ。中が空であったり、今なお発掘が進められている【276-278→pp.197-199】場所が大半だが、一ヶ所は修復が済んだ。ペルーのリマにあるサン・フランシスコ修道院付属教会の地下に散乱していた骨は、1950年代に配置し直され、8ｍの深さの穴を埋め尽くす骨の頂に、頭蓋骨と長骨を使って放射状の模様が描かれた【279-280→p.200】。

修復された場所が往時の姿を忠実に再現しているとは限らない。ひどく損なわれた状態であることが多く、実際にはほとんどが全面的な再建となるため、史跡というよりはむしろ現代の記念建造物と見なすべきだろう。例えば、スペインのヴァリャドリード近郊のワンバ村にある骨のコレクション【281-283→p.201】は、ヨーロッパに現存する中で最古の一つに挙げられ、1200年まで遡る遺骨も含まれるかもしれない。骨は、ヨハネ騎士団の修道院となったサンタ・マリア・デ・ワンバ教会の、10世紀のモサラベ建築様式の教会堂に増築された回廊内の一室に納められている。回廊に納骨所が設置されたのは13世紀のことだが、現在展示されている納骨所とは異なる。元の部屋に納められていたトラック数台分の遺骨は、1950年代に骨学の研究のためマドリードへ運ばれたまま未だ返却されていない。*11 まだ多くの骨が残るが、長年住む村人はかつての半分しかないと主張する。骨が移された後、納骨所が全体的に荒廃した状態であったことを懸念した村の住民が、1950年代後半、残りの骨を小部屋に移し、壁沿いに積み上げた。再建された納骨所は、有名なパリのカタコンブの整然と積み上げられた壁に着想を得たもので、何世紀もの間無秩序にただ積み上げられていた、以前の納骨所とは著しく様相が異なる。

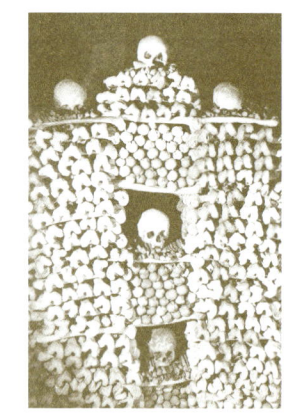

1990年代の再建により、オーストリアのエッゲンブルクでは華やかな納骨所が出現した【263】。この町にもともとあったロマネスク様式の納骨堂は18世紀後半に閉鎖された。深さ６ｍの縦穴の底にあった納骨堂は、聖ミカエルに奉献された礼拝堂も備えていた。記録によれば1900年までに半ば朽ち、建物の一部が壊れていたという。*12 1970年代に再び開けられて発掘作業が進められ、ウィーン大学の人類学者によって遺骨が調べられた。1992年遺骨が戻されると、郷土史家でもある医師のハインリッヒ・ラインハルトの率いるチームが骨を配列した。修復された納骨所の演劇的で凝った意匠は、厳密には現代の作品と言える。骨で出来た曲線状の長い壁には「人類の救世主イエス（Iesus Hominum Salvator）」を意味するモノグラム「ＩＨＳ」が浮かび上がり、さまざまな色の骨の組み合わせにより縞模様も描かれた。壁の端には骨の塔があり、くぼみに頭蓋骨が置かれ、聖堂の役目を果たしている。展示は縦穴の上からのみ観賞可能で、床一面が骨で飾られ、頭蓋骨を重ねて瞳孔をかたどった大きな眼が見物人を見上げている。

床一面が骨で飾られ、頭蓋骨を重ねて瞳孔をかたどった大きな眼が見物人を見上げている

これほど多くの納骨所が大掛かりな改修を必要としたということは、19世紀後半から20世紀にかけ、納骨所の保存に対する関心が全般に欠けていたからに他ならない。不均等な形の骨が大量のモルタルに無秩序に嵌め込まれた場合、構造がもろくなっているうえに、カビと湿気の害をこうむりやすい。これはミイラにも致命的である。納骨所の精神的、芸術的価値を認めない後の世代がその場所を荒れるがままにまかせた時、大抵は修復不可能なほど損なわれた。

そうした扱いを受けた納骨堂の一例を、ポルトガルはラーゴスのサン・セバスチアン教会で見ることができる。外壁のアーチに組み込まれた小さな納骨堂は19世紀、ファロの納骨堂と似た新古典様式で建てられた。デザインは見事だが、教会がこの聖堂に対する関心を失った結果、世界一マカーブルな用具置き場となった【264】。管理人が自分の道具を置き始め、頭蓋骨の並んだ見事な壁を背景に、肥料袋、熊手、ホース、犬のおもちゃのテニスボールといった物が堂々と場所を占めているのだ。近年少しは整頓されたが、格子戸を通して長年風雨にさらされたため、祭壇背後の大きな磔刑図はほとんど識別できないほど劣化している。

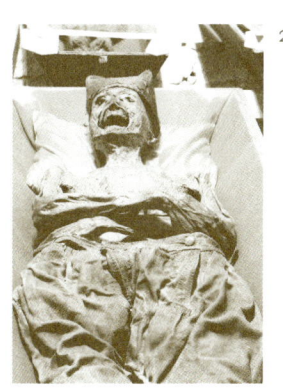

肥料置き場となるほどみすぼらしい有様となったのはラーゴスの納骨堂だけだったが、他にも多くの場所が劣悪な状態に置かれ、保存の難しさを示している。問題が環境に関わることもある。チェコのクラトヴィにある無原罪の御宿りの聖母・聖イグナチオ教会では、17、8世紀、イエズス会修道士が教会のクリプトで200体の遺体――修道士と寄進者の両方――をミイラにして保存していた【265】。自然の力を利用した、巧妙な通風装置によってミイラは長年保存されてきたが、新たにクリプト全体に空気を循環させる通風孔に変えたところ、環境が変化し、ミイラの多くがひどく損なわれた。この問題は、クリプトと観光客がもたらす金の管理をめぐる町と教会の訴訟が長引いたことで悪化し、現場を一層荒廃させる結果となった。*13 現在クリプトは温度と湿度が管理され、ミイラはケースに入れられて保護されている。しかし今や32体しか残っていない。

環境の問題は、大勢の観光客を受け入れている場所では特に深刻な状況になり得る。エヴォラの納骨礼拝堂【266】はヨーロッパで最も見学者の多い骸骨堂の一つで、年間15万人以上の観光客を迎えている。その大多数が観光シーズンの7月から9月に訪れるため、この期間、礼拝堂は驚異的な数――1日に1500人から2000人のことも――の人間を迎え入れる。*14 これほどの人数が殺到すれば温度と湿度は上昇し、その結果、遺体に及ぼす悪影響の一つである菌類の成長を促すことになる。礼拝堂にある2体のミイラがひどく傷んだ状態になっているのは、ある程度これで説明がつくかもしれない。子供のミイラは頭を失い、大人のミイラは両手足の先端部が欠けている。観光客の数を厳しく制限したらどうかとの提案もこれまでに幾度か出されたが、礼拝堂の総収入の大半は観光シーズンにもたらされるため、問題を解決するのはそう簡単ではない。また観光客は他にも有害な影響を及ぼす。節度のない落書き(グラフィティ)である。いつ頃から始まったのか、頭蓋骨の大部分に鉛筆やペンで名前を書き込まれ、時には直に骨に刻まれることもある。床から約3mの高さにあるミイラの頭部にさえ、どういうわけか落書きサイン(グラフィティ・タグ)が残る。

もちろん落書きはエヴォラに限らず、あらゆる納骨礼拝堂で目にする現象である。自身が存在した証をこうした場所に残したいと思うのは自然なことかもしれない。それゆえ問題は、どの程度まで落書きが許されるのかということだ。納骨堂が訪問者を死との対話に引き込むのであれば、こうした行いも継続中の会話の一部と言えるかもしれない。実際エヴォラでは、落書きはこの礼拝堂の生きた歴史を伝える重要な要素でもある。署名の中には17、8世紀まで遡るものも含まれ、ある頭蓋骨にはアレクサンドル・デュマが書いたとされるサインが残る。他の納骨所、特にオッペンハイムでは、落書きばかりでなく、多くの頭蓋骨の額に、何世紀も擦られて白く変色した部分が見られる【267】。特定の頭蓋骨と心を通わせることができれば、幸運をもたらしてくれると信じた迷信深い参拝者が行っていた慣習による。これは破壊行為というよりは、世間一般の想像以上に、こうした場所が持つ力を示す一つの証拠である。

第六章　死者をよみがえらせる——保存と修復

　しかしながら、来訪者が記念品を持ち去りたいという欲求を感じた時、見過ごすことの出来ない問題が持ち上がった。1990年代、エヴォラでは骨や歯を盗む行為が後を絶たなかった。その解決策として、客が骨の壁に触ることができないよう、プレキシガラスが間に設置された。同様の防御壁は、2009年、セルビアのニシュにある頭蓋骨の塔（チェレ・クーラ）にも設けられた【233→p.165】。来訪者が手で触るため、すでにひどい破損状態にあったこの建造物の崩壊が進んでいたからだ。そうした防御壁は必要に迫られて建てられたもので、来訪者が骨をいじらないようにする上で効果的だが、残念ながら、その空間における体験を徹底的に変える結果となった。

　ことに頭蓋骨の窃盗は多くの場所で大きな問題となった。1950年代にロンドンのセント・ブライズ教会地下の納骨堂で発掘作業に携わっていた者たちは頻繁に頭蓋骨を持ち去り、イースト・エンドの酒場で5ポンドの値で売っていたという。*15　オーストリアのハルシュタットで20世紀の末頃に行われた在庫調査では、どうやら泥棒の略奪によって頭蓋骨が徐々に減り続けていたことが明らかになった。*16　チェコのセドレツ納骨堂でも頭蓋骨が失われている。犯人の多くは礼拝堂が閉まっている時に仕事をする方が好都合と思ったらしく、1990年代初頭この場所は窓を破って押し入る夜盗に悩まされた。*17　ポーランドのチェルムナにある骸骨堂も標的にされた——特に有名なのが1994年の、あつかましくも白昼堂々と4個の頭蓋骨を持ち逃げしようとした泥棒の事件だ。*18　頭蓋骨を持って逃亡した人々が罪の念に駆られ、償いを試みることもごく稀にある。例えばセドレツから頭蓋骨を持ち去ったアメリカ人観光客は、3年後に郵便で返却しようとした。だがアメリカ合衆国郵便公社は、本物の頭蓋骨を郵送するのを許可しなかった。代わりに彼はセラミック製の頭蓋骨と簡単な謝罪状を送った。*19　もっと珍しいのが、ドイツのイフォーフェンで戻ってきた本物の頭蓋骨の事例だ。600年の歴史を持つ納骨所【268】が1998年に再建された時、50年前に消えた1個の頭蓋骨が返却された。実習に使おうと考えた、地元の歯学生が盗んだものだが、納骨所が改修された時、彼は罪の意識にさいなまれるようになったのだ。医学部の学生によって研究に用いられていたらしく、返却された頭蓋骨の頭頂部は切り開かれていたが、くだんの歯医者が気前よく新しい歯を一式支給した。現在その頭蓋骨は改修された納骨所で一番目立つ場所に置かれている。イフォーフェンの頭蓋骨返還にまつわる話は魅力的ではあるが、他では聞いたことがない。納骨所から持ち去られた頭蓋骨が戻ってくることは滅多にない。

　頭蓋骨の窃盗は大変古くからある問題だ。例えば18世紀後半に書かれた手紙はスイスのムルテン（モラ）にある15世紀の納骨所【219→p.156】が劣悪な状態にあったことを詳しく伝えている。この場所も失われた納骨所の一つだが、壊される前でさえ、今から2世紀以上昔からしばしば盗難に遭っていた。手紙によれば「ムルテン（モラ）の納骨堂にある骨の数は、ここ何年目に見えて減少して」いたが、その理由は「そこを訪れた旅行者のほぼ全員が、記念品として持ち帰っている」からだった。*20　しかし記念品が欲しいという動機だけで盗難が横行したわけではない。フランス人は定期的に頭蓋骨を盗んではフランスに送り返し、ブルゴーニュ人兵士の遺骨を故郷の土に埋めていた。1780年代になると新しいタイプの掠奪者が登場した。どうやら頭蓋骨の並みならぬ白さがその価値を高めたらしく、頭蓋骨が大量に盗まれるようになった。当時の手紙に詳細が書かれている。

　　その並外れた白さのために、今や細工品、特にナイフの柄を作るのによく使われています。この新たな商売を発見したのはジュネーヴの郵便配達少年たちで、故郷の町で一儲けしようと大量に持ち去りました……10年前は骨の山が少なくとも今より数フィートは高かった［とのことです］。*21

盗難や破損事件はほとんど全ての納骨所で起きている。痛ましいことに、ファロの納骨堂に押し入った泥棒は、聖堂のキリスト磔刑像を持ち去った。祭壇の上のガラスで覆われた壁龕に収められていたのだが、それ以来、壁龕は空のままである。マカーブルな場所のため、破壊行為も奇怪な方向に走ることが多い。19世紀にチェコのブルノの、カプチン会修道院のクリプト【269】を訪れたイギリス人の一行は、トレンク男爵のミイラの頭部を外してそっと持ち出し、そのまま逃げた。*22 このクリプトは、1994年にも衝撃的な事件で損害をこうむった。向精神薬を服用し、鉤十字を自分の頭に描いた女がガラスを一枚割って中に押し入り、ミイラの腕をもぎ取ると、それを持ったまま逃げ去ろうとしたのだ。*23 ほとんどの場合、死者をおびやかす最大の脅威は生者である。

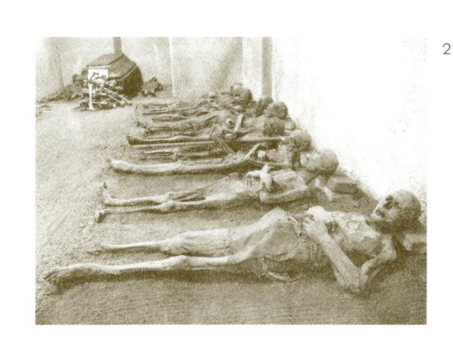

パリのカタコンブではこれまで幾度も破壊行為に見舞われている。1830年までにこの問題が深刻化していたため、その後29年間一般に公開されなかった。ごく最近の2009年9月に起きた事件は、特に悪質な破壊行為の一つに挙げられる。心ない破壊者たちが夜間押し入り、どうやらつるはしか斧を使って、壁から外れていた頭蓋骨や骨を叩き壊し、改修された納骨所の通路一帯にばらまいたのだ。カタコンブを管理するカルナヴァレ博物館の館長は「理解できない忌まわしい」行いと批判し、「芸術に捧げられた場所でこのような暴力行為を経験したことは一度もなかった。まったくいわれのない破壊行為だ」と言明した。*24 カタコンブは来訪者の数が世界で一番多い納骨所で、年間30万人以上もの客を引き付けているが、特別な安全対策の検討のため、再び閉鎖された。一方フォンタネッレ墓地への深夜の侵入者と闘ってきたナポリ市は、黒ミサを行う目的で侵入を試みた悪魔崇拝者が起こした多種多様な事件を公表した。

しかしながら、さまざまな難題にもかかわらず、死者の帝国に全盛時の輝きを取り戻そうとする努力は今なお続いている。ことにチェコのブルノで、あらゆる再生プロジェクトの中でも最大規模の納骨堂の再建が2001年以降進められている【289–290→pp.207–208】。市の中心広場地下で、地元の公益事業の修繕に先立って行われた考古学調査によって、聖ヤコブ教会近くまで続く巨大な納骨所が発見されたのだ。最初の建築時期は16世紀で、第二期は、後に教会の文書館で発見された設計図によれば、1722年に行われた。1784年に聖ヤコブ教会付属墓地が閉鎖された時、埋葬されていた遺体も移されることになり、もとからあった遺骨に掘り出された遺骨が加わった。ここにあった遺骨の総数は約5万体と推定される。当初骨は壁に沿ってきっちり積み上げられたが、納骨所が記憶から薄れ、管理されなくなると、水が通路に浸み出て骨の山を崩した。水はさらに土と混ざって氾濫し、発見された時には骨の一番上まで泥に浸かっている状態だった。この場所のもとの構造は残骸と泥で失われた。考古学者たちは、ヨーロッパの他の大規模な納骨所で見られた配置を基にデザインを構成し、ゆくゆくは観光場所として納骨所を一般公開するという目標に向かって、数年の歳月をかけて再建に取り組むことにした。残念ながら、作業は資金不足で滞っており、今なおこの巨大な納骨所は考古学調査の現場のままで、一般公開はもう少し先のことになる。*25

> 心ない破壊者たちが夜間押し入り、どうやらつるはしか斧を使って、壁から外れていた頭蓋骨や骨を叩き壊し、改修された納骨所の通路一帯にばらまいた

第六章　死者をよみがえらせる——保存と修復

　ブルノで完成した作品はきわめて美しいが、世界の長い歴史から生まれた情趣の21世紀流解釈としては複雑な問題を提起してもいる。このような場所を再建しようという動機は何なのか——あるいはもっと根源的な問いとして、こうした場所が持つ魅力の根底にあるのは何なのか？　現代人の眼には、絶望的な懐古趣味、ノスタルジーとブラックユーモアの組み合わせ以外の何物でもないと映るかもしれない。しかしながら、ことによると、もっと深遠で複雑な何かがここにはからんでいるかもしれない。こうした古い納骨室がいかに現代の死の経験とかけ離れていようとも、その中に足を踏み入れれば、そうでなければ沈黙したままの死者と生者の対話の痕跡に耳を傾けることができる。ジャン・ボードリヤールは「人間の条件の普遍的特性としての死は、社会が死者たちを差別した時にのみ存在する」と述べている。[*26]　確かに現代世界で死は、生者と死者を分かつ境界線、感受不可能な障壁となり、死者は追い払われ視界に入らないよう隠蔽されている。[*27]　ブルノの再建によって、我々がその境界線を越え、死者との関係を再構築できる場所のリストにまた一つ、新たな場所が加わるかもしれない。こうした——異様、野卑、あるいは秘教的と見なされることのある——場所では、大昔の青白い頭蓋骨と空ろな眼窩がなおも我々に話しかけ、死だけではなく生も肯定してくれるかもしれない。ゲーテが1826年に経験したように。

Und niemand kann die dürre Schale lieben,
Welch herrlich edlen Kern sie auch bewahrte.
Doch mir Adepten war die Schrift geschrieben
Die heiligen Sinn nicht jedem offenbarte,
Als ich inmitten solcher starren Menge
Unschätzbar herrlich ein Gebild gewahrte,
Daß in des Raumes Moderkält und Enge
Ich frei und wärmenfühlend mich erquickte,
Als ob ein Lebensquell dem Tod entspränge. [*28]

そして涸(ひか)らびた外殻など誰も愛することができない、
かつてそれがいかにすぐれた高貴な核を守っていたにせよ。
けれども練達した私の眼にはそこに銘が書きしるされていた、
その聖なる意味がどの人にも明かされるわけではない銘が。
あのじっと動かぬ骨の群れのただなかに私は
測りしれず見事なひとつの頭蓋を認めたのだった、
するとあのかび臭くて冷えびえとした堂にありながら
自由でそして暖かな精気をこの身に取りもどしたのだ、
死のうちよりひとつの生の泉が湧き出たかのように。

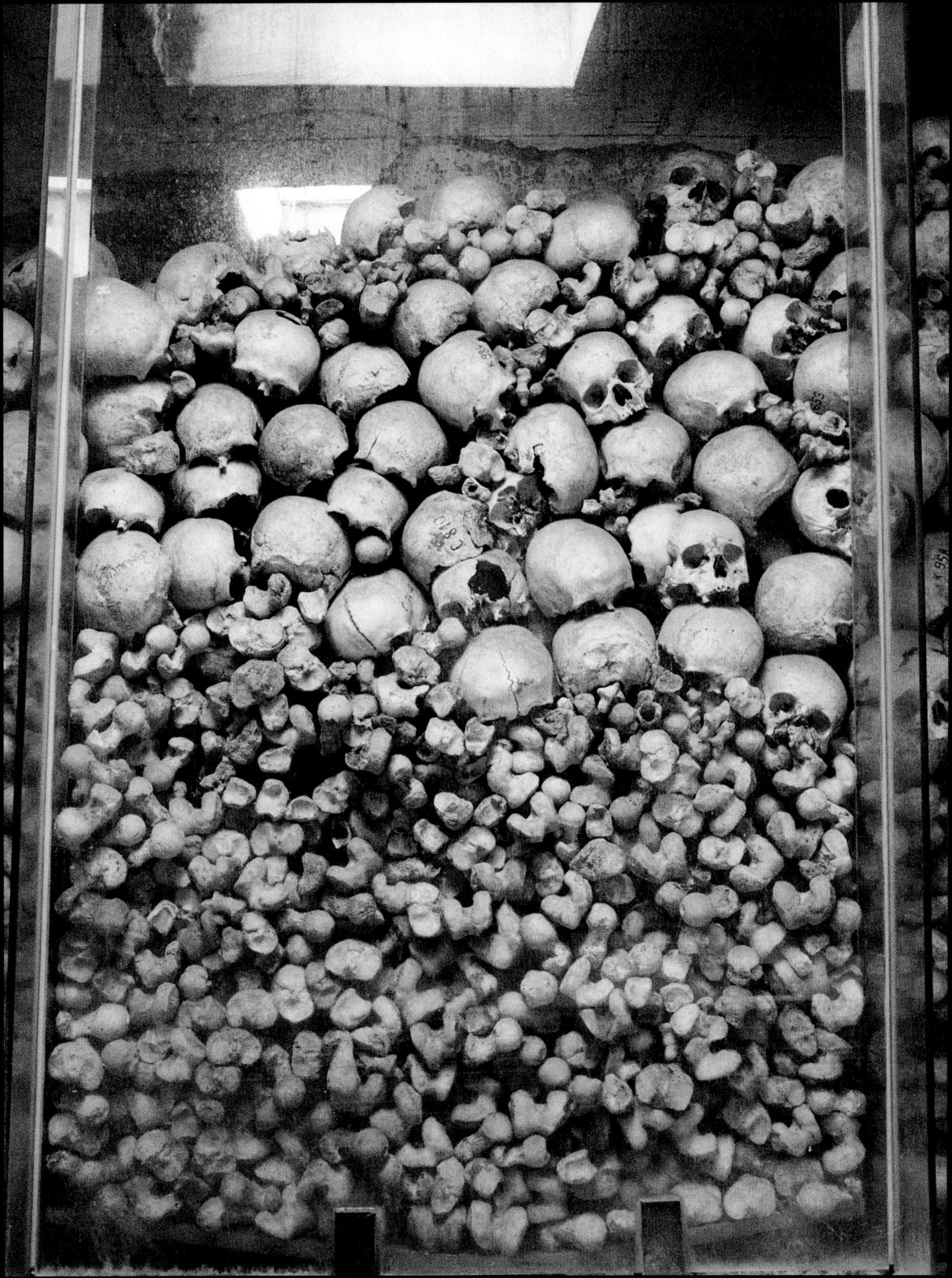

第六章　死者をよみがえらせる——保存と修復

「セント・ブライズ教会の納骨所」［ロンドン、イングランド］

［上－271］　セント・ブライズ教会でクリプトが発見された時、約5000体の遺骨が掘り出された。だがここに納骨されることに教区民全員が同意したわけではなかった。1380年の記録が「墓に眠る私の邪魔をしない」条件で10シリングを献金した信徒がいたことを証言している。

［下－272］　この納骨所には、市松模様のように骨で丁寧に方形をかたどった部分が一ケ所だけあるが、その意図は不明である。コレラの流行を受けて1854年にロンドンで衛生法が施行された後、地下室は閉鎖されたようだ。

「ホーリー・トリニティ教会のクリプト」［ロスウェル、イングランド］

［上－273］　かつてイングランドには納骨堂が数ヶ所に存在した。その一つ、リポン大聖堂の納骨堂は1840年代、教会の管理人が案内するツアーで有名だった。納骨堂の多くは失われたが、ロスウェルの納骨堂は1700年頃に再発見され、以来保存されている。骨が現在の配置になったのは1912年のことである。

［下－274］　骨は時代の異なる二つのグループに分けられる。一つは大体1300年から1400年の間に収容された骨で、身長が比較的低く、色も白っぽい。もう一つの、16世紀後半の骨は、身長が比較的高く、オークの棺に含まれていたタンニンと腐敗した皮のため、茶色に変色している。

「SNP広場の地下にある中世の納骨所」
［ブラティスラヴァ、スロヴァキア］

[本頁－275]　1990年代にブラティスラヴァ旧市街の中心部で納骨所が発見された。18世紀の挿絵から、近くに墓地があったこと、この納骨所がかつて聖ヤコブに奉献された礼拝堂と同じ敷地にあったことがわかる。一番古い骨は12世紀に遡る。

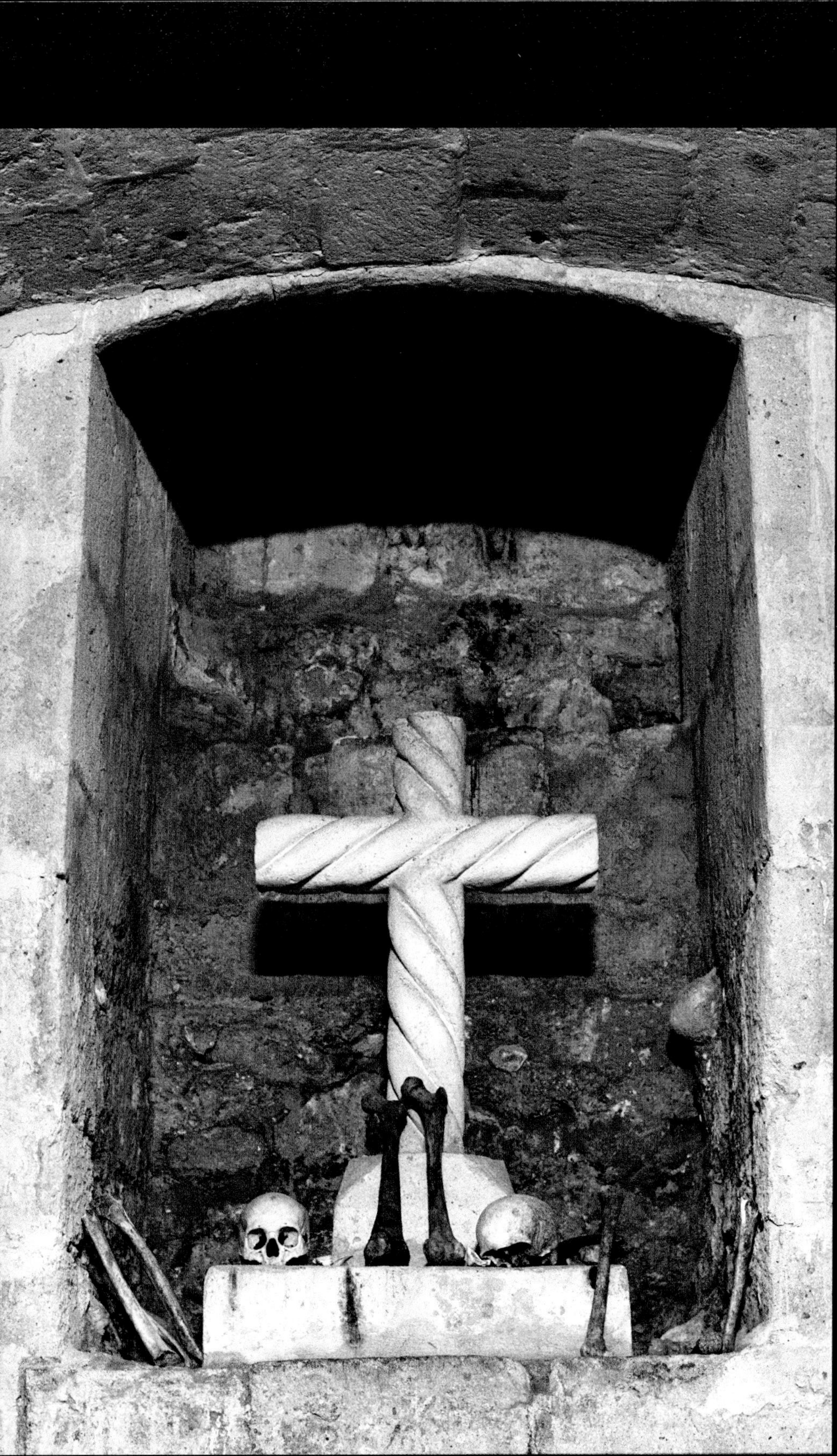

「サン・フランシスコ修道院地下のクリプト」
［キト、エクアドル］

[上－277]　南アメリカでは植民地時代に建てられた宗教的な建築物でしばしば小さな納骨所が発見される。キトのサン・フランシスコ教会でも1990年に発掘された。229体の遺骸は17世紀から19世紀のものだが、それよりも前からここが埋葬場所とされていた証拠が残っている。

[次頁－278]　1535年に創設され16世紀初めに完成したこの教会は、1829年の布告でここでの埋葬が禁じられるまで、墓地の機能も果たしていた。発見された埋葬地で最も古い区画は1570年よりも前に遡り、修道院の入り口近くにあった。現在も考古学調査が進められている。

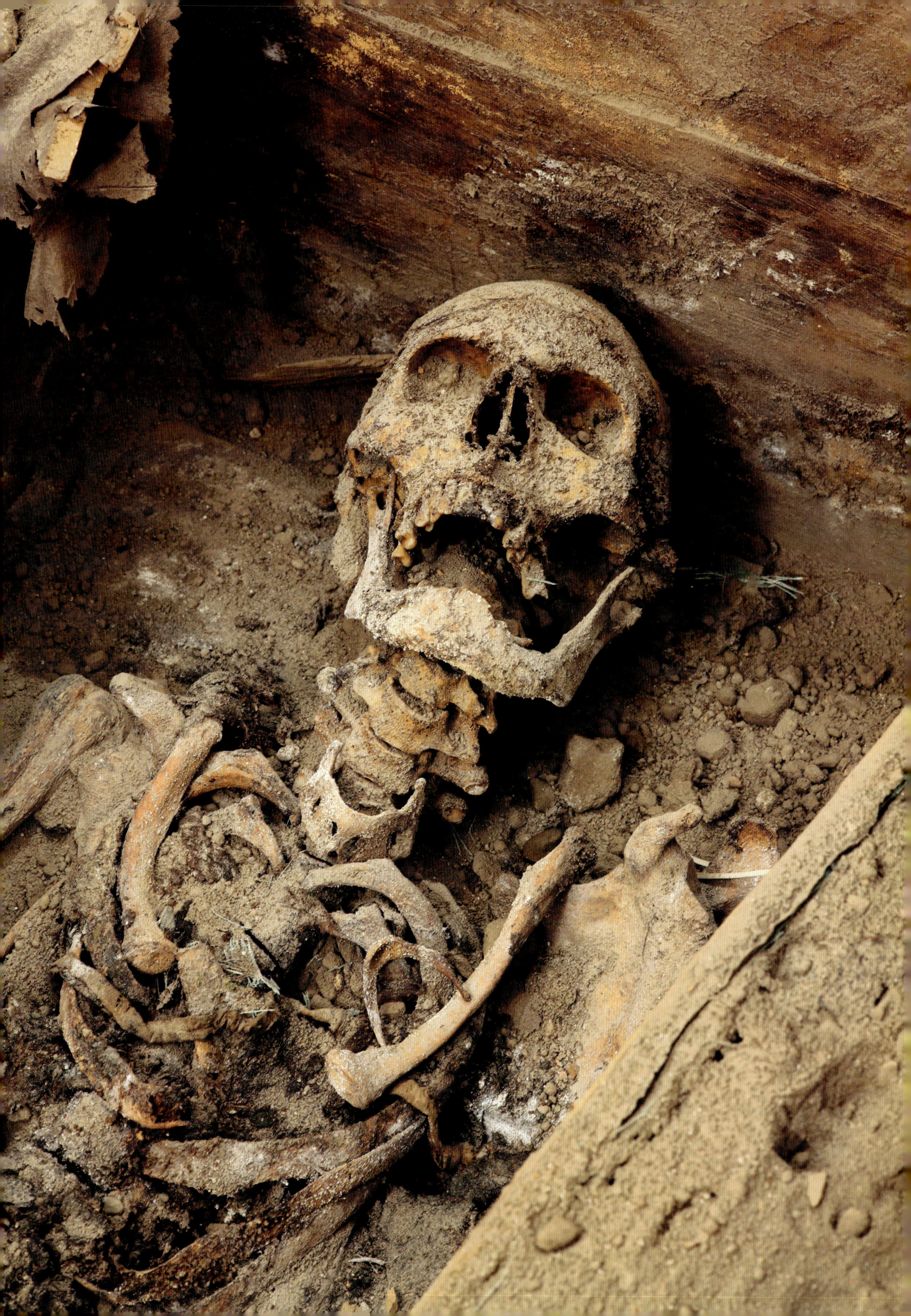

第六章　死者をよみがえらせる──保存と修復

「サン・フランシスコ修道院のカタコンベ」
[リマ、ペルー]

[上−279]　地元の小さな墓地から収容された骨はサン・フランシスコ教会の地下にある深い穴に捨てられるならわしだった。頭蓋骨と長骨を放射状に配置したデザインがここの特徴だが、こうなったのは1950年代のことで、現場で作業していた考古学者たちが、骨を芸術的に並べたらこのカタコンベを訪れる観光客が増えるのではないかと考案した。

[右−280]　これまでに配置されたのは骨の一部にすぎない。2万5000体分の遺骨があると推定されているが、多くは積み上げられたままである。伝説では、カタコンベは大聖堂地下の通路や町の他の部分ともつながった、巨大な地下網の一部とされている。

「サンタ・マリア・デ・ワンバ教会の納骨所」
[ワンバ、スペイン]

[右—281]　人口300人に満たないワンバ村には、1万体もの遺骨を納めている可能性のある納骨所がある。しかもかつては現在の倍の規模だったと推定されている。他の共同体から運び込まれた遺骨もあったに違いない。

[下左—282]　1950年代、大量の骨がマドリードに運ばれ、スペインの病理学研究所の創設者で実験内分泌学研究所所長のグレゴリオ・マラニョンによって調べられた。彼の研究から、一番古い骨が13世紀初頭に遡ることが明らかになった。

[下右—283]　現在スペインでは納骨所はほとんど存在せず、これだけの規模の納骨所はここワンバだけである。しかしかつては死にまつわる慣習の一部で、各地に見られた。骨は墓地で展示され、メメント・モリの銘が付されていた。

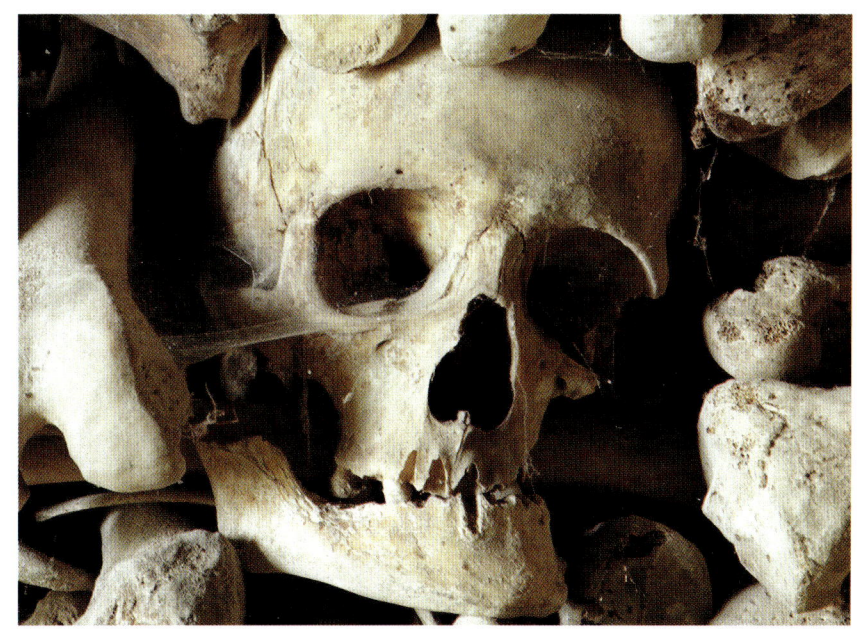

第六章　死者をよみがえらせる──保存と修復

「聖ミヒャエル聖堂の納骨所」
[イフォーフェン、ドイツ]

［上左－284］　イフォーフェンでは納骨所が一ケ所あり、1380年から1690年まで使用されていた。1960年3月、骨が地元の墓地に埋め戻されるまでは公開されていた。しかし1998年、再び墓穴が開かれ、古い写真に基づいて納骨所が再建された。

［上右－285］　納骨所の修復作業は町の文書局員の監督下で進められ、数ケ月を要した。これをきっかけに、半世紀前に盗まれた頭蓋骨が戻されるという思いがけない出来事も起きた。それが磔刑像の下に置かれた色の濃い頭蓋骨である。

「クラトヴィのカタコンベ（無原罪の御宿りの聖母・聖イグナチオ教会）」
[クラトヴィ、チェコ]

[上-286] このクリプトは1920年代に初めて一般公開され観光客の人気を集めた。イエズス会修道士によって作られた約200体のミイラのうち、現在では37体しか残っていない。イエズス会士がこの町にやって来たのは1636年で、その後すぐにカタコンベを開設した。ミイラの製造は1783年まで行われていた。

「エッゲンブルク納骨所」
[エッゲンブルク、オーストリア]

[次頁見開き-287] 13世紀から存在するエッゲンブルクの納骨所は、6mの深さがある縦穴の底にある。上の階は聖ミカエルに捧げられていたが、1792年に壊され、1900年までにこの納骨所も半ば崩壊した状態となった。今のように複雑なデザインとなったのは最近である。

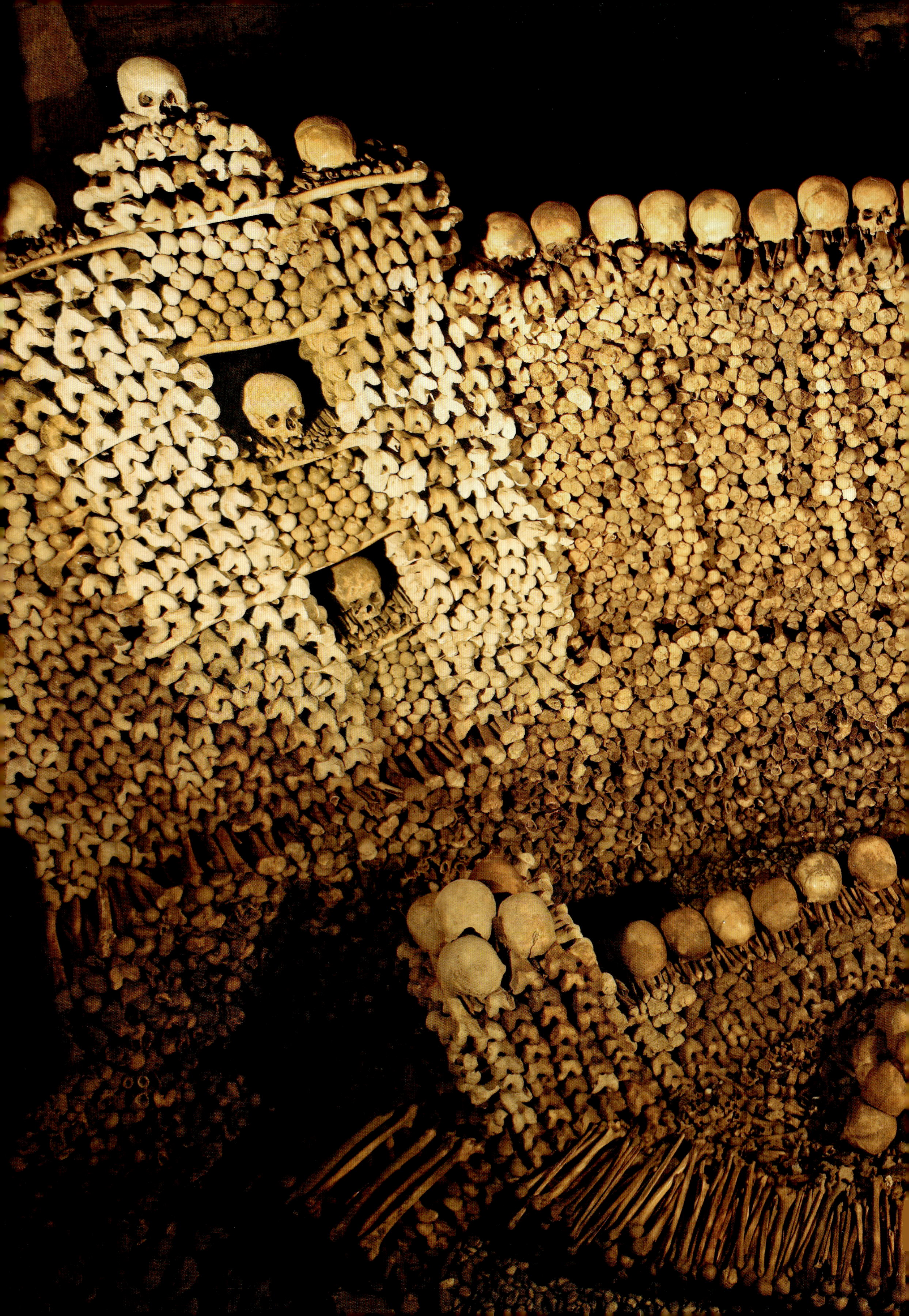

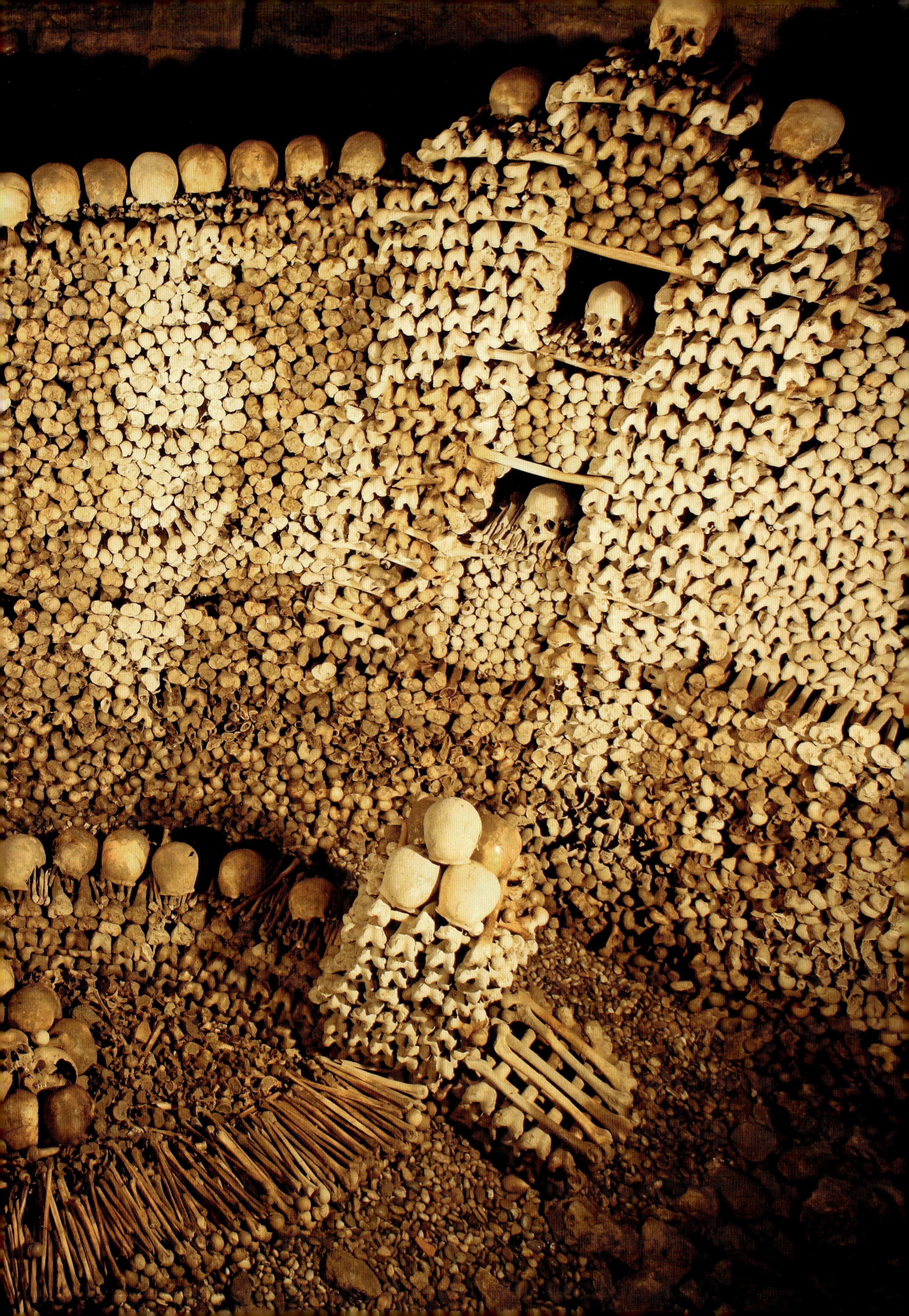

第六章　死者をよみがえらせる――保存と修復

「カプチン会修道院のクリプト」
[ブルノ、チェコ]

[本頁－288]　この地下室には修道士のミイラと遺骨が安置されている。1650年代から1780年代の間にミイラにされた150体の遺骸のうち24体のミイラが今なお残る。修道士は手にロザリオを握りしめている。50年以上修道会に属していた者たちには木製の十字架が与えられた。

「聖ヤコブ教会の納骨所」
[ブルノ、チェコ]

[本頁－289]　2001年8月に発見された聖ヤコブ教会地下の納骨所の、煉瓦を積んだアーチ構造の部分は比較的古く、16世紀に遡る。1722年にフランティシェク・クリツニキという名の建築家が他の部分を建て増した。彼の設計は実際には完成しなかった。通路を伸ばす計画が未完に終わったのだ。

[次頁－290]　ここの改修を担当した建築家たちは、デザインの着想を得るために、現存する他の納骨所を調べた。推定5万体の遺骨が収容されているが、今後も新たな隠し場所が見つかる可能性はある──ブルノの納骨所はパリのカタコンブに次いで世界で2番目に大きい納骨所かもしれない。

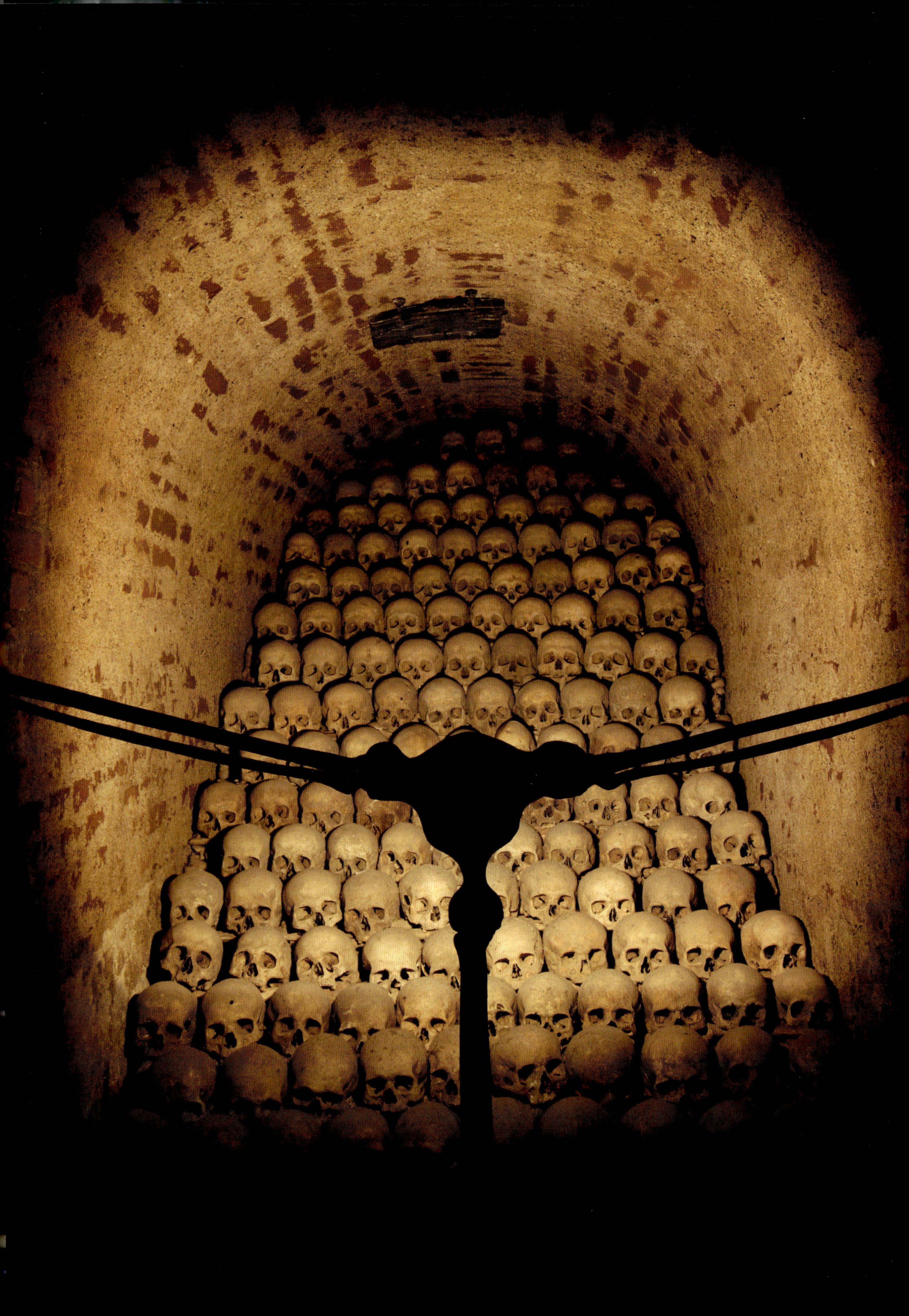

納骨所のリスト
List of Sites

【留意事項】
以下には大まかな情報のみ記した。「通常公開」の場所も、見学可能な曜日や時間はそれぞれ異なり、見学料を課すところもある。予告なしに変更することがあるので、訪問前に現地に問い合わせ、最新情報を得るように。著名な納骨所では地元の旅行業者がガイドツアーを催している。

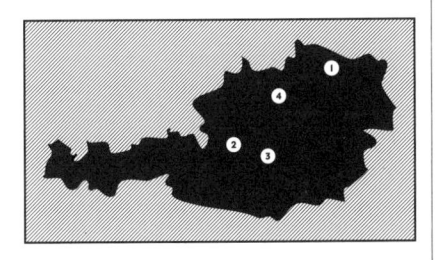

オーストリア

1. エッゲンブルク [PP.204-205]
エッゲンブルク納骨所
見学：建物の外から見ることはできるが、中に入ることはできない。
2. ハルシュタット [PP.126-128]
聖ミヒャエル聖堂(Michaelskapelle)の納骨所
見学：通常公開。
3. ピュルク [P.32]
聖ゲオルク教会納骨所
見学：鉄格子越しに見ることはできるが、中に入ることはできない。
4. ザンクト・フローリアン [P.180]
ザンクト・フローリアン修道院の納骨所、アントン・ブルックナーの墓
見学：修道院見学ツアーに参加するか、事前に申請すること。

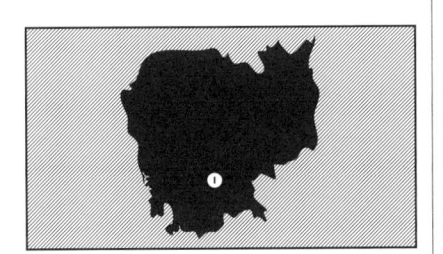

カンボジア

1. プノンペン [P.164]
チェンエク村にあるキリング・フィールドの慰霊塔
見学：キリング・フィールドの入場者に公開されている。

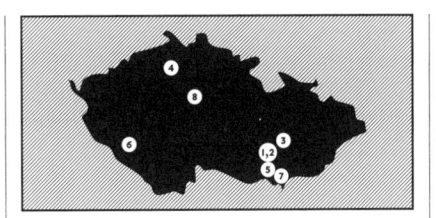

チェコ

1. ブルノ [P.206]
カプチン会修道院(Klašter Kapucinu)のクリプト
見学：通常公開。
2. ブルノ [PP.207-208]
聖ヤコブ教会納骨所
見学：教会か市に事前に申請すること。
3. クラトヴィ [P.203]
クラトヴィ・カタコンベ（無原罪の御宿りの聖母・聖イグナチオ教会）
見学：通常公開。
4. クシュチニ [P.187、262の写真]
聖母マリア教会納骨堂
見学：教会に連絡を取ること。
5. メルニーク [PP.46-47]
聖ペテロ・聖パウロ教会のクリプト
見学：通常公開。教会堂背後に別の入口がある。
6. ミクロフ
ロブコヴィッツ・クリプト
見学：主として夏期に一般公開。
7. モウジネツ（アンニン村近郊）[P.115]
聖マウリッツ教会の納骨所
見学：管理人に連絡を取ること。
8. セドレツ（クトナー・ホラ）[PP.118-123]
諸聖人教会付属納骨堂、またはセドレツ納骨堂(Kostnice Sedlec)
見学：通常公開。

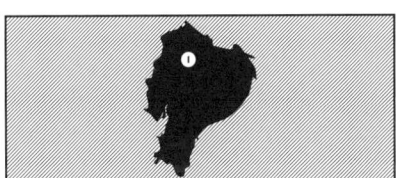

エクアドル

1. キト [PP.198-199]
サン・フランシスコ修道院地下のクリプト
見学：現在も考古学調査が続けられているため、特別に許可を得た者のみ見学可能。

エジプト

1. シナイ半島 [PP.25-26]
聖カタリナ修道院の納骨所
見学：通常の修道院ツアーに含まれることが多い。ガイドに尋ねてみるとよい。

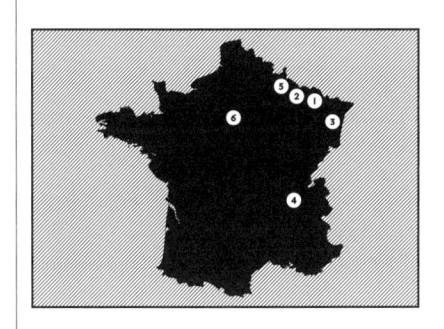

フランス

1. ベリク＝ヴァントランジュ [P.38]
サン・ティポリト・ド・ヴァントランジュ教会の地下納骨所
見学：教会か市に事前に申請すること。
2. ドーモン
ヴェルダンの戦いの犠牲者のための納骨礼拝堂
見学：礼拝堂から窓越しに遺骨が少し見えるが、納骨所内に入ることはできない。
3. エプフィグ [P.33]
サント・マルグリット聖堂の納骨所
見学：アーケード下にある納骨所には囲いがあるが、聖堂が開いている時はフェンス越しに見ることができる。
4. リヨン [P.166]
ブロットー礼拝堂のクリプト
見学：管理者に事前に申請すること。
5. マルヴィル [PP.124-125]
サン・ティレール墓地付属納骨堂
見学：納骨所内に立ち入ることはできないが、中の様子は見ることができる
6. パリ [PP.105-108]
カタコンブ
見学：通常公開（改修のため閉鎖している時もある）。

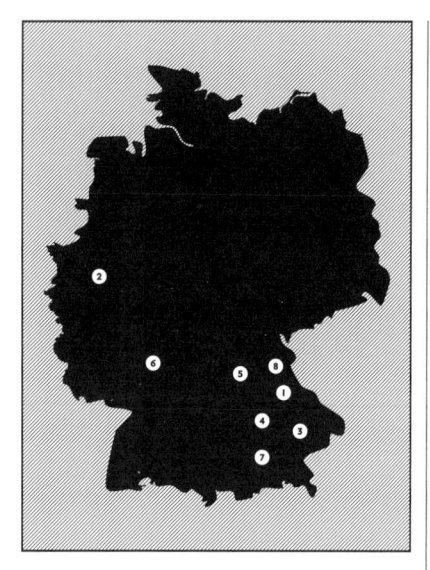

ドイツ

1. カム／カンミュンスター [P.35]
聖カタリーネン聖堂(Katharinenkapelle)の一部だった納骨所
見学：納骨所は鉄格子越しに見ることができる。

2. ケルン [P.57]
聖ウルズラ聖堂内の黄金の部屋(Goldene Kammer)
見学：通常公開。

3. ディンゴルフィング [PP.137-139]
聖ヨハネ教会納骨所
見学：教会に事前に申請すること。

4. グレーディング [P.34]
聖マルティン教会付属墓地にある聖ミヒャエル聖堂(Michaelskapelle)
見学：鉄格子越しに見ることはできるが、中に入る場合は教会に見学を申請すること。

5. イフォーフェン [P.202]
聖ミヒャエル聖堂(Michaelskapelle)内の納骨所
見学：市に申請すること。

6. オッペンハイム [PP.36-37]
聖カタリーネン教会付属墓地にある聖ミヒャエル聖堂(Michaelskapelle)内の納骨所
見学：教会が開いている時は納骨所に入ることができる。

7. ロット・アム・イン [PP.44-45]
聖ペテロ・聖パウロ教会付属墓地にある頭蓋骨の壁龕(Schädelnische)
見学：教会が開いている時は見られる。宝石をまとう聖クレメンスと聖コンスタンティウスの骸骨は教会堂内の副祭壇でガラスケースの中に納められている。

8. ヴァルトザッセン [PP.82-84]
ヴァルトザッセン聖堂の装飾骸骨
見学：聖堂が開いている時は、堂内の側廊でガラスケースに納められた骸骨を見ることができる。

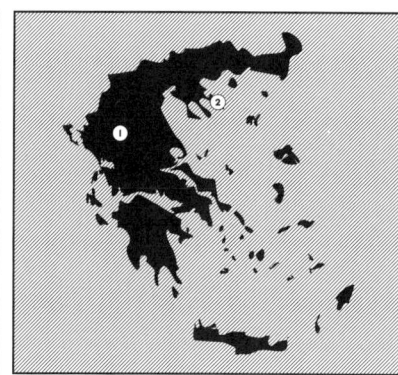

ギリシャ

1. メテオラ [P.27]
大メテオロン修道院納骨所
見学：修道院内部を案内するツアーで納骨所も見ることができる。メテオラにある他の修道院にも納骨所はあるが、観光客には公開されていない。

2. アトス山 [P.28]
各修道院の納骨所(シモノペトラ修道院も含む)
見学：アトス山の修道院の大半に納骨室があり、見学は可能だが、アトス山を訪れることができるのは、巡礼者か修道院の客として許可された者に限られる。

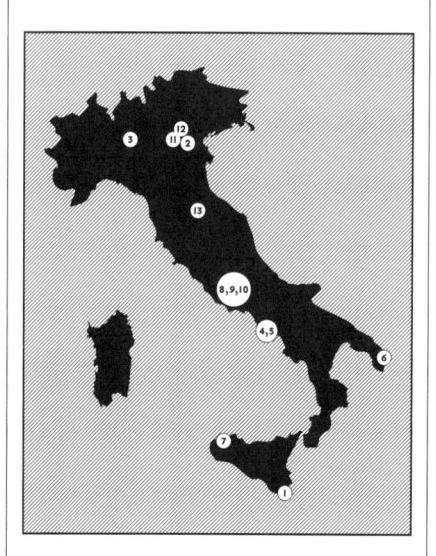

イタリア

1. コミソ [P.71]
サンタ・マリア・デッレ・グラツィエ教会付属葬送礼拝堂
見学：教会が開いている時間であれば礼拝堂を外から見ることができるが、中に入るには教会の祝祭日に訪問するか、事前に申請しておくこと。

2. クストーザ [PP.168-169]
クストーザ納骨堂
見学：記念堂が開館している時は納骨所に入ることができる。

3. ミラノ [PP.142-143]
サン・ベルナルディーノ・アッレ・オッサ教会
見学：通常公開。

4. ナポリ [PP.144-151]
フォンタネッレ墓地
見学：定期的に公開しているが、市当局への申請が必要な場合もある。

5. ナポリ
サンタ・マリア・デッレ・アーニメ・デル・プルガトーリオ・アダルコ教会
見学：教会が開いている時は時折公開される。

6. オトラント [P.167]
オトラント大聖堂の納骨礼拝堂
見学：大聖堂が開いている時は見ることができる。

7. パレルモ [PP.72-77]
サンタ・マリア・デッラ・パーチェ修道院のクリプト
見学：通常公開。

8. ローマ [PP.85-86]
オラツィオーネ・エ・モルテ信心会のクリプト
見学：信心会に申請すること。

9. ローマ
サッコーニ・ロッジ礼拝堂のクリプト
見学：この場所の管理者に申請すること。

10. ローマ [PP.65-70]
サンタ・マリア・デッラ・コンチェツィオーネ修道院のクリプト
見学：通常公開。

11. サン・マルティーノ・デッラ・バッターリャ [PP.174-175]
サン・マルティーノ・デッラ・バッターリャ納骨礼拝堂
見学：通常公開。

12. ソルフェリーノ [PP.170-173]
ソルフェリーノ納骨礼拝堂(San Pietro in Vincoli)
見学：通常公開。

13. ウルバーニア [P.87-88]
ブオナ・モルテ信心会のキエーザ・デイ・モルティ
見学：公開されているが、念のため信心会に問い合わせておくこと。

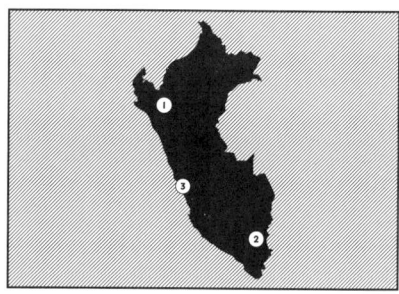

ペルー

1. カハマルカ [P.197]
サン・フランシスコ修道院のカタコンベ
見学：修道院を訪れた者には公開しているが、カタコンベにあった骨はほとんど取り除かれた。

2. ランパ [PP.181-184]
サンティアゴ・アポステル教会のエンリケ・トーレス・ベロンの墓
見学：教会が開いている時は見学可能。閉まっている時は市役所に問い合わせること。

3. リマ [P.200]
サン・フランシスコ修道院のカタコンベ
見学：修道院のガイドツアーに参加すれば見学可能。

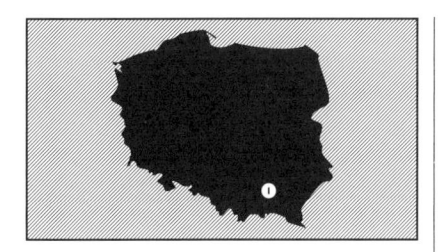

ポーランド

1. チェルムナ [PP.116-117]
骸骨堂（Kaplica Czazek）
見学：通常公開。

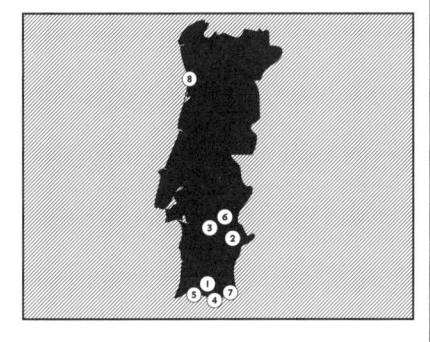

ポルトガル

1. アルカンタリーリャ [PP.42-43]
コンセイサオン聖母教会（Igreja Matriz）の骸骨堂（Capela dos Ossos）
見学：教会が開いている時は礼拝堂も見学可能。建物の外にある。
2. カンポ・マヨル [PP.176-179]
エスペクタソン聖母教会（Igreja Matriz）の骸骨堂（Capela dos Ossos）
見学：聖堂は中庭を挟んで教会の向かいにあり、教会の事務所が開いている時だけ見学可能。
3. エヴォラ [PP.78-79]
サン・フランシスコ教会の骸骨堂（Capela dos Ossos）
見学：通常公開。
4. ファロ [PP.111-114]
カルモ聖母教会の骸骨堂（Capela dos Ossos）とファロ大聖堂の祠堂
見学：通常公開。
5. ラーゴス [P.188、264の写真]
サン・セバスティアン教会の骸骨堂（Capela dos Ossos）
見学：鍵を開けてもらえるか教会に問い合わせること。
6. モンフォルテ [P.110]
グラサ聖母教会（Igreja Matriz）の骸骨堂（Capela dos Ossos）
見学：鍵を開けてもらえるか教会に問い合わせること。
7. ペション [P.109]
サン・バルトロメオ教会（Igreja Matriz）の骨の祠堂
見学：祠堂は教会の向かいにあり、鉄格子沿いに見ることはできるが、中に入ることはできない。
8. ポルト
サン・フランシスコ教会の納骨所
見学：ガイドツアーに参加すれば見学可能。

セルビア

1. ニシュ [P.165]
頭骸骨の塔（Ćele Kula）
見学：通常公開。

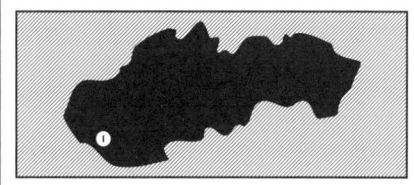

スロヴァキア

1. ブラティスラヴァ [P.196]
SNP広場地下の中世の納骨所
見学：市の文化財公開日に見学するか、事前に申請しておくこと。

スロヴェニア

1. クラーニ [P.193]
聖カンティウス・聖カンティアヌス・聖カンティアニラ・聖プロトゥス教会北側のクリプトと半地下納骨所
見学：地元の観光案内所かゴレンスカ博物館へ問い合わせること。

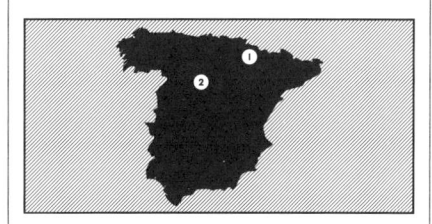

スペイン

1. ロンセスヴァージェス [P.152]
シャルルマーニュの墓室（聖霊堂地下のクリプト）
見学：窓からクリプトを覗くことはできるが、内部に立ち入ることはできない。
2. ワンバ [P.201]
サンタ・マリア・デ・ワンバ教会納骨所
見学：入るには管理人に連絡を取る必要がある。

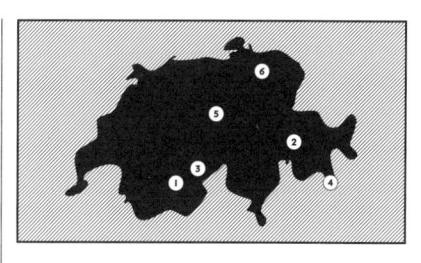

スイス

1. ロイク [PP.30-31]
聖シュテファン教会納骨所
見学：教会が開いている時は見学可能。
2. ミスタイル [P.29]
聖ペテロ教会納骨所
見学：鍵を開けてもらえるか教会の管理人に問い合わせること。
3. ナータース [PP.40-41]
聖マウリティウス教会納骨堂
見学：鉄格子越しに納骨所は見えるが、中に入る場合は事前に申請しておくこと。
4. ポスキアーヴォ [PP.140-141]
サンタンナ礼拝堂のロッジア
見学：鉄格子越しに納骨所は見えるが、中に入る場合は事前に申請しておくこと。
5. シュタンス [P.39]
聖ペテロ・聖パウロ教会納骨所
見学：教会付属の建物の一角にある納骨所は教会が開いている時には見ることができる。
6. ヴィール [PP.80-81]
聖ニコラウス教会の聖パンクラティウスの骸骨
見学：教会が開いている時に骸骨も見ることができる。

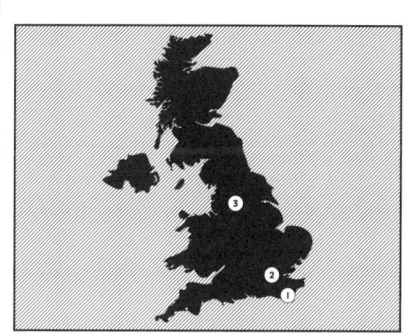

イギリス

1. ハイズ [PP.161-163]
セント・レナーズ教会のクリプト
見学：クリプトは通常公開されているが時期により異なる。
2. ロンドン [P.194]
セント・ブライズ教会の納骨堂
見学：教会に事前に申請しておくこと。
3. ロスウェル [P.195]
ホーリー・トリニティ教会のクリプト
見学：定期的に一般公開しているので、教会に問い合わせること。

原　注
引用文献と注釈

Notes Cited Works and Other Details

序
死との対話

1. Jean Baudrillard, *Symbolic Exchange and Death*, trans. Iain Hamilton Grant (London: 1995), 127［ジャン・ボードリヤール『象徴交換と死』今村仁司・塚原史訳、ちくま学芸文庫、1992年、307頁］.
2. Raoul Vaneigem, *The Revolution of Everyday Life*, trans. Donald Nicholson-Smith (London: 1983), 152.
3. Paul Koudounaris, "Miracle Skull of Bolivia," *Fortean Times* 260 (Apr. 2010), 43.
4. Baudrillard, 126［ボードリヤール『象徴交換と死』、305頁］.
5. Ibid.［同］
6. Ibid., 182［同書、423頁］.
7. Mikhail Bakhtin, *Rabelais and his World*, trans. Hélène Iswolsky (Bloomington: 1984), 303-367［ミハイル・バフチン『フランソワ・ラブレーの作品と中世・ルネサンスの民衆文化』（ミハイル・バフチン全著作第7巻）、杉里直人訳、水星社、2007年、391－475頁］.
8. Norbert Elias, *The Civilizing Process: Sociogenetic and Psychogenetic Investigations*, trans. Edmund Jephcott (Oxford: 1994; rev. edn. 2000), 472［ノルベルト・エリアス『文明化の過程・上』赤井慧爾・中村元保・吉田正勝訳、『文明化の過程・下』波田節夫・溝辺敬一・羽田洋・藤平浩之訳、法政大学出版局、改装版2010年、ただしこの部分は1968年発表の補遺からの引用で邦訳本には収録されていない。］.
9. Claudia Benthien, *Skin: On the Cultural Border Between Self and the World*, trans. Thomas Dunlap (New York: 2002); および Julia Kristeva, *Power of Horror : An Essay on Abjection*, trans. Leon S. Roudiez (New York: 1982), 3-4［ジュリア・クリステヴァ『恐怖の権力―＜アブジェクション＞試論』枝川昌雄訳、法政大学出版局、1984年、6－8頁］を参照。死骸が腐敗しおぞましいものとなった時、どのように自己が疎外されるか論じられている。アリソン・ゲラーの以下の論文も参照。Allison Goeller, "Interior Landscapes: Anatomy Art and the work of Gunther von Hagens," *Abject of Desire: The Aestheticization of the Unaesthetic in Contemporary Literature and Culture*, eds. Konstanze Kutzbach and Monika Müller (Amsterdam: 2007), 274.
10. Bakhtin, 317［バフチン、前掲書、409頁］.
11. Baudrillard, 180-81［ボードリヤール、前掲書、419－422頁］.
12. Torstein Sjovold, "Testing Assumptions for Skeletal Studies by Means of Identified Skulls from Hallstatt, Austria," *Grave Reflections: Portraying the Past through Cemetery Studies*, ed. Shelly Saunders and Ann Herring (Toronto: 1995), 247.
13. *The Gentleman's Calling, Written by the Author of the Whole Duty of Man* (London: 1677), 105.
14. コリントの信徒への手紙一、15章20〜22節。
15. 次を参照。Mary Douglas, *Purity and Danger: An Analysis of the Concept of Pollution and Taboo* (London: 1966), 9［メアリー・ダグラス『汚辱と禁忌』塚本利明訳、思潮社、1995年、29頁］.
16. Christopher Alexander with Sara Ishikawa, Murray Silverstein, Max Jacobson, Ingrid Fiksdahl-King, Shlomo Angel, *A Pattern Language: Towns, Buildings, Construction* (New York: 1977), 354［クリストファー・アレクサンダー他『パタン・ランゲージ―環境設計の手引』平田翰那訳、鹿島出版会、1984年、185-186頁］.
17. Ibid.［同］

第一章
往生術
初期の納骨堂

1. 古代ローマ世界における火葬から土葬への変化と、土葬が好まれた事情に関しては次の書を参照せよ。J. M. C. Toynbee, *Death and Burial in the Roman World* (Ithaca, New York: 1971; repr. Baltimore and London: 1996), 40-41.
2. 教会の敷地内ばかりでなく市内での埋葬全般に反対した人々の中には、4世紀のコンスタンティノープル大司教、聖ヨハネ・クリュソストモスも含まれる。この点については次の書を参照。Philippe Ariès, *Western Attitudes Towards Death: From the Middle Ages to the Present*, trans. Patricia Ranum (Baltimore: 1974), 15-16［フィリップ・アリエス『死と歴史―西欧中世から現代へ』伊藤晃・成瀬駒男訳、みすず書房、1983年、26頁］；マインツ公会議の教令に関しては次の書を参照。Jean-Michel Lang, *Ossuaires de Lorraine: un aspect oublié du culte des morts* (Metz: 1998), 43-44.
3. 次を参照。Philippe Ariès, *The Hour of Our Death*, trans. Helen Weaver (New York: 1981), 52［フィリップ・アリエス『死を前にした人間』成瀬駒男訳、みすず書房、1990年、43頁］.

4. Steven Bassett, ed., *Death in Towns: Urban Responses to the Dying and the Dead, 100-1600* (Leicester: 1992), 2.
5. 次を参照。Nicholas Constas, "To Sleep, Perchance to Dream: The Middle State of Souls in Patristic and Byzantine Literature," *Dumbarton Oaks Papers* 55 (2001), 97-99. 論文の写しをくださった著者のニコラス・コンスタス氏（アトス山シモノペトラ修道院のマクシモス神父）に感謝する。
6. John Lloyd Stephens, *Incidents of Travel in Egypt, Arabia Petraea, and the Holy Land* (New York: 1854), 237.
7. Tom Weil, *The Cemetery Book: Graveyards, Catacombs, and Other Travel Haunts Around the World* (New York: 1992), 256. 聖カタリナ修道院の修道士たちは、鎖につながれた骸骨の話を聞いたことはあったようだが、実際に目にしたことはない。彼らはその存在を否定こそしなかったが、堆積している骨の量を考えれば、中に埋もれている可能性は低いようだ。
8. Joseph Georgirenes, *A Description of the Present State of Samos, Nicaria, Patmos, and Mt. Athos*, translated by "One that knew the author in Constantinople" (London: 1678), 111.
9. Athelstan Riley, *Athos, or the Mountain of the Monks* (London: 1887), 280.
10. Caroline Walker Bynum, *The Resurrection of the Body in Western Christianity, 200-1336* (New York: 1996), 203; Lang, 43-44を参照。
11. 当時のフランスにおける納骨所の数については次を参照。Jacques Guillaume and Marie-France Jacops, "Un patrimoine menacé les ossuaires," *Monuments historiques* 141 (Oct.-Nov. 1985), 78.
12. 碑文は次の書に採録されている。Kathleen Cohen, *Metamorphosis of a Death Symbol: The Transi Tomb in the Late Middle Ages and the Renaissance* (Berkley: 1973),13［キャスリーン・コーエン『死と墓のイコノロジー──中世後期とルネサンスにおけるトランジ墓』小池寿子訳、平凡社、1994年、15頁］．
13. Lang, 61.
14. 次を参照。Pierroberto Scaramella, "The Italy of Triumphs and Contrasts," *Human Fragilitas: The Themes of Death in Europe from the Thirteenth Century to the Eighteenth Century*, ed. Alberto Tenenti (Clusone: 2002), 25-26.『三人の生者と三人の死者』の図像の起源は、13世紀イタリアのフランシスコ会修道士で詩人のヤコポーネ・ダ・トーディの戯曲など文学作品とされている。
15. 引用文はある墓地で模写されたフランス版「死の舞踏」より。次を参照。Richard Etlin, *The Architecture of Death: The Transformation of the Cemetery in Eighteenth-Century Paris* (Cambridge, Massachusetts: 1984), 3.
16. 次を参照。Josef Sarbach, *Beinhaus Leuk* (Leuk: undated publication) and Zita Motschi, "Zwischen Gästen, Grusel und Gnade," Blick, Oct. 29, 2008, <www.blick.ch/news/schweiz/zwischen-gaesten-grusel-und-gnade--103980>.
17. Maria Cristina Neto and Luis Lopes, "Nota Sobre Alguns Aspetos Osteológicos da Capela dos Ossos de Alcantarilha," *Gracia de Orta*, Série de Antrobiologia 10:1-2 (2002), 5-8.

✣ ✣ ✣ ✣ ✣ ✣ ✣ ✣ ✣ ✣ ✣ ✣ ✣ ✣ ✣ ✣ ✣

第二章
黄金時代
対抗宗教改革期のマカーブル

1. Ignatius Loyola, *The Spiritual Exercises, Newly Translated from the Original Spanish Autograph* (New York: 1948), 58［イグナチオ・デ・ロヨラ『霊操』門脇佳吉訳、岩波文庫、1995年、107頁］．
2. Francisco Gómez de Quevedo y Villegas, *The Works* (Edinburgh, 1798), 35.
3. Miguel Mañara Vincentelo de Leca, *Discurso de la Verdad: Dedicado á la Imperial Majestad de Dios* (Madrid: 1878), 14-15, my translation. 版により中身が若干異なるようだ。John Brown, *Images and Ideas in Seventeenth-Century Spanish Painting* (Princeton: 1978), 137 はこの部分を手稿から訳したらしく私の訳とは若干異なるが、意味は同じである。
4. Lang, 66.
5. 次を参照。Rinaldo Cordovani, *The Capuchin Cemetery: Historical Notes and Guide*, trans. Charles Sérignat (Rome: 2002), 34; Katherine Attanasio, *Capuchin Concepts of Death, Purgatory, and Resurrection in the Crypt of Santa Maria della Concezione* (unpublished honors thesis, Wheaton College: 2002), 63.
6. Cordovani, 6; P. Domenico da Isnello, *Il convento della Santissima Concezione de'padri Cappuccini in Piazza Barberini di Roma* (Viterbo, Italy: 1923), 6.
7. Charlotte Anne Eaton, *Rome in the Nineteenth Century: Containing a Complete Account of the Ruins of the Ancient City, the Remains of the Middle Ages, and the Monuments of Modern Times. With remarks on the fine arts, on the state of society, and on the religious ceremonies, manners, and customs of the modern Romans. In a series of letters, written during a residence at Rome in 1817 and 1818.* (Edinburgh: 1820), 347.
8. Joseph Hager, *Picture of Palermo*, trans. Mary Robinson (London:1800), 124.
9. Augustus von Kotzebue, "Travels in Italy in the Years 1804 and 1805," excerpted in *Annual Review and History of Literature for 1805* 4 (1806), 48.
10. M. Reiner, "Excursion le long de la Voie Appienne, visite aux catacombes, etc.," *Journal de la Société des Sciences, Agriculture et Arts, du Département du Bas-Rhin* 1 (1824), 422, note 1. 1820年代に訪れた人物による記録は他にも存在する。James Cobbet, *A Journal of a Tour in Italy and also in Part of France and Switzerland* (London: 1830), 195.
11. Mme. La Csse. Eugénie Dutheil la Rochère, *Rome: souvenirs religieux, historiques, artistiques de l'expédition française en 1849 et 1850*, 2nd edn. (Tours: 1853), 277-78, my translation.
12. Cordovani, 5.
13. John C. Olin, *The Catholic Reformation: Savonarola to Ignatius Loyola* (New York: 1969), 159.
14. シラクーザのカプチン会のミイラについてはアメリカの学者ジョン・ロイド・スティーヴンズの記述がある。Stephens, 236.
15. Patrick Brydone, *Tour through Sicily and Malta in a Series of Letters to William Beckford, Esq.* (Edinburgh: 1809), 238.
16. "The Catacombs of Palermo," *The Columbian Star and Christian Index* 4:1 (Jan.1831), 9.
17. Ibid.
18. Captain Sutherland, "A Remarkable Custom," *New York Weekly Museum* 11:35 (Jan. 1, 1814), 1.
19. Guy de Maupassant, *The Works of Guy de Maupassant: La Vie Errant, Allouma, Toine, and Other Stories*, trans. A. McMaster, A. E. Henderson, and Mme. Quesada (London: 1911), 45.
20. "The Catacombs of Palermo," 9.
21. "The Catacombs of the Capuchins, Palermo," *The Graphic*, Jan.8, 1876, 36.
22. もともとは聖母マリアに献堂された小聖堂に聖ロザリアの祭壇が設置されたが、ここには地下墓所に安置された遺骸の中で一番新しいロザリア・ロンバルドのミイラが置かれている。1920年に亡くなったロザリアの遺骸はアルフレード・サラフィア博士の手で防

腐処置が施され、生前の姿を見事に保っていることで有名である。サラフィア博士は、コラトイオの使用が禁止された1885年以後に遺体の保存を引き継ぎ、化学薬品の注入に基づく秘密の方法を完成した。以下を参照せよ。Dario Piombino-Mascali, Arthur C. Aufderheide, Melissa Johnson Williams and Albert R. Zink, "The Salafia Method Rediscovered," *Virchows Archiv* 454:3 (2009), 355-57; Melissa Johnson Williams and Dario Piombino-Mascali, "Alfredo Salafia: Master Embalmer," *American Funeral Director* 132:3 (March 2009), 52-55.

23. Brydone, 240; "The Catacombs of Palermo," 9-10.
24. フランチェスカ・ファルネーゼにちなみ「ファルネジアーニ」としても知られるセポルテ・ヴィヴェに関しては以下を参照せよ。Jeremiah Donovan, *Rome Ancient and Modern, and its Environs*, vol.2 (Rome: 1844), 201; Mildred Anna Rosalie Tuker and Hope Malleson, *Handbook to Christian and Ecclesiastical Rome*, vols. 3-4 (New York: 1900), 151; Fredrika Bremer, *Two Years in Switzerland and Italy*, vol. 2, trans. Mary Botham Howitt (London: 1861), 266. また次も参照せよ。Christian Elling, *Rome: The Biography of her Architecture from Bernini to Thorvaldsen* (Copenhagen: 1975), 173.
25. 対抗宗教改革期にポルトガルでこれら二つの聖堂を建てたのが、カプチン会でなくフランシスコ会であるのは、アフリカの植民地への伝道をめぐってヴァチカンとポルトガル政府とのあいだに起こった争いが原因かもしれない。ポルトガル政府は、ほぼ全員がイタリア人の修道会が自国内で活動することを許可しなかった。一般にカプチン会は歓迎されなかったようだ。
26. Francisco da Fonseca and Manuel Fialho, *Évora Gloriosa* (Rome: 1728), 348; Carlos Veloso, *As capelas dos ossos em Portugal: 'speculum mortis' no espectáculo barroco* (Coimbra, Portugal: 1993), 20.
27. これと似たような話は無数にある。引用した話の出典は Steve Mckenna, "Bad to the Bone: Portugal Postcard," *Sydney Sun Herald*, Mar. 9, 2008, Travel, 8.
28. Veloso, 22.
29. Henrique da Silva Louro, *Capelas de Ossos na Arquidiocese de Évora* (Évora, Portugal: 1992), 42.
30. Fonseca and Fialho, 348.
31. James Cavanah Murphy, *Travels in Portugal: Through the Provinces of Entre Douro e Minho, Beira, Estremadura, and Alem-Tejo, In the Years 1789 and 1790* (London: 1795), plate xxiv.
32. 次を参照せよ。Robert Southey, *The Poetical Works of Robert Southey, Complete in One Volume* (Paris: 1829), 279 and 577.
33. *Correspondence between Frances, Countess of Hartford (afterwards Duchess of Somerset) and Henrietta Louisa, Countess of Pomfret, between the Years 1738 and 1741*, ed. W. Bingley, (London : 1806), 218.
34. S. I. Mahoney, *Six Years in the Monasteries of Italy, and Two Years in the Islands of the Mediterranean and in Asia Minor* (New York: 1836), 261-62.
35. 聖パンクラティウスのものとされる遺体はローマのサン・パンクラツィオ聖堂に安置されている。
36. 聖パンクラティウスについては次を参照。Elias Giger and Werner Warth's monograph, *Gut Ding muss Wyl haben* (Wil, Switzerland: 2003).
37. *Die Heiligen Leiber in der Basilika Waldsassen*, ed. Robert Treml (Waldsassen, Germany: 2006), 8.
38. Giorgio Vasari, *The Lives of the Painters, Sculptors, and Architects*, vol. 2, ed. William Gaunt (New York: 1963), 177-178［ジョルジョ・ヴァザーリ『続ルネサンス画人伝』平川祐弘・仙北谷茅戸・小谷年司訳、白水社、1995年、新装版2009年、211－212頁］.
39. 例えば次を参照。Professor William Wells, "Gleanings from the Giant Mountains: A Reminiscence of Bohemia," *The Ladies' Repository: A Monthly Periodical Devoted to Literature and Religion*, 12 (1852), 177.
40. Ferdinand Gregorovius, *Passegiate Romane*, trans. Franco Spinosi (Rome: 1965),115.
41. Susan Vandiver Nicassio, *Imperial City: Rome, Romans, and Napoleon, 1796-1815* (Welwyn Garden City, UK: 2005), 115 and 126.
42. 死者の教会については次を参照。"Mumiernes Vagtmester," *Berlingske Tidende*, Jan. 3, 2001, Kultur, 1; Paul Koudounaris, "Church of Death," *Girls and Corpses*, 3, Winter 2009, 22-27; "Urbania, da domani in città una troupe di National Geographic, sulla strada delle mummie," *Corriere Adriatico*, Aug. 9, 2002, Valli Metauro e Burano, 4.
43. Rene Wagner, "In aller Stille vom Moenchen Umgebetter," *Frankfurter Allgemeine Zeitung*, May 8, 1993, Politik, 9.
44. Marie Andree-Eysn, *Volkskundliches aus dem Bayrisch-Österreichischen Alpengebiet* (Braunschweig: 1910), 154.
45. Maria Graham, *Journal of a Voyage to Brazil and Residence There during Part of the Years 1821, 1822, 1823* (London: 1824), 80.
46. Southey, 577.
47. Captain Basil Hall, *Patchwork*, vol. I (Philadelphia: 1941), 294.
48. George French Agnas, *A Ramble in Malta and Sicily in the Autumn of 1841*(London: 1842), 60.
49. Matruin Murray Ballou, *The Story of Malta* (New York: 1893), 52.
50. 特に以下を参照せよ。Karl Klein, *Die Hessische Ludwigsbahn oder Worms, Oppenheim und die anderen an der Bahn liegenden Orte* (Mainz: 1856), 68, note 94; Ludwig Frohnhäuser, "Gustav Adolf und die Schweden in Mainz und am Rhein," *Archiv für Hessische Geschichte und Altertumskunde* 2 (1899), 82. どちらも頭蓋骨のサイズに関する俗説を打ち消そうとしている。

✼✼✼✼✼✼✼✼✼✼✼✼✼✼✼✼✼✼✼

第三章
死の勝利
19世紀の骨の幻影

1. Vanessa Harding, *The Dead and the Living in Paris and London, 1500-1670* (Cambridge: 2002), 111.
2. Richard Etlin, *The Architecture of Death: The Transformation of the Cemetery in Eighteenth Century Paris* (Cambridge, Massachusetts: 1984), 6.
3. L. Héricart de Thury, *Description des Catacombes de Paris* (Paris: 1815), xv.
4. Émile Gérards, *Les Catacombes des Paris* (Paris: 1892), 161 によれば、1870年代と1880年代に不治者救済院、ファルスブール通り、ヌーヴェル・ソルボンヌの各墓地から運ばれた骨が最後である。
5. "From the Catacombs: Subterranean Paris (Reprinted from the *London Globe*)," *New York Times*, Aug. 26, 1875, 2.
6. アルガルヴェ地方には、同じ様式の人骨装飾建造物が他に三つあった。ラーゴスの小さな聖堂と、ファロ大聖堂とペションにある祠堂で、ファロ大聖堂の祠堂では以前何らかの展示がなされていたようだ。The John Murray Company's *A Handbook for Travellers in Portugal: With a Traveller's Map*, 2nd edn.

(London: 1856), 57 によれば、ファロ大聖堂の壁面の墓は、一定の年数が経つと新たな埋葬スペースを作るため入れ替えられた。墓から取り除かれた骨が装飾に用いられたようだ。この箇所は、今も現存する骨の聖堂についての記述かもしれないが、全体に漆喰が塗られているとの記述もあるので、同様の建造物がもう一つあったのかもしれない。

7. 石工たちはカルメル修道会の一般信徒部門である、カルモ聖母在俗信徒会の一員だった。

8. モウジネツの建造物と骨の年代に関しては次を参照せよ。A. Blažek, "Osteologisches Material aus dem Beinhaus von St. Mauritius," *Anthropologia* 12 (1967), 55.

9. 司教区はナーホト司教区、町はドイツ語で「ドイッチュ・チェルベナイ」と呼ばれた。綴りは Deutsch-Tscherbenai、Deutsch-Tscherbenay など何通りかある。

10. W. Mader, "Die Schädelkapelle von Tscherbeney," *Die Grafschaft Glatz: Zeitschrift des Glatzer Gebirgsvereins* 4 (July-Aug. 1908), 1-2. 著者はこの地域の歴史については、19世紀半ばの歴史家エトヴァルト・ルードヴィヒ・ヴェーデキントの本に依拠している。Aloys Bach, *Urkundliche Kirchen-Geschichte der Grafschaft Glatz* (Breslau: 1841), 509. も参照せよ。最初にこの場所を紹介した本かもしれない。また年代を1776年としている。

11. "Die Schädelkapelle in Deutsch-Tscherbeney," *Der Gebirgsfreund* 15:3 (1903), 36-37.

12. Wells, 177.

13. Ibid., 176-77.

14. Ibid.

15. "Die Schä:delkapelle in Deutsch-Tscherbeney," 36-37.

16. この場所の初期の歴史については次を参照。Mojmír Horyna , "The Church of All Saints and the Ossuary at Sedlec, Kutná Hora," in Vaclav Jirásek, Robert Novák, Ivan Pinkova, Bohdan Chlíbec, and Mojmír Horyna, *Memento Mori* (Prague: 1997), 34-41; Jan Kulich, *The Ossuary: Kutná Hora-Sedlec*, trans. Madeleine Štulíková (Libice and Cidlinou, Czech Republic: 2002). 納骨堂についての記述が常にあるとは限らないが、修道院の歴史に関してはこの地域の歴史や建築を扱った数多くの本で紹介されている。1511年まで納骨堂の建設はなかったとする文献もある。B. Dudik, "Ueber trepanierte Cranien im Beinhaus zu Sedlec," *Zeitschrift für Ethnologie* 10(1878), 229.

17. Ludwig Bechstein and Adolf Ehrhardt, *Deutsches Sagenbuch* (Leipzig: 1853), 566; J. Gebhart, *Die Heilige Sage in Österreich* (Vienna: 1851), 145-46. クトナー・ホラのイエズス会の文書では、17世紀後半の間に少なくとも三回この場所に言及している。Dudik, 229を参照せよ。

18. 盲目の修道士の伝説を最初に紹介したうちの一冊が Gebhardt, 145-46. 他に J. Müller, *Geschichte von Böhmen von Einwanderung der Bojer bis auf unsere Tage* (Prague: 1861), 40 でも紹介されている。盲目の修道士の出身地をフリーゾフの町としているのは Cyril B. Courville, "War Wounds of the Cranium in the Middle Ages as noted in the Sedlec Ossuary near Kuttenberg, Czechoslovakia," *Bulletin of the Los Angeles Neurological Society* 30:1 (1965), 35. 盲目の子供によって骨が飾り付けられたとする説を載せているのは Anna Nedobyty, "Bohemia Revisited," *The Overland Monthly* 39 (January 1902), 780 で、納骨堂の管理人か彼の妻が語ったようだ。

19. Mojmír Horyna, "The Ossuary in Sedlec: Place of the Triumph of Death and of Hope in Resurrection," *Memento Mori*, 45.

20. "Überblick der Merkwüdigkeiten in Rücksicht der Natur und Kunst um Kuttenberg, Sedletz und Neuhof in Böhmen, von einem Reisenden kurz dargestellt", *Vaterländische Blätter für den Österreichischen Kaiserstaat*, October 11, 1815, 507-8.

21. 告知が掲載されたのは次の雑誌。*Památky: Archaeologické a mistopisné, vydávané od archaeologichého sboru Musea královstvi Ceského*, eds. K. Vl. Zap and Fr. J. Zoubek (Prague: 1865), 196.

22. Ant. J. Zavadil, *Svedkové stare Slávy Kutnohorské* (Kutná Hora, Czech Republik: 1898), 91-93.

23. 改装後の様子を伝える当時の記事は、W. G. Blaikie, "Bohemia Past and Present," *Sunday Magazine* 6 (1877), 243; Dr. Heinrich Wankel, "Ueber die Angeblich Trepanierten Cranien des Beinhauses zu Sedlec in Böhmen," *Mitteilungen der Anthropologischen Gesellschaft in Wien* 12 (1879), 353.

24. リントの名を挙げているのは、例えば、P. Marianus, "Das Cistercienser-Kloster Sedletz in Böhmen," *Cistercienser Chronik* 35 (January 1, 1892), 20; "Decorations of Human Bone — A Bohemian Relic, Sunday Post Dispatch," *Current Literature: A Magazine of Record and Review* 17 (Jan.-June 1895), 510, and Zavadil, 91-93.

25. Blaikie, 243.

26. Ibid.

27. Michael Taussig, "The Language of Flowers," *Critical Inquiry* 30:1 (2003), 110. サンタ・マリア・デッラ・コンチェツィオーネとの比較は、ジョルジュ・バタイユが1930年代に書いた文章に応じる形でなされた。Georges Bataille, "L'esprit modern et le jeu des transpositions," *Documents* 2:8 (1930), 489-92［ジョルジュ・バタイユ「現代精神と置換の手法」『バタイユ著作集11』片山正樹訳、二見書房、1974年、180-86頁］. バタイユはこのローマのクリプトを、美化する衝動と死の置き換えの一例として挙げた。ただし、「われわれの心を動かすべく定められた嘆かわしい呪物」の一例として援用されているので、バタイユ自身がここに魅了されていたわけではないようだ。

28. Zavadil, 93.

29. "Church of Bones: Czechoslovak Chapel is Adorned with Old Skulls," *Life*, Apr. 5, 1948, 87.

30. 放映は2007年。番組のセットに協力し、私にこのことを教えてくれたB・J・ウィンズローに深く感謝する。

31. Baudrillard, 126-27［ボードリヤール前掲書、305-7頁］.

32. Fanny Bury Palliser, *Brittany and its Byways: Some Account of its Inhabitants and its Antiquities; During a Residence in that Country* (London: 1869), 90. 著者がブルターニュ地方で目にした頭蓋骨箱のイラストが掲載されている。

33. Gustave Flaubert, *The Complete Works of Gustave Flaubert: Embracing Romance, Travels, Comedies, Sketches, and Correspondence*, vol.7 (New York: 1904), 37［ギュスターブ・フローベール『ブルターニュ紀行─野を超え、浜を超え』渡辺仁訳、新評論、2007年、106-7頁］. フローベールの訪れた納骨所の場所と詳細は不明である。恐らくはキブロンの古い教会の墓地に建っていたのであろう。地元の歴史家によれば、1900年に大嵐で全壊したその教会には正式な名称がなく、ただ「鐘塔に灯台のある教会」で通っていたという。この情報に関してエリ・コアンティックとアラン・ディディエに深く感謝する。

34. 骨を並べたのは墓地の管理人のコンスタント・モチで、彼が納骨堂を空にし、幅1.6m、高さ2.7mに骨を積み上げた。Lang, 66-67を参照せよ。マルヴィルの納骨堂自体は15、6世紀に遡るだろう。聖水盤には1603年と記されている。

35. 次を参照。Andree-Eysn, figs. 125 and 126.
36. Ibid., 147.
37. Sjovold, 247.
38. Andree-Eysn, 147-55.
39. Ibid., 150.
40. Ibid., 148.
41. H. J. Paulsen, "Notes by a Peripatetic Photographer," *British Journal of Photography* 30 (Oct. 5, 1883), 592. 残念ながら著者がこの場所で撮影したという写真は掲載されていない。記事によれば花は子供の頭蓋骨の上に置かれていた。
42. Andree-Eysn, 147-51.
43. Ibid., 152.

✣✣✣✣✣✣✣✣✣✣✣✣✣✣✣✣✣

第四章
天国の魂
骨の山にまつわる神話と心霊術

1. Craig Koslofsky, *The Reformation of the Dead: Death and Ritual in Early Modern Germany, 1450-1700* (New York: 2000), 25.
2. 煉獄という観念の歴史については次の書を参照せよ。Jacques Le Goff, *The Birth of Purgatory*, trans. Arthur Goldhammer (Chicago: 1984)［ジャック・ル・ゴッフ『煉獄の誕生』渡辺香根夫・内田洋訳、法政大学出版局、1988年］.
3. Fonseca and Fialho, 348. また次も参照せよ。Veloso, 20.
4. 聖書の節は次の箇所からの引用。ルカ福音書12章46節、マタイ福音書25章34節、同41節、ローマの信徒への手紙14章12節。次の書を参照。Hans Schmid, *Die Stadtpfarrkirche St. Johannes Baptist und Evangelist zu Dingolfing* (Passau, Germany: 2008), 46-48.
5. Michael P. Carroll, *Veiled Threats: The Logic of Popular Catholicism in Italy* (Baltimore, Maryland: 1996), 116-18. 恐らく教会側としては、その場所への崇拝を規制することができなかったためにやむなく姿勢を改め、正式に神聖な場所と認めることにしたのだろう。井戸の中の遺骨を見ることは可能だったようだ。1940年、教会当局は彼らの決定を撤回し、鉄板で井戸を覆い、いかなることがあっても開けないよう命じた。
6. ヴァルヴェルデ、ヴァルテッリーナ地方、およびパレルモについても前掲書を参照せよ。Ibid., 140-44.
7. Carlo Rommusi, *Milan ne'suoi monumenti* (Milan: 1893), 225. 別の資料によれば、この部屋はもともと鞭打苦行者の一団によって管理されていた納骨礼拝堂であったという。礼拝堂は倒れた鐘塔で崩れた後再建されたようだが、その由来については不明。Jeffrey Daniels, "Sebastiano Ricci in Milan," *Burlington* 142:829 (Apr. 1972), 230とCarroll, 151-52を参照せよ。骨の来歴に関する、一層現実離れした説によれば、骨は、539年にブルグンド族とゴート族によって殺された地元の犠牲者、あるいは異教徒のアーリア人によって殺されたカトリック信者の遺骨とされる。後者の説によると、戦いの後カトリック側の死者は全員が天国に向かってあおむけに横たわっていたが、アーリア人は地獄に向かいうつぶせになっていたという。
8. Carroll, 153.
9. フォンタネッレ墓地については次を参照。Paul Koudounaris, "Sisterhood of the Skulls," *Fortean Times* 247 (Apr. 2009), 36-39; Marino Niola, *Il Purgatorio a Napoli* (Rome: 2003); Clemente Esposito, *Il Cimitero delle Fontanelle* (Naples: 2007); Antonio Emanuele Piedimonte, *Il Cimitero Fontanelle: Il culto delle anime del Purgatorio e sottosuolo di Napoli* (Naples: 2003).
10. 1870年代、墓地の前にある教会のガエターノ・バルバティ神父の監督下でさまざまなモニュメントが設置され、墓地全体も整備された。Koudounaris, "Sisterhood of the Skulls," 38を参照せよ。
11. Niola, 108-9.
12. Koudounaris, "Sisterhood of the Skulls," 39; また次も参照せよ。Piedemonte, 10.
13. Cordovani, 4.
14. Nedobyty, 780.
15. 次を参照。"Decorations of Human Bone," 510. この中では盲人が骨を飾り付けたというのはただの民間伝承にすぎないとしている。半盲の修道僧の伝説を紹介しているガイドブックはKulich, 7.
16. "Antiquarian Researches: Mr. Bloxam on Charnel Vaults," *The Gentleman's Magazine and Historical Review* 44 (Sept. 1855), 303.
17. Richard Burgess, *Greece and the Levant, or a Diary of a Summer's Excursion in 1834*, vol. 2 (London: 1835), 272.
18. Alphonse de Lamartine, *A Pilgrimage to the Holy Land: Comprising Recollections, Sketches, and Reflections Made During a Tour in the East*, vol. 2 (New York: 1842), 266-67. この話はもともと1832年に書かれたもの。
19. Ivan Golovin, *The Nations of Russia and Turkey and their Destiny* (London: 1854), 41.
20. Miguele de Cervantes Saavedra, *The Achievements of the Ingenious Gentleman Don Quixote of la Mancha*, trans. John Gibson Lockhart based on that of Peter Anthony Motteux, ed. Edward Bell, vol. 2 (London: 1882), 20, 71, and 247［セルヴァンテス『ドン・キホーテ』牛島信明訳、岩波文庫、2001年］.
21. 次を参照。Gastón Paris, "Roncesvalles (Conclusion)," *La España Moderna* 16: 185(May 1904), 34-35. 墓室がローランの墓である可能性に言及した19世紀の文献を以下に挙げるが、そのほとんどが懐疑的である。Guillaume Manier and Xavier Bonnault d'Houët, *Pèlerinage d'un paysan Picard à St Jacques de Compostelle* (Montdidier: 1890), 144, note 1; Samuel Greene Wheeler Benjamin, *Our American Artists* (Boston: 1881), 33-34; George Payne Ransford James, *France in the Lives of Her Great Men: Charlemagne*, vol. 1(London: 1832), 232, note 2.
22. 古い辞書には、骨の大きさが混同された原因を、恐竜か、ノアの洪水以前の巨大動物の骨が近辺で発見され、それがローランの骨と間違えられたためではないかと書かれてあることもある。次を参照。Ebenezer Cobham Brewer, *Dictionary of Phrase and Fable: Giving the Derivation, Source, or Origin of Common Phrases, Allusions, and Words that have a Tale to Tell* (Philadelphia: 1898), 1078［『ブルーワー英語故事成語大辞典』大修館書店、1994年、1509頁］. この単語は「rounceval」と綴られることもある。

✣✣✣✣✣✣✣✣✣✣✣✣✣✣✣✣✣

第五章
我を忘れることなかれ
記憶の場としての納骨所

1. "Ancestral Skulls: Notes on a Remarkable Collection of Human Bones in the Crypt of Hythe Church, by the Author of 'Curiosities of Natural History'," *The Leisure Hour: A Family Journal of Instruction and Recreation* 410 (Nov. 3, 1859), 695-97.
2. ハイズの骨にまつわる伝説に言及した文献は数多い。特に次を参照。W. H. Ireland, *A New Complete History of the County of Kent*, vol. 2 (London: 1829), 229-30; Robert Knox, "Some Observations on the Collection of Human Crania and Other Human Bones at Present Preserved in the Crypt of a Church at Hythe in Kent," *Transactions of*

the Ethnological Society of London 1 (1861), 238-45; *The Kentish Note-Book: A Collection of Notes, Queries, and Replies on Subjects Connected with the County of Kent* (London: 1894), 89 and 136; Leslie McGregor, "A Crypt of Skulls," *The Royal Magazine* 1(Nov. 1898-Apr. 1899), 266; Brenda Stoessinger and G. M. Morant, "A Study of the Crania in the Vaulted Ambulatory of the Saint Leonard's Church, Hythe," *Biometrika* 24:1/2, (1932), 135-202.

3. Annemarie Schimmel, *The Empire of the Great Mughals: History, Art, and Culture*, trans. Corinne Atwood (London: 2004), 89.

4. 地元に伝わるブルジュ・エル・ルースの歴史に関してはあくまで伝承の域を出ない。スペイン軍とフアン・デ・ラ・サエラの話も作り話かもしれない。頭蓋骨についてはさまざまな話が伝わっているが、スペイン人のものとする点では一致している。島に侵攻したスペインの軍隊が退却しようとした時に干潮で座礁し、海岸で皆殺しにされたとする説もある。以下を参照。Thomas Kerrich, "Some Account of the Island of Jerbi, and the Tower of Human Heads, From Information Obtained on a Visit to that Island in the Summer of 1833," in *The Amulet: A Christian and Literary Remembrancer*, ed. Samuel Carter Hall (London: 1836), 9-37; Major Sir Grenville T. Temple, *Excursions in the Mediterranean: Algiers and Tunis*, vol. 1 (London: 1835), 156-57; James McCauley, *Wonderful Stories of Daring Enterprise, and Adventure* (London: 1887), 100; "Jerbeh's Tower of Skulls: A Grim Monument to Saracen Vengeance," *New York Times*, Feb. 6, 1881; Robert Sears, ed., *Sears' Wonders of the World*, second series (New York: 1856), 63-64.

5. Francis Herve, Esq., "A Residence in Greece and Turkey with Notes on the Journey Through Bulgaria, Serbia, Hungary, and the Balkans," *Waldie's Select Circulating Library*, vol. 12 (Philadelphia: 1838), 169.

6. James Henry Skene, *The Frontier Lands of the Christian and the Turk, Comprising Travels in the Region of the Lower Danube in the Years 1850 and 1851*, vol. 2 (London: 1853), 401.

7. Alexandre Dumas, *The Glacier Land*, trans. Mrs. W. R. Wilde (London: 1852), 156.

8. Johann Georg Krünitz, *Ökonomisch-technologische Encyklopädie* (Berlin: 1794), 700.

9. Dumas, 156. 納骨所はデュマが生まれるよりも前に壊されたため、スイス各地を旅した時にこの話を耳にしたに違いない。

10. ブロットー礼拝堂に関しては *Le Monument religieux des Brotteaux: historique de la commission, liste des victimes du siège de Lyon*, (Lyon: 1989)を参照せよ。

11. Ludwig Pastor, *Geschichte der Päpste seit dem Ausgang des Mittelalters*, vol. 2 (Freiburg : 1889), 496, my translation. また以下の文献も参照せよ。Godfrey Levinge, *The Traveller in the East; Being a Guide Through Greece and the Levant, Syria and Palestine, Egypt and Nubia* (London: 1839), 38; Craufurd Tait Ramage, *The Nooks and By-Ways of Italy: Wanderings in Search of Ancient Remains and Modern Superstitions* (Liverpool: 1868), 185; Augustus J. C. Hare, *Cities of Southern Italy* (London: 1883), 326; Karl Baedeker, *Italy: Handbook for Travellers, Third Part: Southern Italy and Sicily* (Leipzig: 1880), 205; John A. Mooney, "The Popes of the Renaissance," *American Catholic Quarterly Review* 15 (Jan.-Oct. 1890), 761 and 762, note 2.

12. Pastor, 496.

13. Ludwig Hevesi, "Solferino da Almanaccando. Bilder aus Italien," *Un Picciol Borgo detto Solferino*, ed. Massimo Marocchi (Solferino: 2008), 94-95.

14. John Stoddard, *John L. Stoddard's Lectures: South Tyrol, Around Lake Garda, The Dolomites* (Chicago: 1911), 220-21.

15. ポルトガルの骸骨堂の多くがそうだが、カンポ・マヨルの建物に関する古い資料はわずかで、骨の来歴を具体的に記した資料を見つけるのは難しい。聖堂について書かれたもので一番古いのは、1810年代にここを訪れたスコットランド兵ジョゼフ・ドナルドソンによる記述で、ある程度裏付けてくれるかもしれない。彼によると聖堂は町で一番の見所で、はっきりと特定はしていないが「いつぞやの虐殺」の犠牲者の骨とされている。カンポ・マヨルで戦闘がおこなわれたことはないため、大規模な爆発事故の犠牲者と考えた方が理にかなっているだろう。また彼の簡潔な描写から、創建当時と変わらぬ姿を保っていることがわかる。次を参照。Joseph Donaldson, *Recollections of the Eventful Life of a Soldier by the Late Joseph Donaldson, Sergeant in the Ninety-Fourth Scots Brigade* (Philadelphia: 1845), 133. 同時期に訪れた、2番目の英国兵士の報告はそれほど役立たない。「恐ろしい様子」としか記していないからだ。John Patterson, *The Adventures of Captain John Patterson, with Notices of the Officers of the 50th, or Queen's own Regiment, from 1807 to 1821* (London: 1837), 179-89.

16. 次を参照せよ。Paul Koudounaris, "The Tomb of Belón: Lampa, Peru," *Rue Morgue* 95 (November 2009), 58-59.

✣✣✣✣✣✣✣✣✣✣✣✣✣✣✣✣✣✣✣

第六章
死者をよみがえらせる
保存と修復

1. Arthur S. Flower, "Notes, Queries, and Replies: The 'Chapel of Bones,' Great Hospital, Valleta," *Journal of the Royal Institute of British Architects* 4 (1898), 398.

2. Robert Houston McCready, *H. M. Tyndall: The Cruise Around the Mediterranean 1902: Souvenir Volume* (New York: 1902), 48.

3. 骸骨堂に関する情報と、まつわる伝説については次を参照。"Correspondence of Sir John Corson Smith," *Grand Commandery: Knights Templar of Michigan, 39th Annual Conclave* (Grand Rapids, Michigan: 1893), 75; Walter Brawn, "Chapel of Bones," in *Pearson's Magazine* 1 (Jan.-June 1896), 321.

4. John Carr, Esq., *The Stranger in Ireland; or, A Tour in the Southern and Western Parts of that Country in the Year 1805* (Philadelphia: 1806), 227.

5. John Barrow, *A Voyage to Cochinchina, in the Years 1792 and 1793* (London: 1806), 7-8. バローの本の書評が *The Annual Review and History of Literature for 1806*, vol.5, ed. Arthur Aiken (London: 1807), 2-3 に掲載されているが、バローが魂を秤量する人物を聖フランシスコと解釈したことに対して厳しく批判している。伝統的に大天使ミカエルと解釈するのが普通なので、もしバローの解釈通りであれば、極めて珍しい絵ということになる。

6. Barrow, 7-8.

7. 次を参照せよ。Graham, 80、および *John Murray's A Handbook for Travellers in Portugal*, 50. フンシャルの聖堂について言及した文献は他に、Conrad Malthe-Brun, *The Universal Geography, or a Description of all the Parts of the World*, vol. 4 (Edinburgh: 1823), 481; J. R. McCulloch, *McCulloch's Universal Gazetteer: A Dictionary Geographical, Statistical, Historical*, vol. 2 (New York: 1823), 267; *The Annual Register, or a View of the History, Politics, and Literature for the Year 1806* (London: 1808), 858.

原　注

8. Stephen Hawkins, *Holy Trinity Church Rothwell: A Guide* (Rothwell, UK: 1986; rev. edition 2006), 8. ロスウェルの納骨堂に関し詳しくは以下の書を参照。A. Neil Garland, Robert C. Janway and Charlotte A. Roberts, "A Study of the Decay Process of Human Skeletal Remains from the Parish Church of the Holy Trinity, Rothwell, Northamptonshire," *Oxford Journal of Archaeology* 7:2 (Aug. 1988), 235-49; "Antiquarian Researches: Mr. Broxam on Charnel Vaults" 303-4; Thomas Royce, "Some Account of an Ancient Vault, at Rothwell," *The Imperial Magazine and Monthly Record*, 2nd series, 1 (1831), 409-10.

9. William Redpath, "The Bones at St. Bride's," *West London Medical Journal* 60:3 (1955), 130-40. セント・ブライズの納骨所に関するさらなる情報は次を参照。Gustav Milne, *St. Bride's Church London: Archaeological Research 1952-60 and 1992-5* (London: 1997); J. Louise Scheuer and Jacqui E. Bowman, "Correlation of Documentation and Skeletal Evidence in the St. Bride's Crypt Population," *Grave Reflections: Portraying the Past through Cemetery Studies*, ed. Shelly Saunders and Ann Herring (Toronto: 1995).

10. Jozef Hoššo and Branislav Lesák, "Archeologický výskum predrománskej rotundy a karnera zaniknutej osady Sv. Vavrinca v Bratislave," *Archaeologia Historica* 21 (1996) 241-51.

11. 骨の由来はいささか謎めいている。村そのものは昔から人口が少なく、今でも住民の数は300人にすぎない。骨は村に一ヶ所ある墓地から掘り出されたものとされているが、それほど大量の骨が掘り出されたとは考えにくい。イスラム教徒によりキリスト教徒の遺骸が損なわれるのを防ぐため、別の場所から騎士たちが運んできたのかもしれない。ワンバの納骨所に関する資料はわずかである。次を参照。Christine Quigley, *Skulls and Skeletons: Human Bone Collections and Accumulations* (Jefferson, North Carolina: 2001), 35-36; "Miles de calaveras y huesos en el mayor osario visitable de España," *El Imparcial*, Dec. 26, 2008, Viajes, 1.

12. Prof. Dr. M. Hoernes, "Excursion nach Eggenburg," *Mitteilungen der Anthropologischen Gesellschaft in Wien* 30 (1900), 177.

13. 市の文化部門担当官イジー・スタンシル氏との会話より。

14. 次を参照。Cidália Duarte, "Propostas para a conservação e o restauro do material osteológico na Capela dos Ossos," *Monumentos: revista semestral de edificios e monumentos* 17 (September 2002), 111-15. エヴォラの聖堂の観光と保存に関しては、郷土史家でガイドのリバニオ・ムルテイラ・レイス氏から情報をいただいた。

15. Milne, 13.

16. Sjovold, 241.

17. James Hider, "Bone by Bone, Church's Heritage is Disappearing," *Prague Post*, Apr. 6, 1994.

18. "Cracow Resident Attempts to Steal Sculls [sic] from 'Scull Chapel' [sic]," PAP Polish Press Agency News Wire, Aug. 5, 1995.

19. "Bizarre Czech Chapel Honours the Dead, Bone by Bone," Deutsche Press-Agentur, Mar. 14, 2003.

20. "Letters written from various parts of the Continent, between the years 1785 and 1794 …translated from the German of Frederick Matthisson by Anne Pumtre," excerpted in *The Monthly Review, or, Literary Journal* 31 (London: 1800), 109.

21. Ibid.

22. トレンク（Trenck）男爵の名は「Trench」と綴られることもある。彼の親指もロザリオを作るためにのこぎりで切られたという。次を参照。Alice Collins, "Tall Tales from the Crypt," *The Independent* (London), Oct. 27, 2000.

23. "Drug Addict Tears Arm off Mummy in Church Crypt," CTK National News Wire, Aug. 11, 1994.

24. "Les catacombes vandalisées," *Le Parisien*, Sept. 16, 2009, my translation.

25. 次を参照。"Underground Ossuary Discovered by Brno Archaeologists," CTK National News Wire, August 20, 2003; "Largest Czech Ossuary Needs Subsidies," Czech News Agency News Wire, August 16, 2007.

26. Baudrillard, 144［ボードリヤール『象徴交換と死』、342頁］．

27. Ibid., 127［同、307頁］

28. Johann Wolfgang von Goethe, *Goethes Werke: Gedichte*, vol. 3 (Weimar: 1890), 93, lines 13-21［ヨハン・ヴォルフガング・フォン・ゲーテ『ゲーテ全集第1巻』田口義弘訳、潮出版社、1979年、334頁］．ゲーテの自筆原稿の日付は1826年9月17日と同25日。詩は無題で『ヴィルヘルム・マイスターの遍歴時代』（1829年）に掲載された。無題の詩は、冒頭の行にちなんで「厳粛な納骨堂のなかで（Im Ernsten Beinhaus）」と呼ばれることが多かったが、「シラーの頭蓋骨を眺めて」あるいは「シラーの聖骨」の題が付けられることもあった。1826年にシラーの骨が掘り出されワイマールの図書館に展示されたことがきっかけでこの詩が書かれたのではないかと考えられていたからだ。詩の翻訳に協力してくださったヤッシ・レイザー氏に深く感謝する。

索 引
Index

【凡例】斜体（イタリック）の頁数は、写真・図版掲載頁を指す。

ア

アイルランド
　キラーニー　マックロス大修道院納骨所　186
アントニウス(聖)、パドヴァの　52, 130
イエズス会　50, 97, 189, *209*
イギリス(イングランド)
　ハイズ　セント・レナーズ教会クリプト　64, *64*, 154, *154*, 161-3
　ロスウェル　ホーリー・トリニティ教会クリプト　134, 135, *187*, 187, 195
　ロンドン　セント・ブライズ教会納骨所　187, 190, *194*
イタリア
　ウルバーニア　ブエナ・モルテ信心会付属死者の教会　62, *62*, *87*, *88*, *134*, 135
　オトラント大聖堂　157, *157*, 167
　オーリアのミイラ　62
　クストーザ納骨所　158, *158*, *168*, *169*
　ゲディ納骨所　131, *132*
　コミソ　サンタ・マリア・デッレ・グラツィエ教会付属葬祭礼拝堂　53, *71*
　サン・マルティーノ・デッラ・バッターリャ納骨礼拝堂　158, *174*, *175*
　ソルフェリーノ納骨礼拝堂　158, *170-3*
　ナポリ　サンタ・マリア・デッレ・アーニメ・デル・プルガトーリオ・アダルコ教会　131, *133*
　ナポリ　366穴の墓地　133
　ナポリ　フォンタネッレ墓地　12, *12*, 13, *133*, 133-4, *144-51*, 191
　パレルモ　サンタ・マリア・デッラ・パーチェ修道院クリプト　13, *13*, 52-4, *53*, 54, 63, *72-7*, 135
　ミラノ　サン・ベルナルディーノ・アッレ・オッサ　132, *132*, *142*, *143*
　ローマ　オラツィオーネ・エ・モルテ信心会クリプト　60, *60*, 61, *61*, *85*, *86*, 98
　ローマ　カタコンベ　18, 57-9, *82*, *91*
　ローマ　サッコーニ・ロッシ礼拝堂　60
　ローマ　サンタ・マリア・デッラ・コンチェツィオーネ修道院クリプト　10, *10*, 13, 16, *16*, 50, 51, 51-3, 55, 60, 63, *65-70*, 99, 130, 135, 186
　イノサン墓地（パリ、フランス）　90, *91*
ヴァザーリ、ジョルジョ　60
ヴァネジェム、ラウル　11
ヴァルトザッセン聖堂（ドイツ）　59, *59*, *82-4*
ヴェルダン納骨礼拝堂　156
ヴォーティマー王　154
ウルジ枢機卿、コッラード　134, *150*
ウルバヌス8世（教皇）　51
エクアドル
　キト　サン・フランシスコ修道院クリプト　198, *199*
エジプト
　シナイ半島　聖カタリナ修道院納骨所　19, *19*, 20, *25*, *26*
エスペクタソン聖母教会骸骨堂（カンポ・マヨル、ポルトガル）　159, *159*, *176-9*
エセルウルフ、マーシア国王　154
エッゲンブルク納骨所（オーストリア）　188, *188*, *203-5*
エーデル、アーダルベルト　59, *84*
エリアス、ノルベルト　14
エリコ　18
黄金の部屋（聖ウルズラ教会、ケルン）　57, *57*
オーストリア
　アントン・ブルックナーの墓　159, *180*
　エッゲンブルク納骨所　188, *188*, *203-5*
　ザンクト・フローリアン修道院納骨所　159, *159*, *180*
　ハルシュタット　聖ミヒャエル聖堂　14, *14*, *15*, 18, *102*, *103*, 102-4, *126-8*, 190
　ピュルク　聖ゲオルク教会　22, *32*
オトラント大聖堂納骨礼拝堂　157, *157*, 167
オラツィオーネ・エ・モルテ信心会　60, *60*, 61, *61*, 85-6, 98

カ

カタコンベ→クラトヴィ・カタコンベ、サンタ・マリア・デッラ・パーチェ修道院カタコンベ、サン・フランシスコ修道院（カハマルカとペルー）、パリのカタコンブ、ローマのカタコンベの各項を見よ
カプチン会
　—の創設　51
　—のマカーブル趣味　10, 51-5, 63, 157, 191
カプチン会墓所→サンタ・マリア・デッラ・コンチェツィオーネを見よ
ガブリエル（聖、大天使）　95, *116*
カラヤン、ヘルベルト・フォン　180

索 引

カルドソ、ホルヘ 56	サッコーニ・ロッシ 60	サン・フランシスコ教会(エヴォラ、ポルトガル) 21, 55, 55-7, 78, 79, 130, 186, 189, 189, 190	ナータース 聖マウリティウス教会納骨堂 21, 21, 23, 23, 24, 24, 39-41, 104, 104, 136
カルモ聖母教会骸骨堂(ファロ、ポルトガル) 93, 94, 94, 112-4, 189, 191	サド、マルキ・ド 65		
	ザンクト・フローリアン修道院(オーストリア) 159, 159, 180	サン・フランシスコ修道院(キト、エクアドル) 198, 199	ポスキアーヴォ サンタンナ礼拝堂ロッジア 131, 140, 141
カンボジア プノンペン郊外チュンエク村 キリングフィールドの慰霊塔 154, 155, 164	サン・セバスチアン教会(ラーゴス、スペイン) 188, 189	サン・フランシスコ修道院カタコンベ(カハマルカ、ペルー) 197	ミスタイル 聖ペテロ教会納骨所 21, 21, 29
キブロン 101	サンタ・クルス修道院骸骨堂(コインブラ、ポルトガル) 186	サン・フランシスコ修道院カタコンベ(リマ、ペルー) 188, 200	モラ(ムルテン)の納骨所 156, 156, 190
ギヨモ、シャルル=アクセル 191	サンタ・マリア・デ・ワンバ教会納骨所(ワンバ、スペイン) 188, 201	サン・ベルナルディーノ・アッレ・オッサ(ミラノ、イタリア) 132, 132, 142, 143	ロイク 聖シュテファン教会納骨所 21, 21, 24, 30, 31
ギリシャ アトス山 修道院納骨所 20, 20, 28			頭蓋骨の塔(ニシュ、セルビア) 135, 135, 156, 156, 165, 190
メテオラ 大メテオロン修道院納骨所 20, 20, 27	サンタ・マリア・デッラ・コンチェツィオーネ修道院(ローマ、イタリア) 10, 10, 13, 16, 16, 50, 51, 51-3, 55, 60, 63, 65-70, 99, 130, 135, 186	サン・マルティーノ・デッラ・バッターリャ納骨礼拝堂(イタリア) 158, 174, 175	頭蓋骨の壁龕 24, 24, 44, 45, 63, 63, 103
キリング・フィールドの慰霊塔(プノンペン郊外チュンエク村、カンボジア) 154, 155, 164		死者の教会(キエーザ・デイ・モルティ) 62, 62, 87, 88, 134, 135	頭蓋骨箱 18, 18, 100, 101, 102, 124, 125
	サンタ・マリア・デッラ・パーチェ修道院(パレルモ、イタリア) 13, 13, 52-4, 53, 54, 63, 72-7, 135	死者の日→万霊節の項も見よ 11, 12, 54, 60, 77	スタッダード、ジョン 158, 175
クストーザ納骨所(イタリア) 158, 158, 168, 169			スティーブンズ、ジョン 20
クメール・ルージュ 155, 164	サンタ・マリア・デッレ・アーニメ・デル・プルガトーリオ・アダルコ教会(ナポリ、イタリア) 131, 133	死の舞踏→ダンス・マカーブルの項を見よ	ステファノス(聖) 19, 20, 25
グラサ聖母教会骸骨堂(モンフォルテ、ポルトガル) 110		シモノペトラ修道院(アトス山、ギリシャ) 22, 22, 28	スペイン ロンセスバージェス シャルルマーニュの墓室 136, 136, 152, 154
クラトヴィ・カタコンベ (無原罪の御宿りの聖母・聖イグナチオ教会、クラトヴィ、チェコ) 189, 189, 203	サンタ・マリア・デッレ・グラツィエ教会(コミソ、イタリア) 53, 71	シャルルマーニュ(カール大帝) 136, 152	
	サンタンナ礼拝堂ロッジア(ポスキアーヴォ、スイス) 131, 140, 141	シュヴァルツェンベルク ―家 96, 98, 99, 123	ワンバ サンタ・マリア・デ・ワンバ教会納骨所 188, 201
クラーネ、ヨハン・フォン 57			スロヴァキア
クリステヴァ、ジュリア 14	サンティニ=アイヒェル、ヤン・ブラジェイ 97, 118	―、アドルフ・ツー 99	ブラティスラヴァ SNP広場地下の中世の納骨所 187, 196
グレゴリウス(聖)、ニュッサの 19		―、カール・フィリップ・フォン 96, 98	スロヴェニア
グレゴロヴィウス、フェルディナンド 61	サン・ティポリット・ド・ヴァントランジュ(ベリク=ヴァントランジュ、フランス) 23, 23, 38	―、カール・ヨーゼフ・アドルフ・フォン 98	クラーニ 聖カンティウス・聖カンティアヌス・聖カンティアニラ・聖プロトゥス教会北側の納骨所とクリプト 187, 193
クレメンス14世(教皇) 157			
ケヴェード、フランシスコ・デ 50	サン・ティレール墓地納骨所(マルヴィル、フランス) 18, 18, 22, 100, 101, 102, 124, 125	―、プラハ大司教フリードリヒ・ヨハン・ヨゼフ・ケレスティン・フォン 96, 98	聖遺物 18-20, 44, 52, 57-9, 80-4, 101, 131, 156, 157, 187
ゲーテ、ヨハン・ヴォルフガング・フォン 192		シュヴァンクマイエル、ヤン 96, 100	聖ウルズラ聖堂(ケルン、ドイツ) 57, 57
黒死病 21	サント・マルグリット聖堂(エプフィグ、フランス) 22, 33	新古典主義様式 93, 189	聖エルモ城砦の戦い 186
ゴルゴタ 23, 24, 97, 133, 134	「三人の死者と三人の生者」 21, 21, 31	シンデリッチ、ステヴァン 156	聖カタリナ修道院(シナイ半島、エジプト) 19, 19, 20, 25, 26
コンセイソン聖母教会骸骨堂(アルカンタリーリャ、ポルトガル) 24, 42, 43, 136	サン・バルトロメオ教会(ペション、ポルトガル) 93, 109	『真理の論考』 50	
彩色頭蓋骨→装飾頭蓋骨を見よ		スイス ヴィール 聖ニコラウス教会の骸骨 58, 58, 80-1	聖カタリーネン教会(オッペンハイム、ドイツ) 23, 23, 36, 37, 64, 64, 189, 189
## サ	サン・ピエトロ・イン・ヴィンコリ→ソルフェリーノ納骨礼拝堂を見よ	シュタンス 聖ペテロ・聖パウロ教会納骨堂 23, 23, 39, 103	
サウジー、ロバート 56			
サエラ、フアン・デ・ラ 155	366穴の墓地、ナポリ 133		聖カンティウス・聖カンティアヌス・

索　引

聖カンティアニラ・聖プロトゥス教会（クラーニ、スロヴェニア）　187, *193*

聖ゲオルク教会（ピュルク、オーストリア）　22, *32*

聖シュテファン教会（ロイク、スイス）　21, *21, 24, 30, 31*

聖ペテロ教会（ミスタイル、スイス）　21, *21, 29*

聖ペテロ・聖パウロ教会（シュタンス、スイス）　23, *23, 39*, 103

聖ペテロ・聖パウロ教会（メルニーク、チェコ）　24, *46-8*

聖ペテロ・聖パウロ教会（ロット・アム・イン）　24, *44, 45, 63, 63*, 103

聖マウリティウス教会（ナータース、スイス）　21, *21, 23, 23, 24, 24, 39-41, 104, 104*, 136

聖ミヒャエル聖堂、聖マルティン教会付属墓地（グレーディング、ドイツ）　22, *34*

聖ミヒャエル聖堂納骨所（イフォーフェン、ドイツ）　190, *190, 202*

聖ミヒャエル聖堂納骨所（ハルシュタット、オーストリア）　14, *14, 15, 18, 102, 103, 102-4, 126-8*, 190

聖ヤコブ教会（ブルノ、チェコ）　191, 192, *207, 208*

聖ヨハネ騎士団　186, 188

聖ヨハネス教会（ディンゴルフィング、ドイツ）　103, 130, 131, *137-9*

赤十字の創設　158

セドレツ納骨堂（諸聖人教会納骨堂）　61, 93, *96-9, 96-101, 118-23, 135*, 190

セポルテ・ヴィヴェ　55

セルビア

　ニシュ　頭蓋骨の塔　135, *135, 156, 156, 165*, 190

セント・ブライズ教会（ロンドン、イギリス）　187, 190, *194*

セント・レナーズ教会（ハイズ、イギリス）　64, *64, 154, 154, 161-3*

装飾（彩色）頭蓋骨　14, *15, 18, 20, 102, 103, 102-4, 126-8, 187, 187*

装飾骸骨

　ヴァルトザッセン聖堂 59, *59, 82-4*

　ヴィールの聖ニコラウス教会　58, *58, 80-81*

　ロット・アム・インの聖ペテロ・聖パウロ教会　44

　ソルフェリーノ納骨礼拝堂　158, *170-3*

ソルフェリーノの戦い　158

タ

対抗宗教改革　24, 50, 51, 57, 60, 62, 64, 90, 93, 95, 155

大メテオロン修道院、メテオラ、ギリシャ　20, *20, 27*

タウシグ、マイケル　99

磔刑像　23, 24

ダンス・マカーブル（死の舞踏）　21, 90, 92, 160

チェコ

　クシュチニ　聖母マリア教会　187, *187*

　クトナー・ホラ　セドレツ納骨堂　61, 93, *96-9, 96-101, 118-23, 135*, 190

　クラトヴィ・カタコンベ（無原罪の御宿りの聖母・聖イグナチオ教会）　189, *189, 203*

　ブルノ　カプチン会修道院クリプト　55, 191, *191, 206*

　ブルノ　聖ヤコブ教会クリプト　191, 192, *207, 208*

　メルニーク　聖ペテロ・聖パウロ教会クリプト　24, *46-8*

　モウジネツ　聖マウリトゥス教会納骨堂　95, *115*

チュリ、ルイ＝エティエンヌ・エリカール・ド　91, 92, *105*

チュンエク→キリング・フィールドの項を見よ

ディ・コジモ、ピエロ　60

ティムール　155

デヴォティ、ヨゼフ　98

デュナン、アンリ　158

デュマ、アレクサンドル　156, 189

デ・ロヨラ、イグナチオ　50

ドイツ

　イフォーフェン　聖ミヒャエル聖堂　190, *190, 202*

　ヴァルトザッセン聖堂の装飾骸骨　59, *59, 82-4*

　オッペンハイム　聖カタリーネン教会付属墓地内聖ミヒャエル聖堂　23, *23, 36, 37, 64, 64, 189, 189*

　オフネット　先史時代の装飾頭蓋骨　18

　カンミュンスター（カム）　旧聖カタリーネン聖堂　23, *23, 35*

　グレーディング　聖マルティン教会付属墓地の聖ミヒャエル聖堂　22, *34*

　ケルン　聖ウルズラ聖堂「黄金の部屋」　57, *57*

　ディンゴルフィング　聖ヨハネス教会納骨所　103, *130, 131, 137-9*

　ロット・アム・イン　聖ペテロ・聖パウロ教会　14, *44, 45, 63, 63*, 103

トマシェク、ヴァーツラフ　95, *116*, 135

ドーモン納骨所→ヴェルダンの項を見よ

トランジ墓　21

トレンク男爵　191

トレント公会議　57, 130

ナ

ナダール、フェリックス　92

ニャティータの祭　11, *11, 12*

納骨所

　—内の聖堂　15, 23, 130

　—における破壊行為と落書き　189-91

　—に環境が及ぼす影響　189

　—の再生と修復　186-92

　—のシンボリズムと装飾モティーフ　21, 23, 34

　—の発展と初期の歴史　19-24

アイルランド

　キラーニー　マックロス大修道院　186

イギリス

　ハイズ　セント・レナーズ教会　64, *64, 154, 154, 161-3*

　ロスウェル　ホーリー・トリニティ教会　134, 135, 187, *187, 195*

　ロンドン　セント・ブライズ教会　187, 190, *194*

イタリア

　ウルバーニア　ブエナ・モルテ信心会付属死者の教会　62, *62, 87, 88, 134*, 135

　オトラント大聖堂　157, *157, 167*

　クストーザ　158, *158, 168, 169*

　ゲディ　131, 132

　サン・マルティーノ・デッラ・バッターリャ　158, *174, 175*

　ソルフェリーノ　158, *170-3*

　ナポリ　サンタ・マリア・デッレ・アーニメ・デル・プルガトーリオ・アダルコ教会　131, 133

　ナポリ　フォンタネッレ墓地　12, *12, 13, 133, 133-4, 144-51*, 191

　ミラノ　サン・ベルナルディーノ・アッレ・オッサ　132, *132, 142, 143*

　ローマ　サッコーニ・ロッシ礼拝堂　60

　ローマ　サンタ・マリア・デッラ・コンチェツィオーネ修道院　10, *10, 13, 16, 16, 50, 51, 51-3, 55*, 60, 63, *65-70*, 99, 130, 135, 186

エクアドル

　キト　サン・フランシスコ修道院　198, *199*

エジプト

　シナイ半島　聖カタリナ修道院　19, *19, 20, 25, 26*

索　引

オーストリア
　エッゲンブルク納骨所
　　　　188, *188, 203-5*
　ザンクト・フローリアン修道院
　　　　159, *159, 180*
　ハルシュタット　聖ミヒャエル
　　聖堂　14, *14, 15, 18, 102,*
　　103, 102-4, *126-8,* 190
　ピュルク　聖ゲオルク教会
　　　　　　　　　　22, 32
カンボジア
　プノンペン　キリングフィール
　　ドの犠牲者慰霊塔
　　　　　　154, 155, *164*
ギリシャ
　アトス山の修道院　20, *20, 28*
　メテオラ　大メテオロン修道院
　　　　　　　　　20, *20, 27*
スイス
　シュタンス　聖ペテロ・聖パ
　　ウロ教会　23, *23, 39,* 103
　ナータース　聖マウリティウ
　　ス教会　　21, *21, 23, 23,*
　　24, 24, 39-41, 104, *104,* 136
　ポスキアーヴォ　サンタンナ
　　礼拝堂ロッジア
　　　　　　　131, *140, 141*
　ミスタイル　聖ペテロ教会
　　　　　　　　　21, *21, 29*
　モラ（ムルテン）156, *156,* 190
　ロイク　聖シュテファン教会
　　　　21, *21, 24, 30, 31*
スペイン
　ロンセスバージェス　シャル
　　ルマーニュの墓室
　　　　　　136, 136, 152, 154
　ワンバ　サンタ・マリア・デ・
　　ワンバ　　　　188, *201*
スロヴァキア
　ブラチスラヴァ　SNP広場地
　　下の中世の納骨所　187, *196*
スロヴェニア
　クラーニ　聖カンティウス・
　　聖カンティアヌス・聖カン
　　ティアニラ・聖プロトゥス

　　教会北側の納骨所とクリプト
　　　　　　　　　　187, *193*
チェコ
　クシュチニ　聖母マリア教会
　　　　　　　　　　187, *187*
　クトナー・ホラ　セドレツ納
　　骨堂　　61, 93, *96-9, 96-101,*
　　　　　　118-23, 135, 190
　ブルノ　聖ヤコブ教会　191,
　　　　　　　192, *207, 208*
　メルニーク　聖ペテロ・聖パ
　　ウロ教会　　　　24, *46-8*
　モウジネツ　聖マウリトゥス
　　教会　　　　　　95, *115*
ドイツ
　イフォーフェン　聖ミヒャエ
　　ル聖堂　　　　190, *190, 202*
　オッペンハイム　聖カタリー
　　ネン教会　23, *23, 36, 37,*
　　　　　　　　64, 64, 189, *189*
　グレーディング　聖マルティ
　　ン教会付属墓地の聖ミヒャ
　　エル聖堂　　　　22, *34*
　ケルン　聖ウルスラ聖堂「黄金
　　の部屋」　　　　57, *57*
　ディンゴルフィング　聖ヨハネ
　　ス教会　103, *130, 131, 137-9*
　カンミュンスター（カム）旧聖
　　カタリーネン聖堂　23, *23, 35*
　ロット・アム・イン　聖ペテロ・
　　聖パウロ教会の頭蓋骨の壁
　　龕　　14, *44, 45,* 63, *63,* 103
フランス
　ヴェルダン（ドーモン）　156
　エプフィグ　サント・マルグ
　　リット聖堂　　　　22, *33*
　キブロン　　　　　　　101
　パリ　イノサン墓地　90, 91
　パリ　カタコンブ　*90-2,* 91-3,
　　　　　　96, *105-8,* 188, 191
　ベリク＝ヴァントランジュ　サ
　　ン・ティポリット・ド・ヴァ
　　ントランジュ　　23, *23, 38*
　マルヴィル　サン・ティレール墓地
　　　　18, *18,* 22, *100, 101, 102,*

　　　　　　　　　　124, 125
　リヨン　ブロットー礼拝堂
　　　　　　　157, *157, 166*
ペルー
　ランパ　サンチアゴ・アポステ
　　ル教会のエンリケ・トレス・
　　ベロンの墓　160, *160, 181-4*
　リマ　サン・フランシスコ修
　　道院　　　　　188, *200*
ポーランド
　チェルムナ　骸骨堂　95, *95,*
　　96, 98, *116, 117,* 135, 190
ポルトガル
　アルカンタリーリャ　コンセ
　　イソン聖母教会骸骨堂
　　　　　　24, *42, 43,* 136
　エヴォラ　サン・フランシス
　　コ教会付属骸骨堂　21, *55,*
　　55-7, 78, 79, 130, 186, 189,
　　　　　　　　　　189, 190
　カンポ・マヨル　エスペクタ
　　ソン聖母教会骸骨堂　159,
　　　　　　　　159, 176-9
　コインブラ　サンタ・クルズ
　　骸骨堂　　　　　　186
　ファロ　カルモ聖母教会骸骨
　　堂　93, 94, *94, 112-4,* 191
　モンフォルテ　グラサ聖母教
　　会骸骨堂　　　　　110
　ラーゴス　サン・セバスティア
　　ン教会付属骸骨堂　188, 189
マデイラ島
　フンシャル　フランシスコ会修
　　道院　　55, 63, 186, *186,* 187
マルタ　ヴァレッタ　骸骨堂
　　　　　　　61, *61,* 186, *186*

ハ

バイエル、フランシスコ・ペレス
　　　　　　　　　　　56
パウリ、ヨハネス　　　130
パウロ（聖）　　　　　15
ハーゲル、ヨゼフ　　　52
バッシオ、マッテオ・ダ　51

バフチン、ミハイル　　14
パリのカタコンブ　*90-2,* 91-3, 96,
　　　　　　105-8, 188, 191
バルバティ神父、ガエターノ
　　　　　　　　　133, *146*
バルベリーニ枢機卿、アントニオ
　　　　　　　　　　51, 52
パレルモ・カタコンベ → サンタ・
　　マリア・デッラ・パーチェ修道
　　院クリプトを見よ
バロー、ジョン　　　　187
パンクラティウス（聖）*58, 58, 80, 81*
万聖節　　　　　　　　130
万霊節　23, 61, 90, 95, 130, 131, 160
ピッチーニ、ヴィンチェンツォ
　　　　　　　　62, *87, 88*
ファマディアナ　　　　11
ファルネーゼ、フランチェスカ　55
ファロ大聖堂の祠堂　*93, 111*
フェリーチェ（聖）、カンタリーチ
　　ェの　　　　　　52, 130
フォークストーン、イギリス　154
ブオナ・モルテ信心会 → 死者の
　　教会を見よ
フォンタネッレ墓地、ナポリ
　　12, *12,* 13, *133,* 133-4, *144-51,* 191
フス、ヤン　　　　　　97
プフレーガー、ヨゼフ　　95
フランコ、ジャコモ　158, *168*
フランシスコ会　51, 55, 63, 130,
　　　　　　　　　　186-8
フランス
　ヴェルダン（ドーモン）納骨礼拝堂
　　　　　　　　　　156
　エプフィグ　サント・マルグリ
　　ット聖堂納骨所　　22, *33*
　キブロン　　　　　　　101
　パリ　イノサン墓地　90, 91
　パリ　カタコンブ　*90-2,* 91-3,
　　　　　　96, *105-8,* 188, 191
　ベリク＝ヴァントランジュ　サ
　　ン・ティポリット・ド・ヴァ
　　ントランジュ教会地下納骨所
　　　　　　　　　23, *23, 38*
　マルヴィル　サン・ティレール

索　引

墓地納骨所　18, *18*, 22, 100, *101*, 102, 124, *125*
リヨン　ブロットー礼拝堂クリプト　157, *157*, 166
フランチェスコ(聖)、アッシジの　52, 130, 187
ブルゴーニュ伯シャルル1世　156
ブルジュ・エル・ルース(ジェルバ、チュニジア)　155, *155*
ブルックナー、アントン　159, *180*
フローベール、ギュスターヴ　101
ブロットー礼拝堂のクリプト、リヨン　157, *157*, 166
プロテスタント側の納骨所に対する態度　63, 64, 99
ヘイスティングズの戦い　154, *162*
ヘーゲミーラー、ヘレナ　57
ペラン、ルイ・フランソワ(プレシー伯)　157
ペルー
　カハマルカ　サン・フランシスコ修道院カタコンベ　*197*
　ランパ　サンチアゴ・アポステル教会のエンリケ・トレス・ベロンの墓　160, *160*, 181-4
　リマ　サン・フランシスコ修道院カタコンベ　*188*, *200*
ベロン、エンリケ・トレス　160, *160*, 181-4
ベンティエン、クラウディア　14
ボードリヤール、ジャン　11, 13, 14, 101, 192
ボナパルト、ナポレオン　91
ポムチュ、メキシコ　11
ポムフレット伯爵夫人　57
ポーランド
　チェルムナ　骸骨堂　95, *95*, 96, 98, *116*, *117*, 135, 190
　ホーリー・トリニティ教会、ロスウェル　*134*, 135, 187, *187*, *195*
ポルトガル
　アルカンタリーリャ　コンセイソン聖母教会骸骨堂　24, *42*, *43*, 136
　エヴォラ　サン・フランシスコ

教会付属骸骨堂　21, 55, 55-7, 78, 79, 130, 186, 189, *189*, 190
　カンポ・マヨル　エスペクタソン聖母教会骸骨堂　159, *159*, 176-9
　コインブラ　サンタ・クルズ修道院の骸骨堂　186
　ファロ　カルモ聖母教会骸骨堂　93, 94, *94*, 112-4, 191
　ファロ　ファロ大聖堂の祠堂　93, 111
　ペション　サン・バルトロメオ教会の骨の祠堂　93, 109
　モンフォルテ　グラサ聖母教会骸骨堂　110
　ラーゴス　サン・セバスティアン教会付属骸骨堂　*188*, 189

マ

マーフィー、ジェームズ・カヴァナ　56
マクロス修道院納骨所、キラニー、アイルランド　186
マダガスカル→ファマディアナを見よ
マティエカ、インジヒ　24, *46*
マニャーラ、ミゲル　50
マホニー、S. I.　58
マルタ
　ヴァレッタ　骸骨堂　61, *61*, 186, *186*
　フロリアナ　カプチン会修道院　52, 53, 63
ミイラ
　イタリア
　　ウルバーニア　死者の教会　62, *62*, 87, *88*, *134*, 135
　　オーリア　62
　　コミソ　サンタ・マリア・デッレ・グラツィエ教会　53, 71
　　パレルモ　サンタ・マリア・デッラ・パーチェ　13, *13*, 52-4, 53, 54, 63, 72-7, 135
　　ローマ　サンタ・マリア・デッ

ラ・コンチェツィオーネ修道院クリプト　10, *10*, 13, 16, *16*, *50*, *51*, 51-3, 55, 65-70, 135
　チェコ
　　クラトヴィ・カタコンベ(無原罪の御宿りの聖母・聖イグナチオ教会)　189, *189*, 203
　　ブルノ　カプチン会修道院　55, 191, *191*, 206
　ポルトガル
　　エヴォラ　サン・フランシスコ教会骸骨堂　55, 56, 189
　マルタ
　　フロリアナ　カプチン会修道院　52, 53, 63
ミカエル(聖、大天使)
　魂の秤量者としての　23, 95
　―に奉献された聖堂→聖ミヒャエル聖堂の項も見よ　23
メメント・モリ　15, 16, 23, 50, 52, 56, 65, 78, 92, 95, 98, 102, 103, *125*, 131, *141*, 159, 160, 187, *201*
モーパッサン、ギ・ド　54
『モンド・カーネ』　60

ヤ

ヨーゼフ二世(皇帝)　96

ラ

ライヒェンベルガー、ルドルフ　97
ラインハルト、ハインリッヒ　188
落書き→納骨所における破壊行為と落書きの項を見よ
ラグランジュ枢機卿、ジャン・ド　21
ラパス、ボリヴィア→ニャティータの祭を見よ
ラパス大司教エドムンド・ルイス・フラヴィオ・アバストフロア・モンテロ　12
リント、フランティシェク　98-101, *118*, *122*, 135

『霊操』　50
ルター、マルティン　63
ルノワール(パリ警視総監)、アレクサンドル　91
レン、クリストファー　187
煉獄
　死者の魂と納骨堂との関連　52, 63, 130, 131, 133, 159
　歴史　21, 130
ロザリア(聖)　54, 75
ローマのカタコンベ　18, 57-9, *82*, 91
『ローランの歌』　136, 152

謝　辞
Acknowledgments

次の方々と諸機関のご協力に深い感謝の意を表したい。

✠ ✣ ✠ ✣ ✠ ✣ ✠ ✣ ✠ ✣ ✠ ✣ ✠

ベーリク＝ヴァントランジュ、フランス：ダニエル・デュヴォワ、ジャン＝マリー・ユンガー
ブラティスラヴァ：マルガレータ・ムシロヴァ
ブルノ、チェコ：カプチン修道会、アレシュ・スヴァボダと聖ヤコブ教会納骨所
カハマルカ、ペルー：ネルソン・チャンタ・ロメロ神父
カンポ・マヨル、ポルトガル：エスペクタソン聖母教会
カム、ドイツ：エーリヒ・ピーンドル、ペトラ・シュテンツェル
コミソ、イタリア：モンシニョール・ジュゼッペ・カビッボ
クストーザ、イタリア：ダニエラ・マルサ、ミケレ・ミグイディ、クストーザ納骨所、ソニア・サバティーニ
チェルムナ、ポーランド：カプリツァ・チャシェクと聖バルトロメオ教会
ディンゴルフィング、ドイツ：聖ヨハネス・都市教区司祭館、マルティン・マールライター教区司祭、クリストフ・トーマ
エヴォラ、ポルトガル：リバニオ・ムルテイラ・レイス
フランクフルト：ロルフ・ギュンター
グレーディング、ドイツ：リヒャルト・ヘルマン司祭、グレーディング教区司祭館
ハルシュタット、オーストリア：レギナ・シュッとハルシュタット教区司祭館
ハノーヴァー、ドイツ：マリオン・ヴレーデ
ハイズ、イギリス：ブリン・ヒューズ、セント・レナーズ教会、ジェフ・タイラー
イフォーフェン、ドイツ：アンドレアス・ブロンビーアシュトイドゥル、マリア・シェラー、イフォーフェン市立文書館、ミヒャエル・ヴィーザー
クラトヴィ、チェコ：ヴァツラフ・フロウスト、イジー・シュタンツル
クラーニ、スロヴェニア：ゴレンスキ・ムゼイ、バルバラ・ラヴニク・トマン
クシュチニ、チェコ：トマシュ・ブルンカ神父
ラーゴス、ポルトガル：サン・セバスチアン教会
ランパ、ペルー：カルロス・エドゥアルドとサンチアゴ・アポステル教会
リマ：カルロス・アラルコン、サン・フランシスコ修道院
ロンドン：リリー・マーリーン、アデル・ミルドレッド、クレア・シートン、デイヴィッド・スミス、セント・ブライズ教会、ミツィ・トウニー、ロビン・ドワイア＝ヒッキー
リヨン、フランス：アントワーヌ修道士とブロットー礼拝堂
マルヴィル、フランス：セシル・ジェンケヴィッツ
メルニーク、チェコ：メルニーク教区と聖ペテロ・聖パウロ教会、ヤン・ユハ神父
ミラノ：マーク・ボールドウィン・ハリス、モンシニョール・ジャンニ・ザッパ
ミスタイル、スイス：マルティナ・フランクとクーン家
モンフォルテ、ポルトガル：聖母教会
アトス山、ギリシャ：マクシモス神父、聖パンテレイモン修道院、シモノペトラ修道院、セルゲイ修道士、クセノフォントス修道院
ナポリ：市文化財保護局、ジェフ・マシューズ、市地質安全課
ナータース、スイス：エデル・アントン、ロルフ・カルバマター、ナータース司祭館
ニシュ、セルビア：ビリャ・アランジェロヴィッチ
オッペンハイム、ドイツ：カタリーネン教会

パレルモ、イタリア：ドナテッロ修道士とサンタ・マリア・デッラ・パーチェ修道院
パリ：カトリーヌ・デュクールとカルナヴァレ博物館
ポスキアーヴォ、スイス：サンタンナ礼拝堂、ヴァルポスキアーヴォ観光事務所
プラハ：ミハル・イヴァネク
ピュルク、オーストリア：ヴォルフガング・グリースエブナー、ルイス・シュレンマー
キト：マリオ・リロイ・オルテガ神父とサン・フランシスコ教会
ローマ：サンタ・マリア・デッラ・コンチェツィオーネ、ステファニア・サンティーニと宗教建造物中央管理局、アルフォンソ・サピアとサンタ・マリア・オラツィオーネ・エ・モルテ教会
ロスウェル、イギリス：ホーリー・トリニティ教会
ロット・アム・イン、ドイツ：聖ペテロ・聖パウロ教会とロット・アム・イン教区
ザンクト・フローリアン、オーストリア：フリードリヒ・ブフマイル博士、ザンクト・フローリアン修道院
サン・マルティーノ：ブルノ・ボルジとソシエタ・ソルフェリーノ・エ・サン・マルティーノ
セドレツ、チェコ：クララ・チネロヴァとセドレツ納骨堂
シナイ半島、エジプト：ユスティヌス神父と聖カタリナ修道院
ソルフェリーノ：ルイジ・ファッチンカーニとコミューン・ディ・ソルフェリーノ
シュタンス、スイス：ダヴィッド・ブルンシ神父、レグラ・オーデルマット＝ビュルギ
ウルバーニア、イタリア：ジョヴァンニ神父とカンパーニャ・デッラ・モルテ
ヴァルトザッセン、ドイツ：トマス・フォークル都市教区司祭とヴァルトザッセン司祭館
ワンバ、スペイン：イグレシア・パロキアル・デ・サンタ・マリア
ヴィール、スイス：ヴェルナー・ヴァルトとヴィール市文書館

翻訳、情報収集、資料調査で協力してくださった方々
ブレット・バークス、イオナ・チョラク、アルベルト・キュラー、セルビア国立図書館デジタル・ライブラリ、ナタリア・ファビア、ハンチントン図書館（カリフォルニア州パサデナ）、ユラク・ヤロシアク、オリヴィア・ジョーンズ、ヤッシ・レイザー、エリザベッタ・コヴィッチ・ペルフェッティ、ジェニファー・ローゼンフェルト、ジェンカ・サットン、ティナ・シレンジェラス、ドレスデン大学図書館、カルロス・ヴェローゾ、B・J・ウィンズロー

撮影面で協力と助言をしてくださった方々
アラン・アマート、ジェシカ・フェルナンデス、フリースタイル・フォト（ロサンジェルス — マイケルとヴァル）、ジョン・マンゴー、サミーズ・カメラ（カリフォルニア州パサデナ — シンシア、ジェイソン、ジュアン）

最後に
調査旅行で家を空けっ放しだった四年間、うちの猫を養ってくれたジェン＆マイク・アダムズ、イオナ・チョラク、ジョニー＆ロレイン・トーミーに心から感謝する。

国名	
ニカラグア	
コスタリカ	
パナマ	
ベネズエラ	
コロンビア	
ガイアナ	
スリナム	
エクアドル	
ブラジル	
ペルー	
ボリビア	
パラグアイ	